# Sagenbuch des
# ERZGEBIRGES

# INHALT

## Erster Teil:
## Gespenstersagen

### Kobolde und Spukgeister

## Gespenster in Tiergestalt

## Die Geister der Toten

## Berg-, Wald- und Wassergeister

## Zweiter Teil:
## Sagen von überirdischen Kräften

### Teufel, Hexen und Zauberer

# Dritter Teil:
## Historische Sagen

## Ritter und Mönche

## Aus der Geschichte der Wettiner

## Von Bergleuten und ihren Bergwerken

## Aus Stadt und Land

# Gespenstersagen

# KOBOLDE UND SPUKGEISTER

## 1. Die Jungfrau des Lauterstein bei Zöblitz

Einst hütete ein junger Hirte aus Lauterbach seine magere Herde bei der Ruine Lauterstein und legte sich auf den weichen warmen Rasen, um sich zu sonnen. Schon wollte er zu Mittag eintreiben, als er ein Geräusch hinter sich hörte. Er sieht sich um und erblickt eine Jungfrau, groß und stark, in einer Kleidung, wie sie niemand mehr trug; dieselbe war beschäftigt, Laub zusammenzurechen. Freundlich kommt sie auf den Hirten zu, steckt ihm alle Taschen voll Laub und verschwindet wieder. Voll Verwunderung und innerem Grauen treibt der Knabe seine Herde eilig nach Hause. Hier erzählt er bei Tisch von der Erscheinung, greift in die Tasche nach dem Laube und zeigt es vor. Welch Wunder, die Blätter hatten sich in eitel Gold verwandelt! Noch an demselben Tage gingen seine Leute in die Gegend der Ruine, um Laub zu rechen. Sie brachten ganze Säcke davon nach Hause, aber es war und blieb Laub. Der Hirtenknabe kaufte später das Lehngericht in Lauterbach; aber die goldspendende Jungfrau hat er nie wieder gesehen.

## 2. Das Jüdel und Heigidle im Erzgebirge

Man kennt im ganzen Erzgebirge ein Kindergespenst, das sogenannte Jüdel oder Hebräerchen. Wenn die kleinen Wochenkinder während des Schlafes die Augen halb auftun, die Augäpfel in die Höhe wenden, als wollten sie etwas sehen, dabei zu lächeln scheinen und dann wieder fortschlafen, manchmal auch zu weinen anfangen, dann glaubt man, daß das Jüdel mit ihnen spiele. Damit nun aber die Kinder von demselben nicht ferner beunruhigt werden, so kauft man ein kleines neues Töpfchen samt einem Quirlchen, und zwar zu dem Preis, der verlangt wird, ohne zu handeln. Darin wird von dem Badewasser des Kindes gegossen und es dann auf den Ofen gestellt, und man sagt, das Jüdel spiele damit und plätschere das Wasser so lange heraus, bis nichts mehr im Töpfchen sei.

Andere blasen Eier aus den Schalen in des Kindes Brei und der Mutter Suppe und hängen solche hohlen Eierschalen samt etlichen

Kartenblättern und anderen leichten Sachen mehr mit Zwirn an die Wiege des Kindes, daß sie fein frei schweben. Wenn nun die Türe aufgemacht wird, oder es geht und bewegt sich jemand in der Stube, also daß die am Faden schwebenden Sachen sich in der Luft bewegen, da sagen die Weiber, man solle nur acht geben, wie das Jüdel mit den Sachen an der Wiege spiele. Wenn zuweilen die kleinen Kinder rote Flecken haben, da sagt man, das Jüdel habe sie verbrannt; dann soll man das Ofenloch mit einem Speckschwärtlein schmieren.

Das Jüdel spielt aber auch des Nachts mit den Kühen, dann werden sie unruhig und brummen; macht man aber Licht an, so sieht man nichts. Ebenso geht es in die Pferdeställe und fängt an, die Pferde des Nachts zu striegeln, dann werden dieselben wild, beißen und schlagen um sich, ohne daß sie sich des Gespenstes, welches auf ihnen hockt, entledigen können.

Um das Jüdel als Hausgeist zu unterhalten, muß man ihm Bogen und Pfeile und Spielsachen in den Keller und die Scheune legen, damit es damit spiele und Glück ins Haus bringe. Wenn aber die Wöchnerin vor demselben ganz sicher sein soll, so muß ein Strohhalm aus ihrem Bette an jede Tür gelegt werden, dann kann weder das Jüdel noch ein anderes Gespenst herein.

Bei einem Bauern schafften sie eines Tages Heu auf den Boden. Da hatte die Bäuerin etwas Schwarzes mit in die Schürze gerafft, und wie sie es ausschüttete, da sprang auf einmal ein Heigidl heraus. Das hatte einen großmächtigen Bart und ein Gesicht voller Runzeln und war barfuß. Das lachte und klatschte in seine kleinen Hände, kletterte auf den obersten Balken und versteckte sich dann wieder ins Heu. Die Bäuerin kriegte vor Schreck bald die Krämpfe.

Man bekommt die Heigidle aber nur selten zu sehen. Sie haben ihren Namen davon, daß sie ihren Aufenthalt meistens auf dem Heuboden nehmen. Sie machen sich im Hause sehr nützlich, besonders verrichten sie Stallarbeit. Auch spielen sie mit den Kindern und wiegen sie ein, und wenn das Kind im Schlafe liegt, dann sagen die Mütter: „'s Gidl tändelt mit ihm."

Die Heigidle bleiben übrigens nur in Häusern, wo alle Bewohner fromm und christlich leben. Wo geflucht und gezankt wird, kehren sie nicht ein. Will man sie nicht mehr haben, so muß man ihnen kleine Pantoffeln hinstellen, dann klagen und heulen sie die ganze Nacht, am anderen Morgen aber sind sie verschwunden. Doch haben sie zum Abschied die Kühe mit Blumen geschmückt, gefüttert und geputzt, und das Geschirre ist geschmiert.

Wer sie fangen will, den raufen und kratzen sie und entfliehen ihm doch. Sonst sind sie aber gutherzige, arme und halbnackte Dinger und sollen die Seelen ungetaufter gestorbener Kinder sein.

### 3. Der Spiritus familiaris auf Burg Stein

Den 7. November 1668 wurde Hans Melzner aus Wildbach, zu der Zeit Jagd- oder Hundejunge auf Burg Stein in Hartenstein und ein Bursche von 18 Jahren, der Inquisition übergeben. Der Grund war folgender: Als er vor zwei Jahren einmal in die Aue gegangen und in einem Bierhaus eingekehrt war, hatte ihm der Bergmann Christoph Schubert einen Spiritus familiaris für drei Pfennige verkauft. Dieser hatte in einem roten Schächtelchen gesessen, einer Hummel gleich ausgesehen und auch wie eine solche gebrummt. Dieser Spiritus hatte ihm beim Schießen seit dieser Zeit dergestalt genutzt, daß er alle Tage drei Schüsse tun konnte, wobei jeder traf, wonach er auch zielte. Dafür mußte er den Spiritus die Woche siebenmal mit Honig füttern. Als er aber das unheimliche Ding wieder los zu werden trachtete, gelang ihm das in keiner Weise, er mochte anstellen, was er wollte. So hatte er ihn samt dem Schächtelein unterschiedliche Male ins Wasser und Feuer geworfen, er aber sei jedesmal unbeschadet zu ihm zurückgekommen. Dann hatte es Hans Melzner endlich geschafft, sich von dem Spiritus zu befreien. Der Bergmann, von dem er ihn gekauft hatte, nahm ihm den Geist wieder ab, nachdem er sich anfangs strikt geweigert hatte. Der Spiritus hatte aber den Handel geahnt und ihm acht Tage vorher keine Ruhe gelassen und ständig gebrummt.

Da Melzner nicht mehr im Besitz des Spiritus war, seine Sünden und Unrecht herzlich durch öffentliche Kirchenbuße bereute und Gott um Vergebung gebeten hatte, so hat die gnädige Herrschaft ihm die Inquisition, zugleich aber auch seine Dienste erlassen. Er mußte seine Sachen packen und vom Hof gehen.

### 4. Geist Mützchen

Nicht weit von Freiberg ist ein Gehölz, das heißt der heimische Busch, und in demselben hauste in früheren Zeiten ein Kobold, den

die Leute Mützchen nannten. Geist Mützchen gehörte zu jenen gespenstigen Hockelmännchen, die sich Reisenden, Wanderern und Waldarbeitern aufhockten und sich weite Strecken tragen ließen, bis die Leute ganz abgemattet waren und fast atemlos umsanken. Wenn er nun merkte, daß sie am Ende ihrer Kraft waren, hüpfte er von ihrem Rücken plötzlich weg und schnellte auf einen Baum. Dort schlug er ein schmetterndes Gelächter an. Dies arge Possenspiel trieb Geist Mützchen absonderlich im Jahre 1573, und es sind viele Personen durch sein Aufhockeln sogar krank geworden.

Einst fand eine Butterfrau einen prächtigen Käse im heimischen Busch. Des Fundes froh und überrechnend, was sie dafür einhandeln werde, legte sie ihn in ihren Tragekorb; da wurde der Korb so schwer, daß sie endlich von der Last niedergezogen ward, in die Knie sank und den Korb abwarf. Da rollte ein Mühlenstein aus dem Korbe in die Büsche. Aus dem Geäst schaute Mützchen mit gellendem Gelächter. Daher sagt man von einem, der besonders hell und schrill lacht: Der lacht wie ein Kobold. Den Namen aber hatte Mützchen von seiner Nebelkappe, die ihn unsichtbar werden ließ. Er machte sich einen Spaß daraus, die Kappe aufzusetzen. Dann war er im Nu verschwunden. Davon rührt ein Sprichwort her. Wenn jemand etwas sucht und es an einem Ort gesehen zu haben glaubt und es doch nicht finden kann, dann sagt man: Je, da sitzt er und hat Mützchen auf! — nämlich des Zwerglein unsichtbar machendes Nebelkäppchen.

19

### 5. Der Kaspar auf den Greifensteinen

Auf den Greifensteinen läßt sich der Kaspar sehen. Er erscheint in weißen Hosen, rotem Fräckel, großen Kanonenstiefeln und Bonapartehut. Als eines schönen Tages, nachmittags 4 Uhr, die Arbeiter eines Steinbruchs nahe den Greifensteinen ihr Brot verzehrten, ruft aus Übermut einer derselben gegen die Höhe des Felsens: „Komm, Kaspar, iß mit!" In demselben Augenblicke kommt ein großer Stein vom Felsen herab und fällt gerade neben dem Arbeiter hin.

### 6. Der Katzenveit vom Kohlenberge bei Zwickau

Um den Kohlenberg bei Zwickau läßt sich zuweilen ein Gespenst sehen, welches seiner lustigen Streiche wegen viel Ähnlichkeit mit dem Rübezahl hat und der Katzenveit heißt. Seinen Namen hat es daher, weil es im Vogtländischen merkwürdige Dinge mit Katzen, Ratten und Mäusen angestellt hat, wie überhaupt das Vogtland sein bevorzugtes Gebiet war. Wer der Katzenveit leiblich gewesen ist, darüber wurden vielerlei Vermutungen angestellt. So soll er ein ungetreuer Vogt gewesen sein, der Gelder und Einnahmen unterschlagen hat. Nach seinem Tode fand er deswegen keine Ruhe und ging spukend umher, bis ihn ein Hexenmeister und Teufelsbanner in den jetzt so genannten Kohlenberg bei Zwickau verbannte. Weil es nun dem Katzenveit unter dem Berg nicht behagte und dessen Last schwer auf ihn drückte, so rumorte er und spie Gift und Feuer von unten in die Höhe, daß die Feuerschwaden aus dem Berg traten und der Kohlenberg seitdem brannte.

Am meisten läßt sich der Katzenveit zur Zeit des St. Veitstages spüren, wo die Sonne in das Zeichen des Krebses tritt. Von ihm werden nun verschiedene lustige Streiche erzählt.

Einst hatte ein geiziger Bauer seinen ganzen Sinn auf die Bienen gestellt, und wo er nur einen Schwarm vermutete, da schlug er seinen Bienenkorb auf, gleich wessen Eigentum die Bienen waren. Das hat den Katzenveit schwer verdrossen. Er hat sich also in Gestalt eines Bienenschwarms an einen Baum gehängt und ist von dem habgierigen Bauern flugs in den Bienenkorb geschlagen worden. Als derselbe nun nachsehen will, wie sich der Schwarm im Korbe gebärde, da wird er gewahr, daß die vermeintlichen Bienen bereits darin gearbeitet, Zellen und Honig gesetzt haben. Darüber hat er sich erst sehr verwundert, aber als er näher zuschaut, findet er, daß der vermeintliche Honig stinkender Kot war, welchen ihm eine im Stocke sitzende Eule mit den Flügeln ins Gesicht schleuderte. Noch schlimmer: Die Eule fuhr heraus und entführte seine übrigen Bienenstöcke, 200 an der Zahl. Indem der Bauer seinen Bienen nachjagte, brach er sich vor lauter Eifer beide Beine.

Ein andermal kam ein auswärtiger Botaniker auf den Kohlenberg, der gedachte dort kostbare Pflanzen zum Goldmachen zu finden. Zu dem gesellte sich der Katzenveit, als Kräutermann gekleidet, und nannte ihm das reife Silberblatt, Pfennigkraut, Tausendgüldenkraut, Goldblümchen, Frauenmütze usw. als lauter Kräuter, die Gold brächten. Der Tor grub nun alle diese Kräuter aus, weil er meinte, Gold unter ihnen zu finden, allein er fand nichts, und als er mit seinem Funde schnell nach Hause eilte, brach er unterwegs den Arm, ja er erschlug zu Hause in der Hitze seine Frau, die ihn ausgelacht hatte, und grämte sich dann teils deswegen, teils weil er aus den Wurzeln nicht reich geworden war, zu Tode.

Einmal hat ein Saufbruder vor Pfingsten Maien beim Kohlenberge geholt und in seine Behausung gebracht, in der Absicht, eine grüne Lust dabei zu genießen und seine Biergötzen damit zu beehren. Das hat den Katzenveit, der der rechte Waldmeister und Baumherr ist, schwer geärgert. Wie nun solcher Birkenschmuck in der Stube ausgebreitet und damit gleichsam eine Laubhütte gemacht worden war, da wird das Bierfaß hereingeschleppt, in die Mitte gestellt, und der Saufbarthel und seine Freunde setzen sich auf Schemeln rund herum und gießen so einen Becher nach dem andern in die Gurgel hinab und bringen einen Toast nach dem andern aus. Auf einmal fängt aus dem Laube ein Kuckuck zu schreien an, was ihnen anfänglich gar närrisch vorkommt, darauf fängt ein Storch an zu klappern, und endlich singt die Nachtigall ihr Runda Runda Dinellula. Da erschrecken sie bald ein wenig und wissen nicht, wie ihnen geschieht, denn bald werden sie gezupft und sehen doch nicht, woher es kömmt, bald schwingen und schütteln sich die Maien und schlagen auf die Tagediebe los, daß sie Zeter und Mordio schreien und aus der Stube hinweglaufen. Gleichwohl hoffen sie, der Spuk werde sich bald wieder verlieren, damit sie zu ihrem Gelage zurückkehren können. Sie gukken zum Fenster herein, siehe, da waren aus allen Maien junge Mägdlein geworden, welche schöne Gläser in den Händen hatten. Da sprangen alle eilig wieder in die Stube, faßten die Jungfern und sprangen mit ihnen um das Bierfaß herum. Wie sie sich aber die Dirnen genauer anschauen, da haben diese Teufelsklauen an Händen und Füßen, ein großes rundes Auge mitten im Kopfe und an diesem Ziegenhörner. Ei, wie teuer wurde ihnen jetzt das Lachen, wie gern wären die Hengste jetzt hinaus und davon gewesen! Aber sie mußten ausharren und etliche Stunden herumhüpfen, daß ihnen der Angstschweiß an allen Orten ausbrach und sie endlich für tot niedersanken. Zwar haben sie sich bald wieder erholt, aber ihre lose Pfingstlust war ihnen für immer vergangen.

Oft zog der Katzenveit als fahrender Schüler im Lande herum und foppte die Wirte. So kam er einst als armer Student zu einer Wirtin und legt sich ohne weiteres in ein schönes Gastbett. Sie trieb ihn mit viel Schelte aus den Federn. Er aber dankte ihr diese Mißgunst, indem er das Bett stahl und verkaufte. Ein anderes Mal sah er, daß eine Schenkwirtin gebratene Tauben am Spieße stecken hatte. Als sie nun aus der Küche abgerufen ward, huschte er hinein, nahm die Tauben und aß sie ungescheut auf. Wie nun die Frau das sah, fragte sie ihn, wie er zu den Tauben komme, und er antwortete: „Wie kömmt der Tag zum Winde (sintemal es gerade sehr stürmte)?" Damit nahm er die andere gestohlene Taube beim Kopfe und fraß sie auch noch auf.

Endlich gelangte er einst in ein Dorf, wo ein geiziger Pfarrer wohnte, der niemandem etwas gönnte, sondern alle Bittenden entweder selbst, in einem dicken Bauernpelz vermummt, oder durch seine

Leute oder mittels seines Kettenhundes forttrieb. Bei diesem trug sich der Katzenveit so an, als gehe er auf Freiersfüßen und wollte seine Tochter ehelichen. Da nahm man ihn mit Freuden auf; und der Hausherr ließ sogleich dem zukünftigen Eidam zu Ehren Tauben zurichten und braten. Die Mutter mußte etliche Male wegen anderer Besorgungen vom Feuer weg und ließ die Küche leer stehen. Nun zog er schnell junge gerupfte Raben aus dem Ränzel, lief zum Herde, spießte sie an, und so wurden sie mit den Tauben zusammen gebraten. Als sie aber aufgetischt wurden, da partierte er letztere auf den Teller des Pfarrers und seiner Frau, und kehrte es also, daß die rechten Tauben auf den seinigen kamen, dann aber machte er sich, nachdem sein Appetit gestillt war, aus dem Staube.

Anmerkung: Von Johann Prätorius (geb. 1630 in Zethlingen/Altmark — gest. 1680 in Leipzig), 1656 vom Kaiser zum Poeten gekrönt, erschien 1665 das Büchlein über den Katzenveit. Es stellt ihn als Schelm oder Waldgeist neben Rübezahl, Pumphut, Eulenspiegel, Krabat, Geist Mützchen u. a. in unsere deutsche Landschaft. In Brandenburg, um den Kohlenberg bei Zwickau, am Fichtelberg und besonders im Vogtland sind seine Streiche angesiedelt. — Zum Brand des Kohlenberges siehe auch Sage Nr. 167.

## 7. Der gespenstige Schmiedegeselle zu Johanngeorgenstadt

Im Jahre 1719 fährt Abraham Friedrich einem Schmied Kohlen ein. Da er nun nachmittag um 1 Uhr wieder an die Meilerstätte kommt und den Schmiedegesellen, welcher mit aufladen soll, nicht findet, oben im Gebüsche sich aber etwas bewegen sieht, meint er, es sei der Gehilfe. Er ruft daher, er solle sich herpacken und mit aufladen. Hierauf erschallt eine Stimme: „Jetzt gleich!" Es kommt auch wirklich jemand und hilft ihm, etliche Kübel Kohlen auf den Karren heben, also daß Friedrich nicht anders meint, als daß es der Schmiedegeselle sei. Nachdem aber der Kohlenstaub sich ein wenig legt, sieht er voll Unbehagen, daß dessen Unterleib eine seltsame Gestalt hat. Er stößt ihn daher von sich und spricht, er solle sich packen, seine Hilfe begehre er nicht. Worauf der andere, indem Friedrich weiter auflädt, das Löschfäßlein umkehrt und solches mit lauter kurfürstlichem neuem ganzem Gelde belegt, mit der Bitte, weil Friedrich ein armer Mann sei, solle er es nehmen und, so oft er was brauche, wieder an diese Stätte kommen, weil er ihm dann noch mehr geben wolle. Hierüber wurde Friedrich unwillig und stieß das Faß mitsamt dem Gelde übern Haufen, daß dieses auf dem ganzen Platze zer-

streut lag. Der andere aber raffte es im Hui wieder in seinen Beutel zusammen und hielt es Friedrich von neuem hin. Dieser kehrte sich zwar an nichts und fuhr in seiner Arbeit fort, mußte aber, als er fertig war, diesen Gesellen ein gutes Stück Wegs weiterhin neben sich dulden, der ihm immer wieder den Beutel vorhielt, bisweilen das Geld schüttelte und es ihm aufdringen wollte, bis Friedrich aus Ungeduld ihn garstig schalt und mit der Peitsche schlug. Darauf ist dieser in das Holz gegangen, jenen aber hat ein solcher Dampf und Gestank überfallen, daß er zu ersticken vermeinte, wie er denn sich auch wirklich lange nachher noch unpäßlich befand.

### 8. Das schwarze Gespenst zu Königswalde

Im Jahre 1696 hat die Frau des Köhlers Hans Neuber zu Königswalde bei Annaberg im Monat Juli ein Mädchen zur Welt gebracht. Als dasselbe nun getauft war, ist die Nacht darauf ein schwarzer langer Mann vor ihr Bett getreten und hat sie also angeredet: „Gib mir dein Kind!" Als sie sich aber weigerte, ist er wieder hinausgegangen und hat das Schloß hinter sich zugeschlagen, daß es geschmettert hat. Vierzehn Tage später machte sich etwas am Fensterladen zu schaffen. Auch war ein Schatten am Fenster zu sehen. Die Frau hielt denselben für einen Hund und rief deshalb: „Gehst weg, du garstiges Aas!" Worauf es den Fensterladen gewaltig zugeschlagen hat. Die folgende Nacht wurde das Kind aus dem Bettchen gezogen. Man fand es quer über dem Badewännchen auf dem Gesichtchen liegend. Selbiges hat sich eine Nacht um die andere wiederholt. An einem Sonnabend im August hatte die Mutter zur Nacht das Kind kurz vorher gestillt und wieder hinaus in das Bettchen gelegt. Da träumte dem Vater, der neben ihr lag, von einem Kind, das den Arm gebrochen hatte. Er erschrak über diesen Traum und wachte auf. Doch als er sich besann, daß es ja ein anderes Kind war, während er sein Kind bei sich in der Kammer hatte, schlief er wieder ein. Nicht lange, so wurde ihm das Bett vom Leibe gezogen. Er fuhr auf und schrie nach seinem Kinde. Das lag bloß auf dem Kissen und war tot.

Nach der Beerdigung ist der Mann wieder an seine Arbeit in die Kohlen gegangen. Seines Bruders Weib blieb des Nachts bis zu seiner Rückkehr im Hause. Da hat sich des Nachts zwischen 11 — 12 Uhr etwas an dem Bettbrett bemerkbar gemacht, damit geknackert, ist endlich gar ins Bett gefallen, daß es ganz schwer worden, und da sie ihre schlafende Schwägerin aufgeweckt, hat das Ungetüm gesagt: „Warte nur, ich will dir deinen Rest schon geben!" Damit ist es verschwunden, und sie hat es ordentlich auf dem Strohe hingehen hören; auch der Hund hat es gemerkt und sehr gewinselt. Ob es jemals wiedergekommen, weiß man nicht.

### 9. Das Gespenst in der Christnacht

Im Kloster Zella befand sich im Jahre 1630 eine Magd, welche dem abergläubischen Brauche nach in der heiligen Christnacht hinterrücks durch die Stubentür hinausgriff. Sie ist aber dabei durch göttliches Verhängnis von einem höllischen Gespenst hinausgezogen und sehr übel traktiert worden, so daß sie ihre Lebtage hat hinsiechen müssen.

### 10. Der Katzenhans und seine Genossen

Zwischen den Feldern von Neudorf und Crottendorf liegt ein schmaler Streifen Staatswaldung, die Braunelle genannt, in welcher der Katzenhans des Nachts sein Wesen treibt. Sein weithin tönendes „hollerndes" Geschrei schreckt den einsamen Wanderer und treibt ihn auf Irrwege. Zuweilen begibt er sich auch durch die Luft über Crottendorf hinweg nach einer sumpfigen Gegend zwischen diesem Orte und Scheibenberg, um allda sein Unwesen zu treiben. Sein Parteigänger ist der Glasmeister mit sehr großen Glasaugen, der in der oberen Braunelle, da, wo die Straße von Neudorf nach Crottendorf den Wald durchschneidet, den Wanderer in der Nacht schreckt und irreführt. Ob sein Herkommen auf die ehemalige Glashütte in Obercrottendorf zurückzuführen ist, weiß niemand zu sagen. Ist nun der Fußgänger des Nachts glücklich durch Obercrottendorf und ein gutes Stück auf der Straße nach Scheibenberg weitergekommen, so taucht eine gespenstige Laterne aus dem Dunkel und begleitet ihn, bis sie wieder verschwindet.

In Neudorf hat der Katzenhans einen Kameraden, den Bachreiter, der zuweilen des Nachts den Sehmabach auf- und abwärts schreitet und durch sein Erscheinen Unglück verkündet. Wo die Hufeisen seines Rosses Funken schlagen, droht bald ein Feuer auszubrechen.

### 11. Der schwarze Mann vom Jüdenstein

Zwischen Bärenwalde und Giegengrün erhebt sich ein Granitfels, der Jüden- oder Giegenstein genannt. Es sollen einst in der Umgebung desselben Soldaten einen Lagerplatz gehabt und die umwohnenden Bewohner hart ausgeplündert haben. Dabei hat einer von den Soldaten einem armen Manne, welcher nichts geben konnte, das Hüttlein

angezündet. Da verwünschte ihn der Arme, und zur Strafe muß nun die Seele des Soldaten in der Gestalt eines schwarzen Mannes an dem Jüdensteine, wo auch reiche Schätze vergraben sein sollen, ruhelos umherwandeln.

Ein Mann aus Bärenwalde sagte einmal, er fürchte sich nicht, denn es gebe keinen schwarzen Mann; er sei schon oft des Nachts an dem Steine vorübergegangen, ohne etwas gesehen zu haben. Als er einst wieder an dem Jüdensteine vorbeifuhr, setzte sich plötzlich eine schwarze Gestalt zu ihm auf den Wagen, der daraufhin immer schwerer und schwerer wurde; zuletzt brachten die Pferde den Wagen nicht mehr von der Stelle. Der Bärenwalder glaubte, der Mann wolle ihn nur foppen, deshalb drehte er sich um und gab ihm eine Ohrfeige. Aber ebenso schnell bekam er eine solche von unsichtbarer Hand zurück. Er mußte den Wagen stehen lassen, ging zu Fuß nach Hause und starb nach neun Tagen.

## 12. Sagenhaftes von der Schloßkirche zu Chemnitz

Auf dem Pflaster der Schloßkirche zu Chemnitz sieht man einen dunklen Fleck, der von folgender Begebenheit herrührt: Anläßlich einer dort gehaltenen Himmelfahrtskomödie ließ sich ein Mönch an der Maschine, die zum Hinaufziehen und Herablassen von Gegenständen in ein oben befindliches Gewölbe diente, nach oben befördern. Durch eine Ungeschicklichkeit fiel er herab und stürzte sich zu Tode. In dieser Kirche befindet sich auch das Bild des Abtes Hilarius, der dieselbe etliche Jahre vor der Vertreibung der Mönche hatte reparieren lassen. Dieses Bild darf von niemandem geneckt oder von seinem Orte weggenommen werden, wenn dem Täter kein Unglück begegnen soll. Wohingegen eine Hausmagd, die das Bild hübsch gesäubert hatte, diesen Dienst mit einem alten Taler belohnt bekommen hat.

Anmerkung: Das Benediktinerkloster Chemnitz wurde 1136 durch Kaiser Lothar III. (von Supplinburg, Herzog von Sachsen, 1125 — 1137 deutscher König, seit 1133 römischer Kaiser) an der nach Böhmen führenden alten Handelsstraße gegründet. 1143 erhielt das Kloster das Privileg zur Errichtung eines Fernhandelsmarktes. Der genannte Abt Hilarius lebte bis 1546 im Kloster. Herzog Moritz übereignete ihm beim Auszug aus dem Kloster 500 Gulden, 6 Kühe aus dem Klosterbesitz und Naturalien. Er heiratete die Tochter des Bürgermeisters Hintze und verstarb im April 1551, im Alter von 71 Jahren, in seinem Haus am Roßmarkt.

### 13. Die sieben Ruten bei Chemnitz

Ein Teil des Schloßwaldes bei Chemnitz trägt den Namen „Die sieben Ruten". Wer diesen Teil betritt, soll keinen Ausweg finden können. Der Sage nach soll hier einst einer besonderen Krankheit wegen ein Mann begraben worden sein, der jedem, welcher dies Gebiet betritt, den Ausweg verstellt.

### 14. Das gefährliche Feld bei Zwickau

Vor dem Schneeberger Tor, an dem Wege nach Oberhohndorf, liegt ein Feld, auf welchem sich ein Kreuzweg befindet, den die Wege von Schödewitz, Reinsdorf und Oberhohendorf bilden; über diesen geht mittags zwischen 12 bis 1 Uhr niemand, auch soll denselben kein Fuhrwerk passieren. Vor einigen Jahren fand man daselbst um diese Zeit einen umgeworfenen Wagen, aber ohne Pferd und menschliche Begleiter, und hat sich zu demselben auch nachmals kein Besitzer gefunden.

### 15. Die Mordkiefer bei Johnsbach

Oberhalb von Johnsbach, am Wege nach Falkenhain, steht, dem Sturm auf kahler Höhe preisgegeben, an der Weggabelung eine seltsame Kiefer. Sie ist mit der Krone eingepflanzt worden, so daß die Wurzeln nach oben stehen. Es heißt, sie sei zum Gedenken an einen Krieger, der im Dreißigjährigen Kriege hier den Tod fand, gepflanzt worden. Man nennt sie die Mordkiefer. An dieser Kiefer ist es nicht geheuer. Es gehen zuzeiten Geister dort um, und zuweilen klingt es um Mitternacht dort wie Kettenrasseln.

Ein Johnsbacher Lehrer war in der Mitternachtsstunde auf dem Weg von Falkenhain. An der Kiefer angekommen, erhob sich auf einmal ein Sturm, und es begann zu regnen. Plötzlich überstülpt sich sein Schirm, und sein Hut wird ihm vom Kopfe gerissen. Er guckt sich um, aber niemand ist zu sehen. Wie er den Bauern davon erzählt, sagen sie zu ihm, daß ihm ein Gespenst begegnet sei. — Ein Bauer kommt vom Felde heim. Da sieht er eine Gestalt in einem grauen Mantel um die Kiefer laufen. Der Bauer ruft: „He, Ihr verlauft Euch!" Aber der Mann hört nicht und läuft immer weiter die Wege auf und ab. Da schreit der Bauer, der es mit der Angst be-

kommt, noch einmal: „Lieber Freund, Ihr verlauft Euch!" Da der Angerufene nicht hört, geht der Bauer auf die Kiefer zu. Plötzlich ist die Gestalt verschwunden. Dem Bauern wird ganz gruselig. Er rennt nach Hause, denn er denkt, das Gespenst komme hinter ihm her. Doch wie er sich zu Hause umsieht, ist von dem Gespenst nichts zu merken.

Anmerkung: Die Kiefer ist inzwischen abgestorben, steht aber noch. Neben ihr wurde eine junge Kiefer gepflanzt.

### 16. Die Geisterschlacht bei Hermannsdorf

Das Wetter war klar und still in der Nacht vom 19. zum 20. Oktober 1706, als Benjamin Müller aus Hermannsdorf bei Annaberg sich auf dem Nachhausewege von Dörfel nach seinem Heimatorte befand. Da plötzlich zeigte sich an dem bisher wolkenlosen heiteren Nachthimmel ein schwarzer Streif, ungefähr 5 — 6 Ellen lang und gegen 2 Ellen breit, anzusehen wie ein Sarg. Dieser teilte sich in zwei Stücke, von denen jedes wie aus lauter Händen und Spießen zu bestehen schien. Die beiden Wolkenbälle stritten miteinander, dann verschwanden sie. Aber aus dem Orte, wo sie gestanden, von Böhmen her, kam ein Reiter gesprengt, welchem ein zweiter und ein dritter folgte. Nach diesem erschienen drei Trupps Reiter, endlich kam ein großer Heereshaufen, wohl viele tausend Mann, heran. Die ersten drei Reiter waren groß und ritten auf starken Pferden. Das Kriegsvolk, das kohlschwarz aussah, ordnete sich zum Kampf, nahm einander gegenüber Aufstellung, und die Schlacht begann. Der linke Haufen unterlag und verlor sich. Der rechte Haufen stand noch. Zwei Stunden lang hatte die Schlacht gedauert. Zuletzt verwandelte sich die siegreiche Kriegsschar in eine dunkle Wolke. An dem Orte, wo sie gestritten, war der Himmel blutrot geworden.

Das alles gab Benjamin Müller amtlich zu Protokoll und beschwor seine Aussage am 28. Oktober 1706 an Gerichtsstelle zu Grünhain.

Auch andere Leute hatten diese Schlacht am Himmel gesehen, so Meister Hans Bock, ein Fleischer aus Elterlein, der in besagter Nacht zu Hermannsdorf geblieben war; nachts zwischen drei und vier Uhr kam sein Schwager Gottfried Engert in seine Kammer und weckte ihn mit dem Bedeuten, zum Fenster hinauszuschauen, es stünde ein Zeichen am Himmel. Er leistete dem Folge und gewahrte dasselbe schon beschriebene Schauspiel, das er mit anderen Leuten zwei Stunden lang bis zu Tagesanbruch beobachtete. Nach seiner Aussage waren die Kriegsscharen ungemein groß gewesen. Wer es gesehen, hätte es fast selber für unglaublich gehalten, so viel Volk sei es gewesen. Auch er stand am 28. Oktober 1706 zu Grünhain vor Gericht, wo er seine Angaben eidlich erhärtete.

### 17. Das Gespenst in dem Zobelschen Hause zu Annaberg

Im August und September des Jahres 1691 hat ein teufliches Gespenst in dem Bürgerhause des Magisters Enoch Zobel zu Annaberg vielerlei Unruhe und Konfusion angestiftet, wie derselbe selbst weitläufig beschrieben hat. Es hat mit Auf- und Niedergehen, Klappern, Schlagen, Auf- und Zumachen der Türen, Werfen, Fallen, Verschleppen alles Hausrats, Rufen, Lachen, Zupfen an den Kleidern, schimpflichem Necken einer Magd viel seltsame Händel getrieben. Bisweilen ist es als ein dunkelgrauer fortrauschender Schatten erschienen, hat sich einst mit einem nackten Arme blicken lassen, grünes Waldreisig auf die Haustüren gesteckt, dergleichen auch am Spiegel angebracht. Im hinteren Hofgewölbe hat sich's hören lassen, als ob Bergleute arbeiteten, eine Kugel hat es die Treppe hinuntergeworfen, alte Kleider hat es hervorgekramt und seltsam aufgehängt, den Schlafenden die Betten nehmen wollen, bei Tage etliche Betten verschleppt und brennendes Licht auf den Boden getragen. Einen an sich beherzten Bürger überfiel etwas in der Nacht ganz wie ein zottiger brauner Bär. Bisweilen sah es zum Stallfenster heraus, ganz wie ein altes Angesicht mit einer schwarzen Haube. Es gab der Hausgenossin eine starke Ohrfeige, daß man die roten Striemen noch des andern Tags sehen konnte, es steckte die Ofenküche, Ofengabel, einen langen Borstwisch, mit allerlei Lumpen behangen, zur Haustüre hinaus auf die Gasse, zog die Zapfen aus dem großen Wassertrog ab, versteckte diese, setzte ein brennendes Licht auf die Hausbank, schürte Feuer auf dem Herd. Dergleichen Schalkheit übte es sehr viel, und wenn es etwas angestiftet hatte, so lachte es vergnügt. Es versteckte die Schlüssel, streute Korn vom Boden herab auf den Hof, der Hausgenossen Betten trug es auf den Gang hinaus, man sah aber keinen Träger. Es steckte auch allerlei Sachen zusammen in den Ofentopf. Ein Studiosus sah etwas wie eine Gestalt mit einem alten Gesicht, die ihn mit Steinchen bewarf, ihm rücklings beim Klavier mit kalten Händen die Augen zuhielt, entführte ihm auch unterschiedliche ausgebreitete Wäsche. Den 26. September befand sich Feuer und Dampf auf dem Holzstalle, worauf die Hausbewohner Lärm machten, so daß es bald gelöscht werden konnte.

Mittlerweile aber hatte man Anstalt wider das Gespenst getroffen. Im Hause wurde täglich zu gewissen Stunden gebetet und gesungen, es wurde auch öffentlich in der Kirche Fürbitte angestellt. Darauf hat sich das Gespenst davongemacht und sich auch danach nichts weiter spüren lassen.

### 18. Der Kobold zu Lauter

In einer Schenke zu Lauter bewohnte ein Fleischer mit seinen Kindern eine Kammer. Es war im Jahre 1695 kurz vor Weihnachten. Da war plötzlich an der Wand, wo das Bett der Kinder stand, ein Kratzen zu hören. Es dauerte ungefähr von 9 bis 11 Uhr abends und von 1 bis 3 Uhr nach Mitternacht und wiederholte sich von nun an jeden Tag. Anfänglich hielt es der Fleischer für das Treiben einer großen Ratte. Er stellte Fallen auf, konnte aber nichts fangen, auch war nichts von einem Tier zu sehen. Mit der Zeit hat's auch angefangen, laut zu pochen, daß man's im Keller hat hören können und hat den Kindern keine Ruhe gelassen. Ein unerschrockener Knabe von zwölf Jahren hat fleißig gebetet und zu ihm gesagt: „Laß mich doch in Ruhe! Wenn du nicht mit beten willst, auch nicht beten kannst, so gehe deiner Wege!" Im Januar 1696 neckte das Ungetüm die Gäste unten

in der Wirtsstube. Eines der Kinder hatte ein Band mit ins Bett genommen. Als es eingeschlafen war, nahm es dem Kinde das Band aus den Händen und steckte es erst durch das eine, dann durch ein anderes Astloch im Fußboden, so daß es in der Wirtsstube an der Decke zu sehen war. Die Gäste versuchten nun das Band zu erhaschen, aber es entwischte ihnen immer wieder.

Eines Tages vermißte der Fleischer sein Geld, das in einem Kasten eingeschlossen war. Ein andermal kam er dazu, wie ein ganzes Bund Wäsche bis an die Kammertür gebracht worden war, so konnte er es noch retten.

Der Schulmeistersubstitut des Ortes unterstand sich, das Ungeheuer anzusprechen. Es hat darauf auch viel geredet, in einem Tone wie ein zarter Knabe oder eine Weibsperson, bis es dann zornig auf ihn wurde und ihn hinein in die Kammer forderte. Doch dessen hat sich der Schulmann nicht getraut, sondern ist in der Tür stehengeblieben. Hernach haben auch andere ihren Fürwitz gebüßt und allerlei gefragt, unter anderem, ob es von einer gewissen Person dahin gebannt wäre, worauf es mit Ja antwortete. Es verschwand schließlich so plötzlich, wie es gekommen war. Seit dem 9. Januar, wo die Wirtin eines Kindes genesen ist, wurde nichts mehr von ihm gehört.

### 19. Der Kobold zu Grüna bei Scharfenstein

Auf dem adligen Vorwerk Grüna bei Scharfenstein hat ein Poltergeist im Stall an Menschen und Vieh großen Mutwillen geübt, daß fast kein Gesinde mehr hat bleiben wollen. Weil man es nun für einen Zauberer gehalten, sind etliche Leute in eine Kammer, wo es sich am meisten spüren ließ, mit bloßem Gewehr beordert worden. Dort durchsuchte man alle Winkel. Endlich fand sich eine alte Haube oder Mütze. Damit hat die Zauberei ein Ende gehabt.

### 20. Der Kobold zu Thalheim

Vor Zeiten war bei dem Oberförster zu Thalheim ein Ungetüm oder Kobold im Hause, welcher den Leuten große Last und Schalkheit antat, daß sie dort nicht mehr bleiben konnten. Endlich brannte das Haus gar weg, und etliche meinten, das böse Ding habe es angezündet, andere, der Hausherr habe es selbst getan, um das Ungetüm los zu werden. Da sie aber ihre Sachen ausgeräumt und auf einem Wagen davongefahren haben, läßt es sich unter demselben mit vernehmlicher Stimme hören: „Wären wir nicht so gerannt, so wären wir wohl mit verbrannt!"

Thalheim

33

## 21. Der gespenstige Mönch im Klostergarten zu Altzella

Wie in alten Burgen verwunschene Ritter und Ritterfräulein, so hausen in alten Klöstern oft gespenstige Mönche. Während man aber diese Wesen meist in den Mitternachtsstunden belauscht haben will, erzählt man sich, daß im Klostergarten zu Altzella in der Mittagsstunde ein Zisterziensermönch mit langem weißem Barte promeniere und oft gesehen wurde. Er soll zumeist, das Haupt sinnend auf die Hand gestützt, in den Abteiruinen sitzen, sich aber, sobald man ihm zu nahe kommt, in einer weißen Rauchwolke verflüchtigen.

Anmerkung: Außer diesem gespenstigen Mönch gibt es im ehemaligen Klostergebiet, zu dem 3 Städte und 75 Dörfer gehörten, auch die Sage von einem warnenden Engel zwischen Roßwein und Hainichen, der 1671 die Roßweiner wegen ihres unzüchtigen Lebens vor Feuersgefahr warnte. Der letzte Abt des Klosters Altzella, Andreas Schmiedewald, soll wegen Veruntreuung von Klostereigentum im Tuchmacherhaus zu Roßwein spuken.

## 22. Der Hammerbacher Waldmönch

Auf dem Weg zwischen Elterlein und Grünhain stand einst im Grund am Bach ein Hämmerlein, das dem Abt zu Grünhain gehörte. Auf dessen Schlacken hat sich oft ein Geist in Mönchsgestalt sehen lassen, welcher die vorübergehenden trunkenen und jauchzenden Burschen übel für ihre Lust bezahlte, sonderlich diejenigen, die ihn herausgefordert und geschmähet haben. 50 Jahre nach des Klosters Verwüstung hat der Geist einen Elterleiner Bergmann, der auch in trunkener Weise mit ihm gefrevelt, an den Beinen den Berg herabgeschleppt und in den Bach geworfen, dadurch er so gefährlich am Haupt beschädigt worden, daß er viel Hefte tun lassen mußte. Ja dieser Geist hat Anno 1669 einen Richter, der daselbst vorüber nach Elterlein trunken um Mitternacht geritten, vom Pferde geworfen, daß er einen Arm brach. Dessen Pferd verjagte er von seinem Boden. Der Richter kam gerade noch so mit dem Leben davon.

Anmerkung: Diese und andere Sagen (siehe Quellenverzeichnis) stammen aus den Sammlungen von Christian Lehmann (geb. 11.11.1611 in Königswalde bei Annaberg — gest. 11.12.1688 in Scheibenberg), der zu Recht als der „Chronist des oberen Erzgebirges" des 17. Jahrhunderts gilt. Nach dem Besuch der Fürstenschule in Meißen und der Universität Halle, Aufenthalt in Guben, Stettin und Löcknitz war er ab 1633 als Pfarrsubstitut in Elterlein und ab 1638 bis zu seinem Tode in Scheibenberg als Pfarrer tätig. In seinen Chroniken hat er die Geschehnisse seiner Zeit überliefert. Meiche u. a. haben aus seinen Schriften geschöpft.

### 23. Die Wehklage in Oberwiesenthal

Im Erzgebirge gibt es ein Gespenst, die sogenannte Klagefrau oder Klagemutter. Diese geht vor das Haus, wo ein Kranker liegt, und fängt an, jämmerlich zu heulen. Will man nun wissen, ob derselbe stirbt oder nicht, so wirft man vor die Türe von oben ein Tuch herab, das demselben gehört. Nimmt die Klagefrau, die nun zu heulen aufhört, dasselbe mit fort, so stirbt er, läßt sie es aber liegen, so wird er wieder gesund. Im Vogtlande kommt dasselbe Gespenst auch vor, und dort sagt man, dasselbe habe die Gestalt eines großen weißen Balles und wälze sich wie ein solcher auf der Straße fort.

Im Jahre 1626 beim großen Sterben geschah einem gewissen R. Köhler, einem Schuster, etwas Merkwürdiges. Sein Haus hatte er in Oberwiesenthal am Markte. Da er sich abends zur Ruhe legt, hört er ein jämmerliches Geheul auf dem Markte, daß er davon nicht einschlafen kann. Er sieht hinaus und wird gewahr, daß es um den Holzstoß eines gegenüber wohnenden Nachbarn winselt und jammert. Er spricht: „Ja heule nur zu, daß dir was anderes in den Rachen fahre!" und legt sich wieder zu Bett. Allein das Winseln hebt gräßlicher an als zuvor. Vor Furcht und Grausen verkriecht er sich jetzt unterm Federbett. Sein Weib ist außer sich darüber, wie er solche Dreistigkeit zum Fenster hatte hinausschreien können, und macht ihm heftige Vorwürfe. Dann fangen sie an zu beten. Das Heulding fährt dann hinauf auf den Oberboden und von da zum Fenster in das Quergäßchen hinunter und heult wieder aufs neue vor des Büttels Tür. Am Morgen erfährt der Schuster, daß darin ein Patient am Tode läge und daß auch im Haus gegenüber zwei am Sterben wären. Er selbst hat indes noch über dreißig Jahre gelebt.

### 24. Das Kirchenspektrum in Crottendorf

Anno 1584 am Weihnachtsfest wartet der Kirchenjunge zu Crottendorf des Nachts beim Schulmeister auf, damit er helfe die Christmetten zu läuten. Im Schlaf erschrickt er und erwacht, meinet, er habe das Läuten verschlafen, geht und schließt die Kirche auf. Da sieht er die ganze Kirche hell erleuchtet und einen unbekannten Priester im Meßgewand vor dem Altar stehen und allda sein Wesen haben, gleich als hielte er Messe. Der Knabe erschrickt, läuft zurück und berichtet davon. Da die rechte Zeit zum Läuten kommt und der Schulmeister mitgeht, finden sie die Kirche verschlossen und nichts weiter. Denn was der Knabe gesehen hatte, war um Mitternacht gewesen. Deswegen blieb viele Jahre die Mette abgeschafft.

Anno 1639 begrub daselbst während der Pest und in Kriegszeiten Georg Donat, ein 60jähriger frommer Mann, die Leichen bei der Nacht mehr aus Andacht denn ums Geld. Einst, da er mitten in seiner Arbeit ist, kommt ein Spektrum mit großem Geräusch aus der Kirche vom Chor in der Gestalt eines Priesters mit gar altväterlichem Habit in Rock und Barett, drüber der gute Mann erschrickt, alles stehen- und liegenläßt, entläuft und das Begraben aufkündigt.

So oft auch seit Menschengedenken ein Priester im Sterben lag, hat's ein Zeichen auf der Kirche gegeben, gleichsam fiel alles in Haufen oder hat die Uhr verrückt, daß es 40-, 50mal geschlagen, oder hat das Glöcklein geläutet, wie zu den Zeiten der Herren Meltzer und Albinus geschehen.

### 25. Das nächtliche Fallen im Erzgebirge

Im Erzgebirge weiß man, daß, wenn man in der Nacht etwas fallen hört, ein Todesfall erfolgt. Man spricht dann vom Leichenbret. Der Todesfall kann aber von den Menschen abgewendet und auf ein Vieh übertragen werden, wenn man spricht: Falle auf meine Henne, Ziege usw.

Im Jahre 1627 lag der Pfarrer zu Markersbach ruhig samt seiner Ehefrau im Bett, nur die Magd war noch wach: Da hörte sie etwas oben im Hause mit lautem Krach fallen. Sie läuft hinauf in der Meinung, ihr Herr habe gepocht. Aber dieser sagt, sie habe wohl geträumt und solle zu Bett gehen. Am neunten Tage nachher war er tot. — Im Jahre 1688, ehe M. G. Uhlmann, Informator beim Superintendenten zu Annaberg, starb, geschah des Nachts ein großer Fall im Hause, er aber hörte nichts davon, und am dritten Tage war er schon tot. — Im Jahre 1633 lebte zu Scheibenberg eine Pfarrerswitwe aus Thum. Diese hatte ihren Sohn, der eine Reise antrat, ein Stück Weges begleitet. Als sie nunmehr auf dem Heimwege begriffen war, tat's in ihrem Hause einen schweren Fall, und zwar zu derselben Stunde, wo sie auf dem Rückweg von einem Fieberfroste überfallen ward, daran sie auch nach zehn Tagen starb. — Daselbst diente damals eine alte Magd bei dem Bürger und Hausbesitzer Auerbach, die

sprach, wenn sie einen solchen Fall hörte, folgenden Spruch: „Güt-
chen, ich gebe dir mein Hütchen, willst du den Mann, ich gebe dir
den Hahn! Willst du die Frau, nimm hin die Sau! Willst du mich,
nimm die Zieg'! Willst du unsere Kinder lassen leben, will ich dir alle Hühner geben!"

In Elterlein geschah es, daß man bei unterschiedlichen solchen gespenstigen Fällen dem Ungetüme eine Henne und Ziege gab. Diese
Stücke wurden am folgenden Morgen tot gefunden, und Pfarrer
Christian Lehmann (siehe Anmerkung zu Sage Nr. 21) schreibt in
seinen Aufzeichnungen, er habe es mit seinen eignen Augen gesehen, daß eine Henne, die auch so weggeschenkt worden, früh auf
dem Oberboden tot dalag, als wäre sie unter einer Presse zerquetscht
worden.

### 26. Gespenstige Leichenzüge

Zwischen dem Dörfchen Mittweida, das inzwischen nach Markersbach eingemeindet wurde, und dem nördlich davon gelegenen Dorfe
Schwarzbach befindet sich ein alte, nach dem Städtchen Scheibenberg führende Marktstraße, die Ämmlerstraße genannt. Dieselbe soll
ihren Namen von einem früheren Bergherrn namens Ämmler haben,
auf dessen Rat sie angelegt wurde. Von dieser Straße nun wird gar
Schauriges erzählt. So soll daselbst des Nachts 12 Uhr, wenn alles
recht ruhig ist, ein Leichenzug zu sehen sein, und den ihn begleiten-
den Gesang hört man über sich in der Luft. Dieser Gesang soll überaus lieblich klingen, so daß schon manche wie bezaubert stehengeblieben sind und gelauscht haben. Wer aber darauf hört, dem wird

es verderblich, denn er findet seinen Weg nicht mehr. Erst wenn man irgendein Kleidungsstück umwendet, so soll man sich wieder zurechtfinden.

Auch wer um Mitternacht den Knochenbusch zwischen Olbernhau und Grundau durchwandert, begegnet einem Leichenzug. Man soll sich dann nicht wundern, wenn der Wagen nicht mit Pferden bespannt ist und trotzdem fährt.

Im sogenannten Vogelwalde unterhalb Pöhla bei Schwarzenberg soll zu manchen Zeiten des Nachts 12 Uhr ein Leichenzug zu sehen sein. Wer ihm begegnet, kann keinen Schritt weitergehen, sondern bleibt wie festgebannt stehen. Nur derjenige, welcher eine brennende Zigarre bei sich führt, kann ungehindert seines Weges ziehen.

### 27. Anzeichen der Pest im Erzgebirge

Im Erzgebirge hat es an Warnzeichen vor der Pest nicht gemangelt. Zu Lengefeld ließen sich zwei weiße Schwalben auf dem Kirchhofe sehen, die sich während der Pestzeit Anno 1680 daselbst aufgehalten, bis sie gegen den Herbst wieder weggezogen sind. Zu Marienberg hörte man zehn Wochen vor Ausbruch der Pest ein stetes Poltern und Fallen bei Nacht in der Kirche, als wenn man Leichen in die Erde senkte und die Erde auf die Särge nachschüttete; beide Kerzen verlöschten auf dem Altare, die Glocken wurden so unnatürlich schwer, daß man sie mit großer Mühe mußte in Schwung bringen, das Uhrwerk auf dem Rathause lief bei Tag und Nacht unterschiedliche Mal ganz ab, und einige Bürger haben des Nachts ein hellbrennendes Licht auf dem Rathause gesehen.

### 28. Graue Männchen und die Pest in Bernsdorf und Blauenthal

In Bernsdorf bei Werdau war eine Seuche, an der viel Menschen starben. Des Abends pochte es an die Haustüre, und so vielmal es gepocht hatte, so viel Menschen starben am anderen Morgen in dem Hause. Es war aber ein graues Männchen, das von Haus zu Haus ging und klopfte. Dasselbe Männchen kam auch zu einem Manne und dessen Frau und sagte: „Eure Nachbarn werden alle sterben, und ihr sollt die Totengräber machen." Am anderen Tage waren die Nachbarn tot, und der Mann mußte sie mit Hilfe seiner Frau begraben. Da sich aber beide darüber entsetzten und sich vor dem Tode fürchteten, kam das Männchen wieder und sprach: „Trinkt Baldrian, so kommt ihr alle davon."

Ähnliches ereignete sich in Blauenthal in den Tagen der Pest. Da waren Holzhauer in dem genannten Walde, die unterhielten sich beim Vesperbrot und klagten über das viele Sterben. Auf einmal stand ein graues Männel vor ihnen, das ihnen vorher unbemerkt zugehört hatte; dasselbe sagte: „Trinkt Bärenwurz und Baldrian, so kommt ihr alle gut davon!"

## 29. Das Spektrum in der Zeller Kirche

Anno 1637, dem 16. Dezember, ließ Andreas Linnert in der Zeller Kirche, welche ein Filial ist von der in Schlema, seinen kleinen Sohn taufen und hatte zu Gevattern gebeten Georg Hubrichten aus der Aue nebenst Hans Reinholden und Peter Schmidts Tochter Barbara. Als diese Personen mit dem Kind in der Kirche auf den Pfarrer aus Schlema warten, sieht der eine Gevatter, Georg Hubricht, einen alten Priester mit einem breiten Bart hinter dem Altar hervorkommen und vor den Altar treten. Dann wendet er sich um und blickt zu den Gevattern, als sollten diese vor den Taufstein treten. Weil aber Hubricht merkt, daß es der rechte Pfarrer nicht ist, stößt er Reinholden an und fragt ihn, ob er auch den falschen Pfarrer sehe und was nun zu tun sei. In dem Augenblick kommt der richtige Pfarrer, und so bald er den rechten Fuß in die Kirche gesetzt hat, tritt der Fremde vom Altar ab und wandert wieder dahin, wo er herkommen. (Ex literis ipsius pastoris — aus einem Brief desjenigen Pfarrers)

## 30. Die wüste Kirche bei Reichenau

Mitten auf der Grenze der beiden Dörfer Reichenau und Hermsdorf im Amte Frauenstein am Kreuzwalde, hart an der nach Böhmen führenden Straße, stand bis 1876 die Ruine der Kapelle zum heiligen Kreuz oder die sogenannte wüste Kirche. Dieselbe ist 24 Ellen lang und 12 Ellen breit gewesen, scheint aber nur eine Wallfahrtskirche gewesen zu sein, insofern 1742 ein gewisser Trope oder Hartitzsch sich mit dem Hermsdorfer Richter um das Recht stritt, Bier und Brot am heiligen Kreuz feilzubieten. Unter dieser Kapelle soll aber eine ganze Braupfanne voll Gold stehen und zwölf Fässer alten Weines lagern; allein obwohl man wohl oft schon danach gegraben, hat doch niemand den rechten Fleck treffen können. Ferner soll sich daselbst des Nachts zwischen 11 und 12 Uhr zuweilen ein Reiter ohne Kopf sehen lassen.

### 31. Der Reiter ohne Kopf auf dem Ziegenberg bei Zwönitz

Auf dem Ziegenberg, einem fast 300 Ellen hohen, kegelförmig aufsteigenden Berge bei Zwönitz, irrt ein Reiter ohne Kopf umher. Mit dem hat es eine grausige Bewandtnis.

Ein Zwönitzer Müller hatte einst eine sehr schöne Tochter, die mit dem Förster von Grünhain heimlich versprochen war. Mit seinem Sohn war der Müller entzweit, da dieser gegen seinen Willen die Tochter des Scharfrichters geheiratet hatte. Gleichwohl trafen sich die Geschwister an diesem oder jenem Ort. Eines Tages ging die Müllerstochter in eine Schenke zum Tanz, wo sie ihren Liebhaber erwartete. Dort fand sich auch ihr Bruder mit seiner Frau ein. Die Geschwister freuten sich über das unverhoffte Wiedersehen und machten auch einen Tanz zusammen. Währenddessen war der Förster angelangt und gleich vom Rosse, wie er war, auf den Tanzsaal geeilt. Dort erblickt er nun seine Braut in den Armen eines Fremden. Wie er sieht, wie sie freundlich mit diesem scherzt, ergreift ihn rasende Eifersucht. Er lockt sie auf den Ziegenberg, indem er vorgibt, bei dem schnellen Ritte etwas verloren zu haben. Als sie an eine wild verwachsene Stelle kommen, wirft er ihr in schnellen Worten ihre Untreue vor und ersticht sie, bevor sie noch etwas zu ihrer Verteidigung vorbringen kann. Mit letzter Kraft ruft sie ihrem Mörder zu, daß der vermeintliche Liebhaber ihr von der Familie verstoßener Bruder sei.

In wilder Verzweiflung wirft sich der Förster über die Sterbende, vermag aber den Tod nicht aufzuhalten. Dann eilt er auf den Tanzsaal und schreit ihrem Bruder zu, er habe seine Schwester ermordet und wolle sich dem Gericht übergeben.

So geschah es auch. Da er den Mord gestand, dauerte die Untersuchung nicht lange. Sein Haupt fiel zu Grünhain auf dem Schafott. Wo die Tat geschehen war, pflanzte man einen weißen Rosenbusch. Dessen Blüten sehen nachts wie mit Blut besprengt aus, und seine Blätter hängen wie in Trauer zur Erde. Um Mitternacht aber kommt, wenn böse Zeiten bevorstehen, ein Reiter vom Grünhainer Hochge-

40

richt nach dem Rosenbusch geritten. Er trägt den Kopf unterm Arm, verweilt einige Zeit und kehrt dann wieder dorthin zurück.

### 32. Der Panzerreiter zu Stollberg

In der Gegend von Stollberg treibt sich ein Reiter ohne Kopf auf einem Rappen herum. Er ist in einen langen schwarzen Mantel gehüllt. Vor ihm flattert eine grau und schwarz gefleckte Krähe. Zuweilen sitzt der gespenstige Vogel auf einer Linde in der Oberstadt. Durch sein mitternächtliches Krächzen verkündet er jedem, der es hört, daß er binnen drei Tagen sterben wird. Man sah aber auch schon drei Raben vor dem kopflosen Reiter herfliegen. Setzen die sich auf ein Haus, so stirbt in diesem noch jemand im selben Jahr.

### 33. Von weiteren kopflosen Reitern im Erzgebirge

Wo von der Chaussee zwischen Schneeberg und Bockau der Weg nach Albernau abgeht, steht eine steinerne Säule. Hier jagt zuweilen um Mitternacht ein Reiter ohne Kopf mit wildem Geheul vorbei.

Auch bewegt sich dort ein Licht hin und her, wobei ein deutliches Gewinsel zu hören ist.

Vom Gasthof Bärenburg aufwärts nach Altenberg, am Ende der Straßenbiegung, wurde ein Gespenst ohne Kopf gesehen, das auf der anderen Straßenseite ein Stück neben dem Wanderer einhergeht. In früheren Zeiten haben die Postillone der Nachtpost den Spuk neben den Pferden beobachtet.

Auf der Straße von Bernsbach nach Beierfeld, im sogenannten Kirchgraben, soll sich öfters ein Reiter ohne Kopf gezeigt haben.

Bei Bockau liegt ein Sumpf, als die Pfütze bekannt. Dort erhebt sich ein Felsen, auf dem in gewissen Nächten in der Stunde vor Mitternacht ein großes Schloß mit unzähligen erleuchteten Fenstern zu sehen ist. Wer auf das Schloß zugeht, wird in die Irre geführt. An diesem Platze erscheint auch zuweilen ein Reiter ohne Kopf.

Früher pflegte ein Reiter ohne Kopf mit verhängten Zügeln von Heiersdorf durch den Klotzgraben bis auf die Höhe von Gösau zu reiten. An der großen Linde machte er kehrt und ritt zurück. Zuweilen hielt er auch als feurige Gestalt auf feurigem Rosse im Friedrich, einer wüsten Mark bei Heiersdorf. Um Mitternacht suchte er durch die Tore in die Bauerngehöfte einzudringen.

Zwischen Lößnitz und Schloß Stein liegt ein Waldstück, das nach einem längst gefallenen Baum hohle Linde genannt wird. Aus der Baumhöhle stieg früher ein Reiter ohne Kopf, der den Wald durchirrte und die Leute erschreckte. Jetzt steigt er zuweilen aus der Bodenvertiefung, wo diese Linde gestanden hatte.

Im Wildenfelser Wald beobachteten Holzfäller einen Reiter ohne Kopf, welcher sich am sogenannten neuen Teich aufhält. Wenn er seinen Gang beendet hat, reitet er vom Ufer ins Wasser und verschwindet darin.

### 34. Spukgeister im Herrenhause zu Großhartmannsdorf

Der älteste Flügel der herrschaftlichen Gebäude in Großhartmannsdorf bei Freiberg, welcher eine Anzahl finsterer Gewölbe enthält, soll
der Schauplatz mancher gespenstigen Erscheinungen sein. Einmal
soll des Nachts zur Zeit, da kein Mensch das Herrenhaus bewohnte,
eine Gestalt mit einem Licht durch alle Zimmer gegangen sein; einmal ist wieder eine lange weibliche Gestalt in alter Tracht und mit einem großen Schlüsselbunde zum öfteren des Nachts im Hofraume
umhergewandelt, und noch ein anderes Mal wurde ein Lärmen und
Poltern wahrgenommen.

### 35. Der Doppelgänger in Scheibenberg

Anno 1556 fuhr der Steiger Hans Fischer wie gewöhnlich zum Scheibenberg an. Ehe seine Schicht zu Ende ist, kommt ein Unrechter in
seiner Gestalt heim zu seinem Weibe, legt das Gezähe nieder und
setzt sich an den Tisch. Die Frau, die denkt, ihr Mann sei heimge-
kommen, fragt: „Hans, wollt Ihr essen?" Doch er gibt keine Antwort,
so daß das Weib nicht weiß, woran sie mit ihm dran ist. In einer
Viertelstunde kommt der richtige Mann, worauf der am Tische verschwindet. (Ex ore filii sui — nach dem Bericht seines Sohnes)

### 36. Die alte Frau in der Isenburg

In dem jetzigen Mehlhornschen Gute neben der Pfarre in Wildbach
diente vor Jahren eine junge Magd, welche draußen bei der damals
schon halb verfallenen Isenburg die Kühe hüten mußte. Zu diesem
Mädchen kam eines Vormittags eine alte Frau, welche von ihm verlangte, es solle mit ihr gehen. Sie führte dasselbe hierauf zwischen
das zerfallene Gemäuer der Burg und hier in ein bis dahin verborgen
gewesenes Zimmer, dessen Tür sie wieder zuschloß. Dann verlangte
sie, das Mädchen solle ihr das Zimmer kehren. Als solches geschehen
war, gab sie ihm zum Lohne zwei Groschen. Dies wiederholte sich
mehrmals. Jedesmal, wenn das Mädchen das Zimmer ausgefegt hatte, erhielt es zwei Groschen. Da geschah es, daß das Mädchen einmal
zum Jahrmarkte nach Schneeberg ging. In der Abwesenheit öffnete
die Bäuerin, welche bereits längst gemerkt hatte, wie ihre Dienstmagd mehr Geld besaß, als sie zum Lohne erhielt, deren Lade und

fand darin eine große Menge Zweigroschenstücke. Als nun das Mädchen am Abend wieder heimkam, erzählte es auf dringendes Befragen die Geschichte, wie es zu dem vielen Gelde gekommen war. Von dieser Zeit an ist ihm jedoch die alte Frau von der Isenburg nie wieder erschienen.

### 37. Der Frau-Mutterstuhl zu Oberforchheim

Auf dem alten Schlosse Oberforchheim am Haselbache, an der Straße von Freiberg nach Annaberg, stand bis in die Mitte des vorigen Jahrhunderts auf dem Oberboden in einer Kammer ein alter Großvaterstuhl, den hieß man den Frau-Mutterstuhl, und auf diesem lag eine hölzerne Statue, die sehr stark vergoldet war und ein kleines Männchen vorstellte. Diese zwei Gegenstände kannte jedermann im Schlosse und im Dorfe, und alle hatten eine gewisse heilige Scheu vor denselben, denn man sagte, sie seien die Palladien des Rittergutes, und wenn jemand den Stuhl von seiner Stelle rückte oder das Männchen angreife und in eine andere Lage bringen wolle, der werde dafür schwer von demselben gezüchtigt. Da diente in früherer Zeit auf dem Hofe ein Knecht, der sich selbst vor dem Teufel nicht fürchtete und einst in seiner Vermessenheit sich gegen seine Kame-

raden rühmte, er wolle doch sehen, ob ihm etwas geschehen werde, wenn er sich an dem Stuhle vergreife. Darauf ging er also hinauf, schob den Stuhl weg und gab dem alten Männchen einen Backenstreich. Allein die Strafe blieb nicht aus. Denn noch in derselben Nacht legte es sich im Bette auf ihn als schwerer Alp und drückte ihn, bis es Tag wurde. In der nächsten Nacht litt es ihn ebensowenig, und in der dritten warf es ihn gar aus dem Bette heraus. Nun ward er zwar ängstlich, rückte auch den Stuhl wieder an seinen alten Platz, allein der Geist war auf immer seiner alten Wohnung abhold, denn er zog auf und davon. In den darauffolgenden Tagen brannte das ganze Rittergut ab, und so viel man sich auch Mühe gab, den Stuhl und die Figur des Männchens zu retten, das einstürzende Dach begrub beides unter seinen Tümmern. Auch als man dieselben wegräumte, war nichts mehr von ihnen übrig.

### 38. Spukgestalten an einem Brunnen auf dem Fichtelberge

Abraham Munsch, ein alter frommer Hutmann in Oberwiesenthal, erzählte für wahr, daß er einstmals oben auf dem Fichtelberg einen überaus schönen Brunnen angetroffen, dessen Grund und Boden von eitel Goldflammen geleuchtet hat, und da er sich niedergesetzt und diesen schönen Quell betrachtet und wieder aufgesehen hat, sei ein schönes buntes Vöglein auf der einen Seite, auf der anderen aber ein Mönch mit einem offenen Buch gesessen, darüber er erschrocken und davongelaufen sei. Er habe aber seit derselben Zeit den Brunnen nicht wieder finden können.

### 39. Der Jungferngrund bei Oberwiesenthal

Der Jungferngrund am Fichtelberge hat seinen Namen von zwei Jungfern, welche sich dort oftmals im Neumonde sehen lassen. Es sind Schwestern, die eine spielt auf der Laute und die andere windet einen Kranz; wer sie aber eigentlich sind, weiß niemand.

Den Oberwiesenthalern dient der Grund auch als Wetterprophet, denn wenn der Himmel über demselben hell ist, so wird — ob es auch sonst allenthalben trübe ist — zuverlässig schönes Wetter, wenn aber der Jungferngrund voll Nebel ist, so sagt man: „Die Jungfern trocknen ihre Wäsche!" und dann folgt nasse oder kalte Witterung.

## 40. Der gespenstige Freier auf Burg Stein in Hartenstein

Auf Burg Stein, dem Stammschlosse der Schönburger, fand sich einst Tag für Tag ein Schattenritter ein. Man nannte ihn König Vollmer, den Geisterkönig. Er hatte, man weiß nicht wie, die Liebe der schönen Kunigunde von Schönburg gewonnen, als sie noch ein Kind war, und dieselbe erklärte, ihn und keinen anderen wolle sie ehelichen. So ritt er denn jeden Tag auf unsichtbarem Rosse durchs Burgtor ein, zog dasselbe, ohne daß jemand es sah (nur hören konnte man seinen Tritt), in den Stall und stieg dann, selbst unsichtbar und nur am Schall seines Trittes kenntlich, die Schloßtreppe hinan. Dort kam ihm seine Braut entgegen, er reichte ihr seine Hand — das war der einzige fühlbare Teil seines Körpers, weich und glatt, aber eiskalt —, und nun sprachen und turtelten sie zusammen, wie zwei Liebende es tun. Dann schritten sie in den Speisesaal, wo ihrer schon der Bruder des Fräuleins harrte, und alle drei setzten sich zu Tisch und aßen und tranken nach Herzenslust. Die dem Schattenritter vorgelegten Speisen und der Wein in seinem Becher verschwanden, und doch sah niemand, wo es hinkam. Man hörte nur des Schattenbräutigams Stimme, und der Graf, dem früher vor seinem geisterhaften Schwager gegraut, faßte immer mehr Neigung zu ihm, denn er hatte an

Burg Stein, um 1830

46

ihm einen steten treuen Berater und Warner bei bevorstehendem Unglück. Wenn das Mahl vorüber war, verließ der Graf die beiden Brautleute, und so saßen sie bis kurz vor 1 Uhr; da nahm der gespenstige Gast eilig Abschied. So trieb er es viele Jahre. Da bekannte einmal das Fräulein, wie sehr sie sich nach einem Kusse von seinem Munde sehne. Ihr geisterhafter Bräutigam antwortete darauf: „Lebe wohl auf ewig; weil ich an deine rein geistige Liebe glaubte, verließ ich mein himmlisches Reich, um bei dir zu sein. Jetzt, wo dir der Sinn nach irdischer Liebe steht, ist meines Bleibens hier nicht länger. Du siehst mich nie wieder!" Damit verschwand er, und nie wieder hat das Fräulein seine Nähe empfunden.

### 41. Die grüne Frau zwischen Altenberg und Zaunhaus

Auf der Straße zwischen Altenberg und Zaunhaus in der Nähe des hoch über das Land emporragenden Kahleberges gesellt sich nach der Sage manchmal eine schweigsame, dunkelgrün und nach längst vergessener Mode gekleidete Frau zu dem Wanderer, geht neben ihm her, ohne ihm Rede zu stehen, biegt auch wohl auf einen sonst nicht sehr betretenen Waldweg ein und verschwindet daselbst. Dieselbe zeigt sich zumeist nach Eintritt der Abenddämmerung, seltener des Nachts, ist aber auch schon im Morgengrauen bemerkt worden. So erzählte einst ein sonst glaubwürdiger Mann, daß er in seiner Jugend, als er am frühesten Morgen der verbotenen Lust des Vogelstellens in der Nähe von Paradies-Fundgrube am Kahleberg nachgehen wollte, einer lustwandelnden Dame begegnete, die er höflich begrüßte und anredete, da er selbige für die alte Schwester des damaligen Bergmeisters hielt. Der junge Mann erhielt keine Antwort; die Frau ging an ihm vorbei, bog in einen Waldweg ein und verschwand dort vor seinen Augen.

Anmerkung: Die Paradies-Fundgrube lag im Altenberger Revier am Nordabhang des Kahleberges. Sie wurde als kleinere Zinngrube von 1800 bis 1881 befahren, erbrachte aber wenig Ausbeute. Das Huthaus der Grube steht an der Straße von Rehefeld nach Altenberg und dient seit einigen Jahren als Wanderhütte.

### 42. Die weißen Frauen zu Blumenau

Am 15. September 1695 ritt spät am Sonntag Chr. Kaiser, Müller zu Blumenau, nach Hause. Als er hinter dem Pfarrhaus zu Albertshain auf den Weg traf, der zu seinem Hause führte, gingen drei Männer in gewöhnlicher Kleidung geschwind und ohne zu grüßen vorüber, was ihn sehr verwunderte, weil er sie für Blumenauer ansah. Als er ein wenig fortreitet, kommen ihm auf dem Wege vier verschleierte Weiber entgegen, welche eine Totenbahre mit einem Sarge und Leichentuch tragen. Darüber erschrickt er nicht wenig. Auch weiß er gar nicht recht, wo er ist. Bald dünkt ihn, er reite durch ein großes Wasser, bald als müsse er einen hohen Berg hinanreiten, bis ein wenig Licht auf die Erde fällt und er erkennt, daß er auf dem rechten Wege ist. Als er nun an des Richters Teich kommt, der ganz nahe beim Gericht ist, sieht er abermals fünf bis sechs Paar verschleierte Weiber daherkommen, die über den Steig, darüber er auch gewollt, gehen, daß er nicht weiß, was er tun soll. Er läßt aber dem Pferde seinen Gang, welches diesen Weg wohl gewohnt ist. Aber es will nicht über den Steig, sondern durchquert mit einem ziemlichen Schnauben das kleine Bächlein. Dann bringt es seinen Reiter gesund nach Hause, wiewohl es sehr in Schweiß ist.

### 43. Die weiße Frau zu Rothenthal

Ein Knabe aus dem Grenzort Rothenthal spielte auf seiner Violine, als die weiße Frau aus dem Felsen trat. Sie forderte ihn auf, näher zu kommen und ihr eins aufzuspielen. Furchtlos überquerte der Knabe den Grenzbach und spielte seine schönsten Melodien. Doch seine Erwartung, mit in den Berg genommen und reich belohnt zu werden, erfüllte sich nicht. Als eine halbe Stunde verflossen war, füllte die weiße Frau seinen Geigenkasten mit Laub und verschwand. Ärgerlich schüttete der Knabe das Laub auf die Erde und lief heim. Zu Hause fand er in dem Geigenkasten drei Taler. Eilends kehrte er zurück, doch das Laub war nicht mehr da, und auch die weiße Frau ließ sich nicht mehr blicken.

Nicht anders erging es einem Mann, der in der Natzschung angelte. Drei weiße Frauen traten hervor, gingen zum Bach und wuschen sich die Hände. Dann riefen sie dem Angler zu, er solle drei Säcke holen. Das ließ sich dieser nicht zweimal sagen. Obwohl sie die Säcke nur mit Laub füllten, trug er sie eine weite Strecke. Doch sie lasteten immer schwerer auf seinen Schultern, bis es ihm zuviel wurde und er die Säcke auschüttete. Einige Blätter blieben in den Säcken haften. Als der Mann die Säcke zu Hause wegräumen wollte, erkann-

te er, daß die Blätter zu reinem Golde geworden waren. Sooft er auch die Stelle aufsuchte, wo er die weißen Frauen getroffen hatte, er sah sie nie wieder.

### 44. Von weiteren weißen Frauen im Erzgebirge

Auf dem weißen Felsen im Wald bei Hartenstein und seiner Umgebung erschien lange Zeit eine weiß gekleidete Jungfrau, die später die Gestalt eines alten Mütterchens annahm. — Von der weißen Frau in Neustädtel ist bekannt, daß sie nach sechs Wochen im Kindbett starb. Auf ihrem Grabe blieb immer eine kleine Grube, eine Backschüssel groß. Man versuchte vergeblich, diese anzufüllen. — In Eibenstock begegnet man in der Johannisnacht an einer gewissen Straßenecke einer weißen Frau mit einem Tragekorb. Wer sie furchtlos anspricht, wird von ihr beschenkt. In der Begräbnishalle auf dem Gottesacker dagegen wurde des Nachts eine Frau mit einem Kind auf dem Arm gesehen, welche heftig weinte. — Auf dem Wege von Wildenthal nach Carlsfeld trifft man zuweilen auf eine Frauengestalt in weißem Gewande. Vergeblich versucht man, sie einzuholen, so sehr man auch seine Schritte beschleunigt. — Desgleichen hat sich in der Kosaken- und Webergasse zu Schneeberg zuweilen eine weiße Frau sehen lassen. — In Dippoldiswalde war ein Maurermeister beauftragt, auf dem Friedhof eine Familiengruft zu bauen. Eines Mittags stieg er auf das frische Grab einer Frau, die mit ihrem Kind in den

Wochen gestorben war. Dabei gab der Grobian einige Spöttereien von sich. Als er sich abends anschickte, nach Hause zu gehen, trat ihm am Kirchhofstor eine Frau in weißem Gewande, ein Kind auf dem Arm, entgegen. Als er in ihr die jüngst Verstorbene erkannte, erschrak er so heftig, daß er krank wurde und bald darauf starb.

### 45. Die weiße Frau in der Sachsenburg

Einst lebte ein Fischer mit Frau und Kindern im Dorfe Sachsenburg, der die Herrschaft auf der Burg mit Fischen zu versorgen hatte. Eines Tages befahl ihn die Herrin auf die Burg, weil er beschuldigt wurde, heimlich Fische nach Frankenberg verkauft zu haben. Sie ließ ihn in den Turm werfen und ordnete für den folgenden Tag seine Hinrichtung an. Als die Frau des Fischers von dem harten Urteil erfuhr, eilte sie mit ihren Kindern die Burg hinauf, warf sich der Herrin zu Füßen und suchte mit Bitten und Tränen deren Herz zu erweichen. Aber alles war umsonst. Da hob die Fischersfrau drohend die Rechte und sprach: „Hartes Weib! Wenn du meinen Mann töten läßt, sollst du im Leben wie im Grabe keine Ruhe finden, so lange, bis einer aus deinem Geschlecht geboren wird, der ein braunes und ein blaues Auge hat. Bis dahin sollst du ruhelos sein!" Am Fuße des Berges wiederholte sie ihren Fluch. Dann verließ sie mit ihren Kindern den Ort. Niemand hat sie je in Sachsenburg oder in der Umgebung wiedergesehen.

Die grausame Schloßherrin fand wirklich im Grabe keine Ruhe. Um die mitternächtliche Stunde schwebte sie in ihrem Leichengewand die schmalen Gänge entlang und huschte treppauf, treppab. Wenn sie jemand ansprach, schüttelte sie nur abwehrend das Haupt und schwebte lautlos weiter. Schließlich gelang es einem alten Wächter, sie zu beschwören. Ihm vertraute sie ihr Leid an. Seitdem ist sie verschwunden.

### 46. Die weiße Frau auf dem Hahneberg bei Glashütte

Früher war Glashütte nach Johnsbach eingepfarrt. Dort wurden auch die Toten zur Ruhe gebracht. Als einst in Glashütte eine Frau gestorben war, geriet der Leichenzug auf dem Kirchsteig in ein schweres Gewitter. Man hatte den Hahneberg erreicht, dort, wo sich Kirchsteig und Eselssteig kreuzen, da setzte ein solcher starker Regen ein, daß man den Sarg abstellte und sich unter die Bäume im

Walde flüchtete. Das Wetter verzog sich bald wieder, und die Trauerleute kamen aus ihrem Versteck heraus. Sie erschraken nicht wenig, denn der Sarg war verschwunden. Alles Suchen war vergebens. Seit dieser Zeit geht um Mitternacht auf dem Hahneberge eine weiße Frau um. Sie sucht ihre Leichenträger und wimmert dabei: „Schafft mich ins Grab!"

Mancher nächtliche Wanderer hat sie als ein unheimliches, bösartiges Gespenst kennengelernt. So ließ sie einst einen Glashütter Bürger, der von Johnsbach kam, nicht vorbei. Er mußte am Kreuzweg umkehren und kam schweißtriefend wieder in Johnsbach an, wo er übernachtete.

Eine schwangere Frau traf an derselben Stelle auf die weiße Frau. Sie bekam einen solchen Schreck, daß sie bald darauf starb. Sie hätte das Gespenst ansprechen müssen, dann wäre der ruhelose Geist erlöst worden.

51

## 47. Von sehr unterschiedlichen Gespenstern

In der Löpzig, einem Wäldchen zwischen Grünberg und Ponitz, irrt die Federmützenmagd umher, so genannt nach ihrer Mütze aus Bärenfell, deren lange Zotteln wie Federn abstehen. Abends kommt sie ins Dorf und geht durch die Gehöfte. Wer sie neckt und „Federmütz!" ruft, muß noch im selben Jahre sterben.

Im Jahre 1632 ereignete sich in Scheibenberg, daß der Arbeiter Georg Feuereisen mittags zum Brunnen ging und dort einen häßlichen, unbekannten Mann liegen sah, der ihm, statt auf seinen Gruß zu danken, um den Hals fällt und ihn dermaßen braun und blau drückt, daß er acht Wochen im Bette bleiben muß.

Anno 1654 erhielt Hans Breitfeld, Richter zu Grumbach, einen Dorfjungen von 13 Jahren zum Hüten seiner Schafe. Diesen hob der Feldteufel am 4. Oktober in die Luft und warf ihn über Kitzwald ins dürre Gras. Ein zweites Mal sah das Gespenst seinem kurz zuvor verstorbenen Vater ähnlich, bald mit, bald ohne Kopf. Es trug ihn hoch in die Luft und ließ ihn in einen Morast fallen. Davon wurde der Knabe so krank, daß er sich weigerte, weiterhin für den Richter die Schafe zu hüten.

Auf dem Gottesacker in Schneeberg ist früher am Tage ein schwarzes Männchen gesehen worden, welches ein Buch in der Hand hatte. Eines Tages erblickte es auch der Totengräber; derselbe erschrak darüber so sehr, daß er bald darauf starb.

In dem Gehölz zwischen Grünberg und Gösau haust der Blachmönch. Er ist klein von Gestalt wie ein Zwerg und häßlich von Angesicht, mit struppigem Bart und wirrem Haupthaar. Auf dem Kopf trägt er ein kleines rundes Hütchen. Er tut niemandem etwas Böses, nur erschreckt er die Leute. Stumm erscheint er, stumm verschwindet er.

Früher erzählte man sich in Thierfeld bei Hartenstein von einem Geiste, dem sogenannten Schmiedmönch, welcher in der Schmiede sein Wesen trieb und unter einem Strauch neben derselben wohnte. Den Kindern ist er zum Schreckgespenst geworden. Folgen sie nicht, so droht man ihnen mit dem Schmiedmönch.

In gewissen Nächten, besonders wenn der Mond nicht scheint und man in der Finsternis die Hand nicht vor Augen sieht, steigt aus dem Keller des alten Rittergutes Alberode um Mitternacht eine Gestalt mit einer großen, hell leuchtenden Laterne, der Laternenmann genannt. Er geht unbeirrt langsamen Schrittes auf dem Marktsteige nach dem Klosterholze und verschwindet in einem Keller des Rittergutes Klösterlein.

## 48. Der wunderliche Katzentanz

Am Abend des 1. Mai im Jahre 1726 kommt ein Mann, der mehrere Ortschaften zu bereisen hatte, mit seinem Begleiter bei düsterer Witterung an einem Walde vorbei. Als sie ein Licht wahrnehmen, hoffen sie, eine Herberge zu finden. Um zu erkunden, was in dem Hause vor sich geht, werfen sie einen Blick durchs Fenster. Da gewahren sie eine große Anzahl von Katzen, wovon etliche musizieren und die andern danach tanzen. Fast sind sie schon entschlossen, trotz der seltsamen Gesellschaft in das Haus hineinzugehen. Da erkennt der Begleiter, der aus der nahen Stadt stammt, mit Entsetzen, daß sich unter den Katzen auch sein großer Hauskater befindet. Verstört ziehen sie weiter und gelangen zu später Stunde in der Stadt an, wo der Reisende bei seinem Begleiter Unterkunft erhält. Als nun des anderen Tags zu Mittag sich die große Hauskatze bei der Mahlzeit in der Stube einfindet, spricht ihr Hausherr, sie anschauend: „Nun, du warst wohl gestern abend auch sehr lustig?" Da springt ihm alsbald der alte Kater an den Hals und zerkratzt ihm den Kopf und das Gesicht. Sicher hätte er ihn auch getötet, wäre nicht das Hausgesinde herzugelaufen und hätte mit Schlägen das verteufelte Katzentier davongejagt.

## 49. Die Brauhauskatze zu Elterlein

Das Bergstädtlein Elterlein beherbergt ein Spektrum, das sich wie ein wolliges Schaf angreifen läßt und die Brauhauskatze genannt wird. Bekannt ist, daß es einst zwei Wächtern, dem Merten Brendel und seinem Nachfolger Seidel, die des Nachts auf dem Türmel im Rathaus die Stunden gemeldet, manche Schalkheit zugefügt hat. So hat es ihnen den Weg ins Türmel verlegt, das Blasehorn zugehalten, ihre Kleider und den Strang zum Läuten versteckt und erstere oft übel zerdrückt, sonderlich wenn sie zum Tisch des Herrn gewesen oder vor Trunkenheit des Gebets vergessen. Die Brauhauskatze wurde es deshalb genannt, weil es sich daselbst im drangebauten Brauhaus gern aufgehalten hat. Zwei Jahre vor dem großen Stadtbrande, Anno 1653, besäuft sich der Gemeinsteiger Christof Zänker im Rathause, fordert die Braukatze heraus und bleibt trunken drinnen liegen. Des Nachts kommt die Katze und schleppt ihn aus dem Rathause in die Kälte, kratzt, schlägt und drückt den Steiger so jämmerlich, daß er acht Wochen krank liegt. Er wäre sicher verdorben, wenn ihn nicht der Wirt gerettet und in die Wärme gebracht hätte.

## 50. Der schwarze Pudel an der Eisenbrücke bei Niederschlema

In der Nähe der bei Niederschlema über die Mulde führenden Eisenbrücke stand vor Jahrhunderten und noch ehe Schneeberg gegründet wurde, ein Eisenhammer. Auch wurde das Eisenerz, welches damals am Schneeberge gefördert wurde, über die alte Brücke nach Lößnitz

55

gefahren, um es daselbst auf der Ratswaage wiegen zu lassen. Die Brücke war mit einem Dache versehen und deshalb sehr dunkel, und weil außerdem auf beiden Seiten der Mulde finstere Waldungen standen, wurden an dieser damals schauerlichen Stelle viele Greueltaten verübt. Unter anderen wurde daselbst auch ein Mann erschlagen, welcher einen schwarzen Pudel mit sich führte. Dieser Pudel ist dann noch nach langen Jahren bei der Brücke gesehen worden, seinen Herrn suchend.

### 51. Das Freiberger Spektrum

Anno 1654 ging zu Freiberg ein weißer Hund ein Vierteljahr lang alle Nächte in der Stadt um und lagerte sich stets vor des Bürgermeisters Tür. Hatten ihn die Wächter gestellt, so entkam er ihnen doch und tauchte eine Gasse weiter wieder auf. Ein halbes Jahr, nachdem man den Hund zum letzten Mal gesehen hatte, starb der Bürgermeister, der vor dem Hunde nicht wenig Angst hatte.

### 52. Der Hüttenmops

An dem Huthaus bei Obercarsdorf, auch beim Stolln an der Naundorfer Brücke sind schon viele von einem gespenstigen Hunde, welcher der Hüttenmops heißt, erschreckt worden. Der Hüttenmops erscheint auch in Olbernhau, Oberneuschönberg, Rothenthal, Grünthal und Umgegend. Er heißt dort meist „Hüttenmatz" oder „Hüttenmutz", und die ihn gesehen haben, beschreiben ihn als einen großen schwarzen Pudel mit feurigen Augen, der des Nachts umherstreicht, ja zuweilen sogar auf Bäumen angetroffen wird. Daß der Hüttenmops ein böser Geist ist, sieht man an seinen Handlungen. Einst ist er einem ruhig dahinschreitenden Fleischer auf den Rücken gesprungen, und trotz allen Schüttelns, Betens und Fluchens konnte ihn der Mann nicht wieder herunterbringen, bis er vor seiner Tür angelangt war, wo das Gespenst mit einem höhnischen Schrei verschwand. Der Fleischer aber starb nach drei Tagen.

Auf der Straße zwischen Freiberg und Erbisdorf ließ sich früher der Hüttenmops in Gestalt eines riesenhaften Pudels mit feurigen Augen sehen. Man hielt ihn für einen verwandelten Bergbeamten, der ohne Rast von Grube zu Grube wandern muß.

Im Turm des Schlosses Purschenstein bewacht ein Geist in Gestalt eines großen schwarzen Hundes die Bibliothek alter Bücher. Nachts streift er in der Gegend umher, springt auch zuweilen jemandem auf den Rücken. Hat aber ein Schloßbesitzer seinen baldigen Tod zu erwarten, so erscheint der Schloßpudel, ein ebenfalls schwarzer Hund mit glühenden Augen. Es ist dann ratsam, das Schloßgelände schnell zu verlassen, denn außerhalb dessen ist der Pudel machtlos.

Am Galgen auf der Harthe ist der Hüttenmatz zu Hause. Hier erscheint er um Mitternacht an den vier Adventsonntagen in Gestalt eines großen Fleischerhundes.

Zwischen Zöblitz und Ansprung, einem Ortsteil von Sorgau, liegt das Hüttenfeld. Hier lauert der Hüttenmatz den Vorübergehenden auf. Eine Bauersfrau, die von Zöblitz kam, hörte am Hüttenfeld Geräusche. Kaum war sie einige Schritte auf das Geräusch zugegangen, da hatte sie schon den Hüttenmatz auf dem Rücken. Er war schwer wie Blei. Kurz vor Sorgau siegte bei ihr die Neugier über Angst und Grauen. Sie griff nach hinten und hatte etwas in der Hand, das sich wie ein Katzenschwanz anfaßte. Mit ganzer Kraft zog sie daran. Da heulte der Hüttenmatz wild auf, sprang herunter und verschwand in der Dunkelheit.

### 53. Von sieben gespenstigen Hunden

1. An der Straße von Bockwa nach Niederhaßlau, an der sogenannten Köppe, taucht öfters um Mitternacht ein schwarzer Hund auf. Er folgt einem ein Stück oder hindert auch am Weitergehen oder treibt einem in die Muldenbüsche.

2. Auf dem Hemberge bei Bockau ist ein bestimmter Kreis, in dem ein schwarzer Hund haust. Wer sich in diesen Kreis verirrt, der sieht den Hund und trägt jedesmal eine Krankheit davon.

3. Um den Kupferhammer bei Grünthal schleicht ein schwarzer Hund, aber nicht auf vier, sondern nur auf zwei Beinen. Heimkehrenden Arbeitern ist er aufs Genick gesprungen.

4. Anno 1571 sah der Nachtwächter von Frauenstein einen großen schwarzen Teufel in Gestalt eines grausamen Hundes viele Nächte nacheinander von Lichtmeß bis Mittfasten.

5. In der Mitte zwischen Müdisdorf und Helbigsdorf erhebt sich ein Gneiskegel, der Alpstein. Früher haben sich dort, bevor der Stein zum Teil abgetragen worden ist, ein Hund mit feurigen Augen sowie ein schwarzes Männlein sehen lassen. Wäre ihnen einer gefolgt, wäre er zu der Stelle geführt worden, wo ein Schatz vergraben liegt.

6. Am Rande des Zigeunerwaldes zwischen Rittersgrün und Pöhla wurden zwei weiße Pudel mit feurigen Augen gesehen, die an einer feurigen Kette festgemacht waren.

7. Wo die Dörfer Unterscheibe und Markersbach aneinandergrenzen, unterhalb des Vogtelgutes, läßt in stürmischen Nächten ein schneeweißer Hund mit rotleuchtenden Augen sein Klagegeheul ertönen. Es soll der Hund eines Schäfers sein, der sich in jener Gegend erhängte, und nun sucht der Hund seinen Herrn.

## 54. Tiergespenster vielerlei Art

Anno 1624 pflügte Anders Illings Vater zu Wildenau mit seinem Pferd das Feld am Berg gegenüber dem Grundtümpel. Als er zu Mittag ausspannt, kommt ein fremdes Pferd, spannt sich ein und arbeitet mit dem Haken(pflug) geschwind fort, gleich als wenn's getrieben würde. Endlich spannt sich's aus und läuft mit vollem Galopp in den Grundtümpel, vollführt noch einige Sprünge und verschwindet.

Der Kirchweg von Johnsbach nach Dönschten führt am Leichenhübel vorbei durch den Johnsbacher Pfarrbusch. An einer Stelle des Busches hört man zuzeiten ein Pferd eilends des Weges traben, ohne es jedoch zu sehen. Wer das Pferd hört, der hat Unglück zu erwarten. Einst holte ein Mann aus Döntschen für seine Nachbarin die Hebamme aus Johnsbach. Kaum waren sie in den Pfarrbusch gekommen, da trabte das Geisterpferd unsichtbar an ihnen vorüber. Es hatte auch diesmal Unglück angesagt: Die Wöchnerin starb nach einigen Tagen.

Vor Beginn des Dreißigjährigen Krieges erhob sich in einer Herbstnacht ein gräßliches Geblöke und Geschrei; es lief etwas durchs Dorf auf und nieder in Gestalt eines Kalbes und brüllte so abscheulich, daß die Leute alle bestürzt wurden. Den folgenden Sommer ist der Feind eingefallen und hat mit Plündern und Verheeren erwiesen, was dieser Kriegspostillon angekündigt hatte.

Auf dem Pandurenfelsen des Gleeßbergs bei Schneeberg läßt sich zuweilen des Nachts ein weißer Widder mit feurigen Hörnern sehen.

Einige Fuhrleute, die falsches Geld aus Österreich nach Sachsen bringen wollten, kamen in die Nähe von Blauental. Sie passierten die Steinwand am linken Ufer der Bockau, als ein schweres Unwetter heraufzog. Sie suchten Schutz unter einem überhängenden Felsen

und vertrieben sich die Zeit mit Kartenspiel. Plötzlich fuhr ein Blitz nieder, ein Donnerschlag folgte, und die Felsenhöhle mit den Fuhrleuten war verschwunden. Die stehengebliebenen Wagen wurden nach Eibenstock gebracht. Mitunter lassen sich dort Spukgespenster sehen. Nachts kam einst wiederholt ein weißer Hase. Ein Arbeiter des Hammerwerks schlug nach ihm und rühmte sich, ihm eins ausgewischt zu haben. In der folgenden Nacht fand man den Mann tot.

An der Straße von Frankenberg nach Chemnitz steht in einem Dorf ein Gasthof. In dem hält es kein Besitzer lange aus. Tag und Nacht läuft ein Hase neben ihm her, freilich ohne ihm etwas zu tun. Sehen kann nur er ihn, für alle anderen bleibt er unsichtbar.

### 55. Das Kalb auf dem Frauenmarkte in Schneeberg

Drei Schneeberger Zecher kamen einmal in der zwölften Stunde aus dem Wirtshaus. Am Frauenmarkt bogen zwei ab, der andere setzte seinen Weg über den Markt fort. Auf einmal sprang ihm ein Kalb auf den Rücken und legte beide Vorderbeine fest auf seine Schultern. Er mußte es bis an sein Haus tragen. Bevor die Frau ihrem Manne die Tür aufmachte, verschwand es. Die Frau wunderte sich, daß ihr Mann so bleich aussah und starr vor Schreck war, und fragte ihn nach der Ursache. Doch er wollte ihr vor neun Tagen von dem Vorkommnis nichts berichten. Da drang die neugierige Frau so lange in ihn, bis er ihr die Wahrheit sagte und die Spuren zeigte, welche das gespenstige Kalb auf seinen Schultern hinterlassen hatte. Das war sein Unglück, denn man darf von derartigen Erlebnissen, wenn sie nicht dem Betreffenden zum Verderben gereichen sollen, unter neun Tage nichts erzählen. Der Mann starb auch in dieser Zeit.

### 56. Der Otternkönig im Reitzenhainer Wald

Die Beerensammler um Reitzenhain und Sebastiansberg erzählen vom Otternkönig, der ein goldenes, glückbringendes Krönlein trägt und über das ganze Natterngezücht herrscht. Er hat die Gewohnheit, aus einer Quelle zu trinken und in ihr zu baden. Weiß man die Stelle und breitet dort ein weißes Tuch aus, neben das man eine Schüssel mit Semmel und Milch stellt, so legt der Otternkönig sein Krönlein während der Mahlzeit auf das Tuch. Wenn man Glück hat, kann man es erhaschen.

Um den Otternkönig anzulocken, muß man sich im Mai um Mitternacht auf die Heide begeben. An einem Ort, auf den kein Mondschein fällt, breitet man dann ein weißes, frisch gewaschenes Tuch aus. Die weiße Farbe lockt den Otternkönig an. Er legt die Krone auf das Tuch, denn sie ist ihm beim Spiel hinderlich. Jetzt heißt es, rasch das Tuch mit der Krone ergreifen und gegen Sonnenaufgang davonlaufen. Man darf sich aber auf keinen Fall umdrehen. Denn wer zurückblickt oder eine falsche Wegrichtung einschlägt, der ist verloren. Dann eilen sämtliche Nattern auf das Pfeifen ihres Königs herbei und umringen den Verfolgten. Sie spritzen Gift auf ihr Opfer, bis es unter dem Pesthauch erstirbt. Freilich, wem das Wagnis gelungen ist, der hat sein Glück gemacht. Das Krönlein verhilft ihm, in die Tiefe der Erde zu blicken und verborgene Schätze zu entdecken. Die Erd- und Luftgeister sind ihm untertan, und alles geht ihm nach seinem Wunsch.

Einmal gab der Otternkönig seine Krone sogar freiwillig. Arme Leute hatten sich sorgenvoll zu Bett begeben, als sie ein Geräusch hörten. Plötzlich drang aus der Wand eine Schlange mit einer strah-

lenden Krone auf dem Kopf. Sie kroch zum Tisch, legte dort ihre Krone ab und verschwand wieder. Das Kleinod wurde für die ganze Familie zum Unterpfand des Glücks. Aus dem Gold der Krone ließ man die Eheringe für die Kinder und deren Nachkommen machen, und der Zaubersegen wird so lange fortbestehen, als noch solch ein Ring vorhanden ist.

## 57. Die Ottern am Geising

Auch in der Umgebung des Geising lebt ein zahlreiches Otternvolk. In dieser Gegend war es einem Bauern gelungen, die Krone des Otternkönigs zu erhaschen. Er bewahrte sie im Speicher auf, damit das Korn nie zur Neige gehe. Versehentlich war sie ins Korn geraten, das er zur Mühle fuhr. Der Müller hat tagelang gemahlen, und das Korn nahm kein Ende. Er ließ den Bauern herbeiholen, der ihn über das Rätsel aufklärte.

Einst erging es einem Kronenräuber übel. Um sicherzugehen, suchte er zu Pferde den Schlangen zu entkommen. Die Schlangen holten ihn zwar ein, vermochten aber nicht, an dem Pferd emporzuklettern. Als er das Pferd im Stall abzäumte, wurde er unversehens von einer Schlange, die sich in den Schweif des Pferdes geringelt hatte, gebissen, so daß er starb.

## 58. Der Raschauer Wurm

Anno 1650 wollte ein Bauer in der Raschau bei Schwarzenberg im Wildzaun einen alten Pfosten gegen einen neuen auswechseln. Als er den alten aus der Erde gezogen hatte, sah ihm aus dem Loche ein armdicker Wurm entgegen, ellenlang, mit großen und feurigen Augen in einem Katzenkopf, daß der arme Mann davor erschrak und davonlief. Der Wurm hat sich hernach verloren.

## 59. Basilisken und Feuerkröten

Basilisken sollen aus den Eiern des Vogels Ibis kommen. Das gemeine Volk aber glaubt, daß sie aus Eiern schlüpfen, welche widernatürlicherweise von einem Hahn gelegt werden.

Der Basilisk ist 12 Finger groß; seine Farbe ist gelb; sein Kopf ist spitz und mit einem weißen Fleck geschmückt. Seinen Körper bewegt er nicht wie andere Schlangen in Windungen, sondern gestreckt, zur Hälfte aufgerichtet. Er übertrifft alle Schlangen an Giftigkeit; durch seinen Atemhauch verbrennt er Bäume und zersprengt Felsen. Solcherart soll einer in Zwickau gewesen sein und einige Leute durch sein Gift getötet haben; weshalb ihn der Besitzer eines Stalles, in dem er sich gerade befand, eingemauert haben soll.

Die Feuerkröte hat die Farbe des Feuers und lebt, gewissermaßen schon zu Lebzeiten begraben, im Felsen. Sie entsteht in großen Erdtiefen und wird mitten in Felsblöcken gefunden, die so fest sind, daß sie keine Risse zeigen. Solche Feuerkröten sind in Schneeberg und in Mansfeld gefunden worden. Wenn man sie ans Tageslicht bringt, blasen sie sich auf und hauchen ihr Leben aus. Sitzt in einem Mühlsteine eine solche Kröte, wird sie beim Herumdrehen des Steines warm, bläst sich auf, zersprengt so den Mühlstein und vergiftet mit ihrem Leib das Mehl.

### 60. Drachengeschichten aus dem Obererzgebirge

Diebische Drachen sind gar üblich in diesen wilden Gebirgen. Sie stehlen den Müllern und andern das Korn, Mehl, Brot und das Geld aus dem Beutel, daß diese darüber verarmet und zu Bettlern worden.

Die Beute bringen sie ihren Pflegern. Wenn man einen Drachen durch die Luft ziehen sieht, so muß man rufen: „Kleck! Hansl!“, dann muß er alles, was er an Geld oder Kostbarkeiten bei sich trägt, ausspeien. Denjenigen, die mit dem Teufel ein Bündnis geschlossen haben, trägt dieser in Drachengestalt Geld und Gegenstände zu, welche er anderswo geraubt hat. Der Drache fährt bei solchen Leuten zur Feueresse herein, und die müssen ihm dann eine Schüssel Hirsebrei auf den Oberboden setzen; er verzehrt den Brei und legt statt dessen Geld in die Schüssel. Bei Marienberg sagt man, daß ein solches Geldstück, welches der Drachen gebracht hat, stets wiederkommt, wenn es auch ausgegeben worden ist. Tut es dagegen der Empfänger in ein Glas, das er mit einem Deckel verwahrt, auf welchen er einen Kreis mit Kreide beschreibt und innerhalb desselben die Kreide liegenläßt, so muß es bleiben.

Feurige Drachen hat man zugleich mit Irrlichtern auch in der Gegend von Schwarzenberg ziehen und spielen sehen. Ferner ist der Drache auf einer sumpfigen Wiese unterhalb Neustadt bei Falkenstein, nach Dorfstadt zu, des öfteren gesehen worden.

Einst diente eine Magd bei einem Bauern, dessen Frau den Drachen hatte. Im Dorfe munkelten sie, der wäre bei Tag eine Katze, in der Nacht aber sähe er ganz anders aus; da wär's bloß ein Kopf mit einem langen feurigen Schwanz dran. In der Gestalt führe er nun durch die Feueresse aus und ein und brächte der Frau Geld und andere Sachen.

Einmal mußte die Frau fortgehen. Da sagte sie zu der Magd: „Auf den Mittag kochst du Hirsebrei, aber vergiß mir nur die Katze nicht. Du weißt schon, daß sie nicht gar zu heiß frißt. Wasch ihr den Napf recht reinlich aus, und hernach stellst du ihr Fressen auf die Treppenstufe."

Na, die Magd kochte den Brei, wie es die Frau ihr geheißen hatte, nahm ihn dann aus der Röhre und stellte der Katze ihr Teil auf die Treppe. Sie dachte, es sollte da kühlen, bis es die Katze fressen möchte. Aber auf einmal kam die angerannt, fuhr auf den Hirsebrei los, machte einen krummen Buckel und stieß einen fürchterlichen Schrei aus. Die Funken flogen ihr aus den Augen, die Zunge war glühend, und aus dem Maule rauchte es ordentlich. Dann fuhr sie wie besessen auf den Heuboden, und in zwei Minuten stand das ganze Haus in Flammen. Mit vieler Mühe konnten die Nachbarn das Vieh im Stalle losmachen. Das andere aber verbrannte alles, und natürlich auch die Sachen der Magd. Als aber die Frau heimkam, wurde sie von der gleich aus dem Dienste gejagt. Von dem Drachentier hatte niemand mehr was gesehen. Wie aber das Haus nachher wieder aufgebaut worden war, da war auch die Katze gleich wieder dort und hat Geld in Haufen gebracht.

Was aber die Bauersfrau betrifft, die kam nach dem Feuer in kein Bette mehr und wurde bei allem guten Essen alle Tage dürrer, daß sie zuletzt nur noch Haut und Knochen war. Einmal nun, früh beizeiten, waren die Frau und die Katze weg, und wie der Bauer fragte, ob sie niemand gesehen hätte, sagte der Knecht: „Die Frau liegt auf dem Kanapee." Wie sie aber näher hinsahen, da war's nur ihre Haut; der Drache hatte sie bei lebendigem Leibe geschunden und war mit dem Gerippe durchs Fenster gefahren, denn das stand sperrangelweit auf. — Der Bauer ließ hernach die ausgestopfte Haut begraben, damit es niemand erfahren sollte, was vorgegangen war, aber die Leute wußten es doch alle!

### 61. Die Katzenmühle bei Buchholz

Bei Buchholz befindet sich eine Mühle, welche noch bis jetzt die Katzenmühle von folgender Begebenheit her genannt wird. Im 15. Jahrhundert soll daselbst ein wohlhabender Müller gelebt haben, der auf den Gedanken kam, sein Haus durch den Anbau eines Stalles für seine Esel zu vergrößern. Kaum war derselbe fertig und die Mülleresel eingezogen, so mußten die armen Tiere auch wieder heraus, denn der Teufel hatte hier seinen Sitz aufgeschlagen und litt sie nicht darin. Zwar versuchte ihr Herr sie anfangs mit Gewalt wieder hineinzubringen; allein, wollte er sie nicht von dem Bösen zerrissen sehen, so

mußte er wohl oder übel dem letzteren den Stall allein überlassen, und derselbe trieb nun darin jede Nacht sein Wesen mit Poltern und Rumoren, daß dieser Teufelslärm oft sogar das Geklapper der Mühlenräder übertönte.

So verging manches Jahr. Da pochte es einst im tiefen Winter, als schon alles im Schlafe lag, an das verschlossene Tor, und zwei Bärenführer, die mit ihren Bären von Cunersdorf herübergekommen waren, begehrten ein Obdach. Der Müller war ein gastfreier Mann und ließ sie herein. Allerdings erklärte er den Fremden, daß er für die Bären keinen anderen Platz habe, als jenen Stall, wo der Teufel seinen Sitz aufgeschlagen hatte. Das kümmerte indes die Bärenführer nur wenig; sie meinten, er solle denselben nur öffnen, ihre Bären würden sich den Bösen schon vom Halse zu halten wissen.

Der Müller ging zu Bette und harrte der Dinge, die da kommen sollten. Als die Mitternachtsstunde schlug, erhob sich auch im Stalle ein greulicher Lärm, wie er ihn noch niemals gehört hatte; es war ein Stoßen und Balgen, ein Brummen, Brüllen und Kreischen, daß ihm das Herz im Leibe zitterte. Indes waren aber auch die Bärenführer von dem Mordspektakel aufgeweckt, und man beschloß nachzusehen, ob denn die Tiere noch am Leben seien. Allein wie staunten sie, als sie die Bären ganz ruhig an ihren Tatzen saugen, den Teufel aber in aller Eile verschwinden sahen. Darob freute sich der Müller nicht wenig. Er setzte also den Bärenführern noch ein treffliches Frühstück zum Abschied vor und gab ihren Tieren einen derben Sack voll Brot mit auf den Weg, um sich für ihre erfolgreiche Bekämpfung des Teufels dankbar zu bezeigen.

Wirklich ließ sich seit diesem Tage der Teufel in dem Stalle nicht mehr blicken, und so konnten denn die Mülleresel ruhig wieder in denselben einziehen. Da traf es sich, daß einst am späten Abend, als der Müller eben nach Hause kam, der Gottseibeiuns in seiner fürchterlichen Gestalt plötzlich vor ihm stand und sprach: „Ei, sagt mir doch, sind denn die beiden großen Katzen noch im Stalle drin?" — „Ja freilich", antwortete jener, „die Katzen sind und bleiben da." Da verschwand der Böse mit grimmigem Brüllen in den Wald und ward seitdem nicht mehr gesehen; der Name Katzenmühle blieb aber dem Orte bis auf unsere Zeit.

### 62. Die Puppe von Brand

In früheren Zeiten war eine wohlhabende Witwe im Besitze des Gasthofes zum Erbgericht in Brand. Diese schenkte ihre ganze Liebe ihrer siebenjährigen Tochter. An einem Weihnachtsfeste wollte sie derselben eine seltene Freude bereiten und schenkte ihr eine Puppe, die mit der Tochter von fast gleicher Größe war. Als aber das Töchterchen die Puppe erblickte, zeigte es mehr Furcht als Freude, und auch an dem folgenden Tage mochte das Kind die Puppe nicht sonderlich anschauen, vielmehr wurde es krank und starb noch in den zwölf Nächten an dem bösen Scharlachfieber. Als einen Ersatz ihres geliebten Töchterchens nahm nun die Witwe die Puppe zur Hand, kleidete sie an mit den Gewändern der Verstorbenen, ließ sie neben sich auf einem besonderen Stuhle sitzen, setzte ihr Speisen und Getränke vor und sprach mit ihr wie mit einem Kinde. Eine Magd mußte die Puppe aus- und anziehen und regelmäßig ins Bett bringen. Ja die Frau ging allen Ernstes mit dem Plane um, einen Hauslehrer für ihren Liebling zu berufen, als der Tod ihrem wunderlichen Treiben ein Ende machte. Seltsame Gerüchte verbreiteten sich über ihr Dahinscheiden; feierlich wurde sie zur Erde bestattet, und mit Grauen gedachte man der Puppe, die still in ihrer Lade lag.

Allein dieselbe hatte nach dem Begräbnisse der Hausmutter keine Ruhe mehr; in nächtlicher Weile stand sie auf, suchte ihre Kleider, die der neue Besitzer an sich genommen, und lief im ganzen Hause umher, so daß sich die Hausbewohner nachts nicht aus ihren Kammern trauten und diese ängstlich verschlossen hielten. Selbst an Sonn- und Feiertagen, wenn sich das junge Volk durch Spiel und Tanz ein Vergnügen bereitete, trippelte die Puppe hinter den Bergburschen und Mädchen her, so daß man anfangs vor ihr floh, später aber, an die Erscheinung gewöhnt, sich nicht sonderlich mehr stören ließ. Der Wirt aber nahm sich ernstlich vor, dem Spuk ein Ende zu machen. In St. Michaelis wohnte in einem einsamen halbverfallenen Häuslein eine alte triefäugige Frau, von der man behauptete, es sei nicht ganz richtig mit ihr, auch habe man in ihrer Stube einst ein Geschöpf, einer Fledermaus ähnlich, bemerkt. Sie wurde nur die Haldenhexe genannt. An diese Person wandte sich der Wirt in seiner peinlichen Lage, und sie besprach unter seltsamen Gebärden die Puppe in der verschlossenen Lade. Allein die Geschichte scheint nicht geholfen zu haben, vielmehr rumorte die Puppe mehr denn je, und es schien ihr gar nicht in der zugenagelten Lade zu gefallen. Kurze Zeit darauf kam auch das letzte Stündlein der Hexe, und sie starb eines rätselhaften Todes.

In seiner Not wandte sich nun der geplagte Erbgerichtsbesitzer an den Ortsgeistlichen in Erbisdorf. Der Pastor erschien, las einige lateinische Gebete vor, beschwor die Gestalt und schloß mit den Worten „Apage satanas!" (d. h. „Weiche, Satan!"). Darauf entfernte sich der Geistliche. Unterwegs aber hörte er ein leises Husten, und als er sich umdrehte, tanzte die Puppe spottend hinter ihm her, so daß er

voll Grauen eilends nach Hause lief und Tür und Tor fest zuschloß.

Und so blieb denn die Puppe ungebannt im Hause. Lange Zeit wohl mochte sich dieselbe ruhig verhalten haben, bis sie dann endlich wieder mit ihrem Spuke auftrat. Ihrem Treiben sollte aber nunmehr ein baldiges Ende bereitet werden. An einem sonnenhellen Nachmittag wurde die Lade mit allem Zubehör auf eine Schubkarre geladen und von einem Tagelöhner in den dunklen Spitalwald gefahren. Je näher er demselben kam, desto schwerer wurde die Lade, so daß ihm der Schweiß von der Stirne rann. Unter einer Birke grub er ein Loch, einige Fuß tief; doch war ihm bei dieser Arbeit nicht ganz wohl, denn der Himmel umzog sich mit dunklen Wolken, Blitze leuchteten durch des Waldes Düster und in der Ferne rollte der Donner. In aller Eile setzte er die Lade in das ausgeschachtete Loch, schaufelte Erde darauf, bedeckte es mit Rasen und begab sich nun eiligst auf den Rückweg. Je näher er Brand kam, desto eiliger hörte er es hinter sich trippeln und trappeln, und als er sich auf einen Augenblick umsah, erblickte er zu seinem Entsetzen die begrabene Puppe mit helleuchtenden Augen. Außer sich vor Schreck kam er halbtot nach Hause, aß und trank nicht und legte sich zu Bette. Das hitzige Fieber übermannte ihn, und schon nach drei Tagen war er eine Leiche.

Seit jener Zeit hat man von der gespenstigen Puppe nicht mehr viel vernommen. Als jedoch das Erbgericht neu aufgebaut wurde, wollen einige Bauleute dieselbe gesehen haben, wie sie auf den halbvollendeten Mauern herumgesprungen sei, und man sagt, daß sie auf geheimem Wege samt der Lade aus dem Spitalwalde wieder ins Haus gebracht worden sei.

### 63. Sterbenden und Toten muß ihr Wunsch erfüllt werden

Vor vielen Jahren nahte der Todesengel einem Kindlein in dem Orte Saupsdorf; in seiner letzten Not verlangte das Kind nach einem kühlenden Trunke, der ihm aber aus irgendeinem Grunde versagt wurde. Da erschien bald nach seinem Abscheiden eine weiße Taube und setzte sich eine Zeitlang auf den Kachelofen in der Wohnstube. Als die darüber höchst bestürzten Hinterbliebenen den Pastor des Nachbarortes um Rat fragten, riet ihnen dieser, dem Vogel bei seiner Wiederkehr eine Schale mit frischem Wasser hinzustellen. Und wirklich trank die Taube, als sie am anderen Tage wiederkam, mit großer Gier den Napf leer und ward nicht mehr gesehen.

In demselben Dorfe hatte man einst vergessen, einer reichen Bäuerin die Totenschuhe anzuziehen. Die Verstorbene kam nun re-

gelmäßig zur Nachtzeit in das Haus und suchte nach einer Bedek-
kung für ihre nackten Füße. Der Spuk versetzte alle Leute in Angst;
nur eine alte Magd faßte sich ein Herz und frug nach dem Begehren
des Geistes. „Ach", jammerte derselbe, „zwölf Paar Schuhe und doch
keinen an den Füßen." Man setze ihr nun ein Paar der zurückgelas-
senen Schuhe in den Weg, die sie auch bei ihrem nächsten Besuche
mit sich nahm. Der Spuk aber hatte von da an sein Ende.

### 64. Eine Tote mahnt zur Gerechtigkeit

Im Jahre 1694 hat man in einer Bergstadt von der Frau eines Flei-
schers erzählt, daß sie vier Wochen nach ihrem Begräbnis wiedergekommen sei. Sie war eine fromme Frau gewesen, die zurückgezogen
gelebt hatte. Allerdings hatte sie genug Grund gehabt, sich über ihren Mann zu beklagen, der des Fluchens und Streitens gewöhnlich
kein Ende fand, so daß sie sagte, sie werde sich noch ein Leid antun
müssen. Kurz darauf starb sie und hinterließ eine mittellose Schwester. Diese hoffte nun in ihrer Armut, von dem Witwer einige Erb-
stücke zu bekommen, doch sie erhielt nicht das Geringste. Das Gericht gab dem hartherzigen Manne recht, so daß die Schwester der
Toten ihre Hoffnung aufgeben mußte. Da erschien um Mitternacht
ein Gespenst und trat an das Bett des Mannes. Der wachte auf und
erschrak, als er in dem Gespenst seine verstorbene Frau erkannte. Er
begann zu beten: „Gott, der Vater, wohne uns bei!", wiederholte diese Worte dreimal, aber das Gespenst blieb an seinem Bett sitzen. Er
begann vor Angst zu schwitzen, wollte aufstehen, vermochte sich
aber nicht zu rühren. Als es 12 Uhr schlug, hoffte er, daß seine Frau

nun gehen werde, doch sie blieb. Da fing er wieder an zu beten: „Alle guten Geister loben den Herrn!" Sie antwortete, zwei Schritte zurücktretend: „Ich auch!" Er fragte: „Was wollt ihr hier? Gehet hin, wo ihr hingehört." Sie antwortete: „Ihr sollt meiner Magdalena (so hieß ihre arme Schwester) nicht alles nehmen!" Und damit fuhr der Geist zum vordern Fenster hinaus. Eine Hausgenossin, die in der Oberstube wohnte, lag auf der Bank und sah dasselbe Gespenst, welches sie angriff und begehrte, man solle ihre Schwester nicht kränken; dann warf es ein Biermaß nach ihr und verschwand. Ob der Mann daraufhin seine Habgier unterdrückte, wird nicht berichtet.

## 65. Die Entbindung im Grabe zu Olbernhau

In Olbernhau starb im Jahre 1719 eine hochschwangere Frau und ward auf gewöhnliche Weise begraben. Da kommt einige Tage darauf ein Student auf den Kirchhof und liest dort die Inschrift der Grabsteine. Plötzlich sieht er auf einem Grabe eine weinende Frauensperson stehen, die auf sein Befragen, warum sie das tue, anwortet: „Ach, daß Gott erbarme, ein Kind und keine Windeln!" Da hat der Student aus Mitleid sein Halstuch abgebunden und es ihr zugeworfen, worauf sie sogleich verschwunden war. Nun hat den Studenten eine große Angst befallen, es möge diese Person kein lebendes Wesen, sondern ein Gespenst gewesen sein. Er ist also sogleich zum Ortsgeistlichen und ins Amt gegangen und hat die Sache angezeigt, worauf die Obrigkeit jenes Grab öffnen ließ, und man fand, daß jene Frau im Grabe ein Kind geboren hatte, welches tot zu ihren Füßen in das Halstuch des Studenten, welches dieser durch seinen darin gestickten Namen als sein erkannt hat, eingewickelt lag.

## 66. Ein Toter beschwert sich über mitgegebenes Geld

Als in Weißbach bei Schneeberg ein Jüngling gestorben war, zog man ihm seine schwarzen Kleider an; in der Westentasche aber befand sich noch ein Pfennig. Da kam der Verstorbene zweimal des Nachts um 12 Uhr wieder nach Hause. In der zweiten Nacht soll der Pfarrer anwesend gewesen sein, der hat ihn gefragt, was er wolle. Darauf sagte die Erscheinung, sie fände im Grabe nicht eher Ruhe, bis man den mitgenommenen Pfennig wiedergeholt hätte.

## 67. Der geoffenbarte Mord zu Freiberg

Im Jahre 1760 begab es sich, daß plötzlich der Lehrjunge eines Freiberger Schumachers verschwand. Man glaubte, er sei davongelaufen. Der Junge stammte aus Bräunsdorf, wo auch seine Großmutter wohnte. Dieser erschien nun mehrmals des Nachts der Geist des Enkels, der ihr mitteilte, daß er nicht davongelaufen sei. Vielmehr habe ihn der Sohn des Schuhmachers mit einem Schuhleisten erschlagen. Vater und Sohn hätten ihn dann in der Scheune begraben. Diese Mitteilung wurde dem Amt in Freiberg bekannt gemacht. Im Januar 1762 wurde der Schuhmacher mit seiner Frau und seinem Sohn verhaftet. Bei der Vernehmung gestanden sie das Verbrechen.

## 68. Der Kärrner zu Stollberg

In der letzten Zeit vor Ausbruch des Dreißigjährigen Krieges lebte zu Stollberg eine Witwe mit ihrer Tochter in einem Häuschen am Ende der Stadt, welches ihr Mann ihr als einziges Erbe hinterlassen hatte. Dem Hause gegenüber wohnte ein junger Mann, der seinen Unterhalt als Händler verdiente. Mit einem kleinen Wagen, vor den er seinen Hund spannte, zog er von Dorf zu Dorf und bot seine Waren feil. Nun war derselbe schon seit langem der schönen Tochter der Witwe heimlich zugetan, und auch diese hatte ihn ins Herz geschlossen. Da traf es sich, daß er ihr am heiligen Christabend seine Liebe gestand und sie fragte, ob sie sein Weib werden wolle. Natürlich ließ sich das Mädchen nicht lange bitten. Beide teilten der alten Mutter die frohe Neuigkeit mit und feierten so recht von Herzenslust den heiligen Abend.

Allein plötzlich sprang der Kärrner auf und erklärte, er könne nicht länger bleiben, er müsse noch in das benachbarte, anderthalb Stunden entfernte Wittendorf (das später durch den Krieg zur wüsten Mark ward), um dorthin bestellte Waren zu schaffen. Seine Braut bat ihn, nicht fortzugehen, es sei ihr so ängstlich zu Mute. Allein der Kärrner lachte sie aus und meinte, es sei ja Mondenschein, er habe den Weg schon so viele Male bei schlechtem Wetter und im Finstern gemacht, er werde ihn also auch heute nicht verfehlen. Kurz, er ließ sich nicht halten. Das Mädchen aber setzte sich traurig an den Spinnrocken und versuchte sich die Zeit mit Spinnen zu vertreiben. Aber in ihrer Herzensangst kamen ihr häßliche Bilder vor

Augen; die Spindel und das Garn schienen ihr blutig zu sein, und es war ihr, als spinne sie ihr Leichenhemd. Sie nahm das Gesangbuch und die Bibel zur Hand, allein alles half nichts, sie fand keine Ruhe. Die Glocke läutete zur Frühmette; ihr Bräutigam war immer noch nicht zurückgekehrt. Da sie das Warten nicht länger zu ertragen vermochte, bat sie den Nachbarn, sie nach dem Dorfe zu begleiten, um zu hören, ob ihrem Bräutigam etwas zugestoßen sei. Als sie aber dort ankamen, erfuhren sie, derselbe sei zwar dagewesen, aber schon um Mitternacht wieder fortgegangen. Da konnte sie nicht mehr zweifeln, daß ihm ein Unglück begegnet sei. Auf dem Rückweg verfolgten sie die Spur des Wagens, dieselbe führte sie nach einer morastigen grundlosen Stelle am Ufer des Walkteiches. Jetzt konnte die Arme nicht mehr an dem Schicksale ihres Bräutigams zweifeln. Als sie zurückkehrte, sprach sie im halben Wahnsinn zu ihrer Mutter, in drei Monaten werde sie ihr Bräutigam zur Trauung abholen, bis dahin müsse sie sich ihr Hochzeitskleid spinnen.

So spann sie denn emsig bis zum Osterfeste, und als die Mitternacht vor dem Feste gekommen war, da pochte es dreimal ans Fenster. Als sie öffnete, stand ihr Bräutigam draußen, zwar mit totenbleichem, aber freundlichem Antlitz. Er lud einen Myrtenkranz und Zypressenranken von seinem Wagen ab. Kaum war er entschwunden, da legte sich das Mädchen aufs Krankenbett. Nach 24 Stunden war sie entschlafen. Seit dieser Zeit zieht der Kärrner mit Wagen und Hund allnächtlich durch die Gassen von Stollberg, und wo er vor einem Hause anhält und Kränze ablädt, da gibt es nach drei Tagen einen Toten. Liegt aber jemand im Sterben, sagt man: Dort hat der Kärrner abgeladen. Das Sumpfloch, worin er sein Grab fand, heißt noch heute das Kärrnerloch.

## 69. Der Schwanger aus Elterlein

In dem zwischen Elterlein, Grünhain und Waschleithe gelegenen Staatsforste zeigt sich öfters eine Gestalt, die den Namen Schwanger führt. Dieser aus Elterlein stammende Schwanger schloß einst eine Wette ab, daß er alle Bäume im Wald zählen könne. Er machte sich an die Aufgabe, mußte sich aber bald von deren Unerfüllbarkeit überzeugen. Das nahm er sich so zu Herzen, daß er sich verwünschte und im Walde aufhängte. Dort liegt er auch begraben. Seit jener Zeit

ist schon mehreren Personen, namentlich Beerensammlern und Passanten auf der Straße von Elterlein nach Grünhain, eine Gestalt erschienen, teils in Jägerkleidung, teils in schwarzem Anzug und Zylinder, die sich ihnen aufgehockt hat. Einem jungen Manne aus Elterlein, der auf dem Weg nach Grünhain war, begegnete der Geist als Kirchgänger; verschwand aber alsbald. Wie der junge Mann an die Grünauer Brücke kam, fand er auf der Ufermauer ein Paket. Er wollte es aufheben, da gab es einen Krach von sich, und ein Kind mit ausgebreiteten Armen stand auf der Brücke. Der Betreffende war aufs Tödlichste erschrocken, schleppte sich noch bis Grünau und mußte dann von dort krank nach Hause gefahren werden.

## 70. Die weiße Frau am Brautstock in Altenberg

Die sogenannte lange Gasse in Altenberg, welche nach Zinnwald führt, wird vielfach begangen, und doch wissen die wenigsten um ihr Geheimnis. Wenn man sie entlanggeht, führt der Weg an einer einfachen unbearbeiteten Porphyrsäule vorbei, der Brautstock genannt. Eingearbeitet sind die Jahreszahlen 1716 und 1820. Von Zeit zu Zeit lehnt in gewissen Nächten eine weiß gekleidete junge Frau an der Säule. Sie seufzt, betet und versinkt dann langsam in der Erde. Am Anfange des 18. Jahrhunderts soll unter seltsamen Umständen an dieser Stelle eine Vermählung stattgefunden haben. Ein im Duell verwundeter Offizier ließ sich hier die Geliebte antrauen, bevor er seiner Verwundung erlag. Nun kommt seine Braut an diesen Ort und trauert um ihn.

### 71. Die weiße Frau zu Venusberg

Die Insassen des Herrnhofes und Rittersitzes zu Venusberg bei Thum kannten sie noch, die weiße Frau. So oft bei der Herrschaft oder ihrer Familie und ihren nächsten wichtigsten Anverwandten ein Todesfall eintrat, ließ sie sich eine gute Zeit zuvor in der Öffentlichkeit sehen. Ereignete sich der Todesfall im Hause, so verließ sie selbiges, schritt die Treppen hinunter, wandelte längs über den Hof und stellte sich dann an dasjenige Tor, wo die Leiche hinausgetragen werden sollte. Starb aber jemand außerhalb des Hauses, so erschien sie bald hier, bald dort, sah auch wohl aus einem Fenster herab. Nie tat sie jemandem das Geringste zu leide, verbreitete auch keinerlei Krankheit, trieb vielmehr ihr Wesen und Affenspiel ohne den geringsten Schaden.

### 72. Die Winselmutter bei Grünhain

In der Nähe von Grünhain fließt der sogenannte Oswaldsbach, der seinen Ursprung von den Greungebirgen bei Breitenbrunn und Rittersgrün hat. An demselben soll um die Mitternachtsstunde ein gespenstiger Schatten auf und nieder huschen, der beständig Klagetöne ausstößt. Das Volk nennt diesen daher die Winselmutter. Damit hat es aber folgende Bewandtnis: Einst machte ein Jüngling, dem seine Geliebte die Treue gebrochen, in diesem, an vielen Stellen sehr tiefen und reißenden Bache seinem Leben ein Ende. Seine Mutter suchte ihn sieben Tage lang, konnte ihn aber nicht finden. Sie haderte mit Gott, daß er ihr den Sohn genommen hatte und starb am Ende selbst vor Kummer und Erschöpfung. Weil sie gegen Gottes weise

Fügung gemurrt hatte, ist sie dazu verdammt, auf ewig den Leichnam ihres ertrunkenen Sohnes zu suchen. So streift sie weinend und klagend am Ufer entlang.

### 73. Die wandelnde Gräfin in der Kirche zu Wildenfels

In der Kirche zu Wildenfels befanden sich die Grabmäler der gräflichen Familie. Eine hier beigesetzte Gräfin konnte in ihrem Grabe keine Ruhe finden. Sie wandelte durch die Kirche und spielte zuweilen die Orgel. Da entschloß sich der Pfarrer, die Gräfin zur Ruhe zu bringen. Während er sich zur Beschwörung des Geistes in der Kirche aufhielt, sollte der Kantor auf seine Anweisung hin vor der Kirchentür stehenbleiben und ein Gebet lesen. Doch den Kantor überkam die Neugierde. Er bückte sich zum Schlüsselloch, um zu sehen, was sich im Inneren der Kirche ereignete. Da rief eine Stimme: „Es guckt!" Nach dem Ende der Beschwörung trat der Pfarrer mit ernstem Gesicht aus der Kirche. Er verkündete dem Kantor, daß sei beide in diesem Jahre sterben müßten. Solches ist auch geschehen. Die Kirche von Wildenfels ist später mit dem Dorfe untergegangen.

## 74. Der alte Turm in Tanneberg

Nahe bei den Rittergutsgebäuden des Dorfes Tanneberg bei Geyer steht ein uralter viereckiger Turm. Seine starken Mauern sind noch jetzt an die dreißig Ellen hoch und von einem Wassergraben umgeben. In uralter Zeit hat einmal ein Graf, der Besitzer dieser Gegend, eine große Jagd gehalten. Dabei verirrte er sich und geriet mit seinem Roß in einen Sumpf, in dem er fast versunken wäre. Dem Tode nahe, vermochte ihn einer von den Jägern mit Mühe zu retten. Zum Andenken ließ er an dieser Stelle einen Turm erbauen. Jetzt noch spukt in dem Turme der Geist eines der späteren Besitzer. Warum, das weiß niemand. Holzhacker und Bergleute kannten einst den Baum, wo die Seele dieses unglücklichen Spukers eingespundet ist. Es war früher ein eiserner Reifen um den Baum gelegt gewesen, um dessen Seele recht fest zu halten, aber die Holzdiebe hatten zuletzt auch den Reifen gestohlen.

Anmerkung: Die Erbauungszeit des Turmes wird zwischen 1200 und 1250 angenommen. Vermutlich handelt es sich um den Teil einer alten Wasserburg. Darauf läßt auch die volkstümliche Bezeichnung „Hofwall" schließen. Die älteste Geschichte der Anlage ist in Dunkel gehüllt. Der allgemein heute bekannte Name „Paßklausenturm" läßt mit dem Wortteil „Klause" vom lat. clausa die Deutung zu, daß der Turm das Tal am Paß sperren sollte, also die Funktion einer Wegwarte einnahm. Jedoch könnte der Begriff auch auf eine Einsiedelei hinweisen.

## 75. Die weiße Frau auf Scharfenstein

Auf Schloß Scharfenstein bei Wolkenstein geht seit Jahrhunderten eine weiße Frau um. Mit dem zwölften Glockenschlage nachts wird sie rege, wandelt, in lange, weiße, nebeldünne Gewänder gehüllt, durch alle Gemächer des Schlosses, bleibt bisweilen stehen und seufzt und ist überaus traurig. Oft hat man gewagt, sie anzureden, aber nie hat sie Antwort gegeben, sondern ist immer sogleich entflohen. Sie muß eine schwere Sünde begangen haben; welche aber, das weiß die Sage ebensowenig als sie den Namen der Nachtwandlerin zu nennen vermag.

## 76. Die weiße Frau von Meerane

In alter Zeit lebte auf dem Schlosse zu Meerane ein Herzog mit seiner Gemahlin, deren Unglück darin bestand, daß sie kein Kind hatten. Daher nahmen sie ein Mädchen gräflicher Herkunft an Kindesstatt an. Als dieses 17 Jahre alt war, starb die Herzogin. Sie war bald vergessen, und die junge Gräfin wurde kurz darauf von dem Herzog zu seiner zweiten Gemahlin erwählt. Diese gebar ihm in der Folge zwei Kinder, einen Knaben und ein Mädchen. Als nun ersterer acht, letztere zwei Jahre alt war, starb der Herzog. Die junge Witwe ließ sich bald von ihrer bösen Lust verleiten, die Bewerbung eines jungen Mannes niederen Standes anzunehmen. Nach einem Stelldichein ließ er beim Abschied die Worte fallen: „Wenn nur vier Augen nicht wären!" Das von ihrer Leidenschaft verblendete Weib deutete diese Worte dahingehend, daß ihr Liebhaber sie gern heiraten würde, stünden einer Verbindung nicht die beiden Kinder im Wege. Da faßte die Frau einen grausamen Entschluß. Sie schickte die Wartefrau mit den Kindern in das nahe bei Meerane gelegene Gottesholz, um daselbst spazierenzugehen. Indessen lauerte dort ein von ihr gedungener Meuchelmörder. Er tötete zuerst die Kinderfrau, dann stach er die beiden Kinder nieder. Die Mutter ließ die drei Leichen heimlich in die Burg bringen und, nachdem sie ausgesprengt hatte, alle drei seien einer bösartigen, ansteckenden Krankheit erlegen, in der Schloßkirche beisetzen. Ihrem Liebhaber aber teilte sie mit, das Hindernis ihres Ehebundes sei nunmehr beseitigt, er könne für immer zu ihr kommen. Als der junge Mann von der Untat erfuhr, entsetzte er sich über die Kindesmörderin und verließ das Schloß. Jetzt überfiel die unglückliche Frau furchtbare Reue, und da sie meinte, daß ihre Schuld nur durch die schwerste Buße gesühnt werden könne, ließ sie sich ihre beiden Knie mit Polstern umkleiden und trat nun, von ihrer Kammerfrau begleitet, in leichtem Bettlergewand und auf Knien ihren Bußgang zum Papst nach Rom an. Auf der Hälfte des Weges starb ihre Begleiterin, und sie mußte nun allein ohne jegliche Unterstützung ihre Reise fortsetzen. Als sie endlich nachts an dem ihr bezeichneten Kloster in Rom, wo sie Absolution zu erhalten hoffte, angekommen war, schlug gerade die zwölfte Stunde. Sie vermochte es nicht mehr, sich aufzurichten und an der Schelle zu ziehen, sank vielmehr vor Erschöpfung nieder und wurde frühmorgens vor den Pforten des Klosters tot aufgefunden. Ihre Seele fand keine Ruhe, sondern schweifte als weiße Frau im Rotengarten oder Raubgarten, dem jetzigen Pfarrgarten von Meerane, umher.

Anmerkung: Der Rotengarten oder Raubgarten, an der Raubgasse, der heutigen Schulgasse, gelegen, existiert nicht mehr. Die Fläche ist bedaut worden.

## 77. Das Frauensteiner Spektrum

Anno 1662 ließ sich zu Frauenstein auf dem Gotteacker am hellen lichten Tage ein schwarzer langer Mann sehen, der die Quere in einem Rasenstück am Wege auf dem Angesicht gelegen und Gras wie ein Schwein gefressen haben soll. Auf die Frage der Totengräberin, was er da mache, gab er keine Antwort. Ein Schulknabe sagt's dem Pfarrer, es liege auf dem Gottesacker ein grausam garstig Ding; sehe fast aus wie der Müller zu Kleinbobritzsch. Da verschwand die Gestalt vor den Augen der Totengräberin. Man sah aber deutlich, daß das Gras vom Liegen gleichwohl niedergedrückt war. Die Deutung hat niemand gewußt, bis man nach drei Wochen erfuhr, daß sich der Müller zu Kleinbobritzsch erhängt hatte. Das Gespenst hatte ihm den Weg auf den Gottesacker verlegt, daß er an einem anderen Ort sollte begraben werden.

Anmerkung: In Lehmanns „Collectanea", S. 264, ist noch angemerkt: „Anno 1663 (?) den 6. Juni erhing sich Nikol Thiele, der Müller zur Kleinen Boberitzsch in dem Frauensteiner Revier an einer kleinen Fichte, wie das Gespenst oben auf ihn gedeutet hatte."

## 78. Die geheimnisvollen Amboßschläge in Eibenstock

In Eibenstock zeigt man ein Haus, welches früher einem Schmied gehörte, dessen Frau mit dem Teufel ein Bündnis geschlossen hatte. Als die Frau gestorben war, verkaufte der Mann das Haus und zog fort; doch ließ er verschiedene Gegenstände in dem weitläufigen und in viele Gänge auslaufenden Keller zurück. Da geschah es, nachdem das Haus wieder bewohnt war, daß eines Abends eine Frau hinab in den Keller ging, in welchem sich ein Brunnen befindet, um daselbst noch Wasser zu holen. Da hörte sie heftige, wie auf einen Amboß ausgeführte Schläge, von denen sie jedoch nicht sagen konnte, woher sie rührten. Dies wiederholte sich noch zweimal nacheinander. Darauf ist der Frau der Mut gesunken, und sie ist eilends wieder hinaufgegangen. Solche Amboßschläge sind übrigens noch mehrmals nachts in jenem Keller gehört worden.

## 79. Der böse Seidelmann in den Sechsruten

In den Sechsruten, einer Waldung zwischen den Dörfern Glösa und Auerswalde, spukt der Schatten des bösen Seidelmann umher. Das war ein böser Beamter, der bei Lebzeiten seine Untergebenen gar hart und übel behandelte und viele Grausamkeiten und Ungerechtigkeiten beging, weshalb er keine Ruhe im Grabe gefunden hat. Als er gestorben war und seine Leiche aus der Tür des von ihm bewohnten Eckhauses, neben dem römischen Kaiser am Markt, im Sarge hinausgetragen wurde, um begraben zu werden, da erklang plötzlich die harte, rauhe Stimme Seidelmanns, welcher die Träger verhöhnte, und er schaute in Schlafrock und Zipfelmütze in der ersten Etage aus einem der nach der Bretgasse gehenden Fenster heraus. Zu Tode erschrocken, ließen die Träger den Sarg fallen, in dem jedoch richtig der tote Seidelmann lag, während er oben am Fenster wieder verschwunden war. Er wurde zwar begraben, von Stund an aber fing sein Geist in den früher von ihm bewohnten Zimmern an, des Nachts zu rumoren und die Vorübergehenden zu bewerfen, und es mußten deshalb sogar die Fenster zugemauert werden. Endlich, als es niemand mehr in dem Hause aushalten konnte, wurde Seidelmanns Geist durch die Geistlichkeit unter die Nikolaibrücke gebannt. Dort

hat er aber so viele Menschen ins Wasser gelockt, daß man ihn in die
Sechsruten umquartierte, wo er nun die Wanderer irreführt und
durch gellendes Rufen erschreckt.

Anmerkung: Ein nördlich von Glösa an der Autobahn Chemnitz — Dresden liegendes
Geländestück trägt den Flurnamen Sechsruten. Eine Rute war ursprünglich ein Längenmaß und betrug 3,39 m. Ein in der ersten Hälfte des 19. Jahrhunderts unweit der
Chemnitztalstraße angelegter Stolln von nur 20 m Länge, der seinerzeit zum Schürfen
auf Steinkohle diente, trägt im Volksmund den Namen Seidelmannhöhle.

## 80. Der Rachhals zu Aue

Einst lebte in Aue eine Förster mit Namen Rachhals. Er hatte ein
rauhes Wesen und flößte allgemein Furcht ein, so daß man ihm möglichst aus dem Wege ging. Nach seinem Tode fand er keine Ruhe,
sondern war in eine finstere Kammer seines Hauses verbannt, durch
welche eine Esse führte. Dort spukte Rachhals um Mitternacht. Die
Kammer hatte nur ein kleines Fenster nach dem Hofe, und es wurde
erzählt, daß Rachhals erlöst wäre, wenn dieses Fenster geöffnet würde. Zugleich aber müßte das Haus abbrennen. Das Haus stand in der
Nähe des Gasthofs Zum Engel. Als darin 1859 Feuer ausbrach, wurde auch das Rachhalssche Haus ein Raub der Flammen.

## 81. Der Oschitz bei Globenstein

In einem Hohlwege, der zum Oschitzfelsen bei Globenstein führt,
sitzt ein Geist in einem hohlen Stocke und klaubt Erbsen aus einem
Haufen Hirsekörner. Dorthin hat ihn ein Jesuit verbannt, und er darf
nicht eher herauskriechen, als bis er Erbsen und Hirse fein säuber-
lich voneinander geschieden hat. Oft hat man den Oschitz schon hol-
lern hören. Ist er nämlich mit seiner Arbeit fertig, kollern jedesmal
die Erbsen wieder unter die Hirsekörner. Dann hört man das Hol-
lern des Geistes.

Vorher ist der Oschitz nächtlicherweise in der ihm zu Lebzeiten
gehörenden Frischhütte umgegangen. Von dort ist er aber vertrieben
worden, weil er die Hammerschmiede in ihrer Schlafkammer allzu
arg geneckt hat. Manchmal zog er ihnen im Schlafe die Decken vom
Lager weg, ein andermal wieder hat er ihnen das Eisen verwogen. Einer hat ihn rufen hören: „Brängt mr ewengk Salz in meine Supp!"
Der Oschitz hat nämlich im Jähzorn seine Frau erschlagen, weil sie

ihm einmal die Suppe zu heiß auf den Tisch gebracht hat. Deshalb muß er nach seinem Tode als Gespenst umgehen.

Nicht viel besser erging es einem Geizkragen in Carlsfeld. Er muß zur Strafe für seinen Geiz ein Viertel Hirse zählen. Ob er damit fertig und somit erlöst ist, wird nicht vermeldet.

### 82. Der Geist mit dem Rainstein zu Rittersgrün

In finsteren Nächten treibt sich auf Rittersgrüner Flur ein Gespenst umher und stöhnt: „Wu sell ing hie tu?" Es ist der Geist eines Bauern, der bei Lebzeiten auf jenem Acker einen Rainstein mit betrügerischer Hand versetzt hat. Zur Strafe muß er den Stein so lange auf der Schulter herumschleppen, bis jemand das Erlösungswort zu ihm

spricht. Einmal hat ein Betrunkener, der um die Sache wußte, dem jämmerlich Klagenden zugerufen: „Tu'n in Dreiteifelsnamen hin, wu du'n wackgenumme host!" Ob der Geist seit der Zeit Ruhe gefunden hat, wird nicht berichtet.

### 83. Der Leichenzug am alten Kirchsteig bei Rittersberg

In früherer Zeit pilgerten die Rittersberger zu Fuß ins benachbarte Kirchdorf Lauterbach. Sie scheuten beim Kirchgang nicht Wind noch Wetter. Die Stunde Fußweg wurde gern in Kauf genommen. Der Weg ging erst durch Wald, dann begann der Kirchsteig, der durch weite Kornfelder führte. Es war ein einsamer, aber schöner Weg. Allerdings wurde mancher ahnungslos Dahinschreitende mitunter genarrt. Ein Leichenzug zog an ihm vorüber. Denen, die dies erlebten, fuhr der Schreck in alle Glieder, denn sie waren es, die Gevatter Tod als nächsten holen würde.

Der Leichenzug zog ganz nahe an den Leuten vorbei. Voran schritt der Junge, der das Kreuz trug. Dann folgte der Wagen, von zwei schwarzen Pferden gezogen. Hinter dem Wagen schritt der Pfarrer, der die Trauergemeinde anführte.

Hatte der Betreffende den Mut, in die stummen Gesichter zu schauen, die an ihm vorüberzogen, dann erkannte er Verwandte, Bekannte und Nachbarn, die alle nicht mehr unter den Lebenden weilten. Er selber sah sich auch dabei.

## 84. Der Geizige im Tannenbaum bei Falkenau

Einst wohnte im Niederdorf von Falkenau ein Bauer namens Penseling. Er war reich und hatte ein großes Gut mit zahlreichem Gesinde. Mit seiner Frau und den Kindern war er so garstig, daß sie schon zitterten, wenn er in die Stube trat. Sein Schimpfen und Fluchen schallte über den Hof. Keiner konnte es ihm recht machen. Er schlug Knechte und Mägde, wenn er glaubte, sie hätten etwas versäumt; oder er sperrte sie ohne Nahrung ein und ließ sie hungern. Er war im ganzen Dorf berüchtigt als böser Vater und harter Herr. Doch als er alt geworden war, bekam er seine Strafe. Gott ließ ihn nicht sterben, sondern verbannte ihn in einen starken Tannenbaum im der Kuhstein genannten Wald. Dort schrie er vor Hunger in der Nacht: „Helft mit! Gebt mir was zu essen!" Seine Frau und seine Kinder liefen dann mit einem Lichte im Walde umher und suchten Beeren, Kräuter und Wurzeln, um seinen Hunger zu stillen.

## 85. Von weiteren umgehenden Toten

In Pobershau bei Zöblitz sieht man neben der alten Schule eine große Steinhalde. Hier treibt ein Gespenst sein Wesen, denn schon oft hat man daselbst Stöhnen, Rufen und Gepolter gehört, und es wird viel darüber gemunkelt. Dies Gespenst ist der Geist eines früheren Grundbesitzers, welcher als sehr hartherzig verschrien war.

Ein Schlettauer Förster hatte zu Lebzeiten die Armen, welche sich das dürre Reisig sammelten, oft unbarmherzig mißhandelt. Zur Strafe findet er im Grabe keine Ruhe und muß als Jäger ohne Kopf umgehen. Rechtschaffene läßt er ungeneckt. Aber die Holzdiebe hat er schon oft in Todesangst gejagt und bisweilen festgebannt, so daß sie lange an einer Stelle stehen bleiben mußten.

Auf dem Raubschloß Eisenburg bei Wildbach hauste im 14. Jahrhundert der Raubritter Konrad von Kauffungen, der solche Schandtaten verübte, daß ihm der Teufel den Hals brach und sein Geist verdammt ist, bis auf den heutigen Tag die Leute der Umgegend in Zwergsgestalt zu erschrecken.

Zwischen Geiersdorf und Königswalde, am linken Ufer der Pöhla, liegt die Reicheltwiese, welche sehr sumpfig und papprich ist. Einst versank ein Fuhrman, der Salz geladen hatte, samt Fuhrwerk darin. Seitdem taucht er abends gegen 9 Uhr mit Pferd und Wagen aus dem Sumpf. Man hört ihn dann mit der Peitsche knallen und „Hüoh!" rufen.

### 86. Die Oswaldskirche bei Elterlein

Nicht weit von Waschleithe bei Elterlein, in einem Tale am Ufer des Oswaldsbachs, erblickt man die Trümmer einer Kirche, der sogenannten Oswaldskirche, mit deren Bau 1514 unter dem Grünhainer Abt Georg Küttner begonnen worden war. Zu jener Zeit lebte ein reicher Hammerherr, namens Caspar Klinger, den hatte sein Reichtum so übermütig gemacht, daß er sich nicht herabließ, einen Gruß zu erwidern. Selbst Personen, die mit ihm auf gleicher Stufe standen, dankte er nicht. Einst begegnete ihm der ebenso reiche Bergherr von Elterlein, namens Wolf Götterer, und rief ihm ein freundliches Glück auf! zu. Allein Klinger hielt es abermals unter seiner Würde, dem Grüßenden zu danken. Der Elterleiner fühlte sich zurecht verletzt und stellte ihn zur Rede. Dabei fielen harte, beleidigende Worte. So stolz nun der Hammerherr war, so rachsüchtig war er auch und beschloß auf der Stelle, seinen Beleidiger für seine freimütige Rede büßen zu lassen. Er wartete einen Tag ab, da Götterer allein war, weil sich die Dienerschaft zu einer Belustigung entfernt hatte, und drang nun mit seinem Bruder in sein Haus ein, wo sie den Bergherrn mit der Axt niederschlugen. Weit entfernt, ihr Verbrechen, dessen sie sich freuten, zu leugnen, stellten sie sich selbst dem Gerichte. Sie waren sich des Einflusses sicher, den ihnen ihr Reichtum verschaffte. Und so wurden sie zwar zum Scheine zum Tode verurteilt, allein da sich der reiche Hammerherr erbot, zur Sühne jenes Mordes eine Kirche zur Ehre des heiligen Oswald zu erbauen und auch die Armen der Stadt reichlich zu bedenken, trugen die Richter keine Bedenken, die Todesstrafe in eine Geldbuße umzuwandeln. Auch zögerte Klin-

ger nicht lange, sein Versprechen zu halten. Er ließ Arbeitsleute, soviel ihrer nur kommen wollten, für den Bau anwerben, Bauholz in seinen Wäldern schlagen und Steine in seinen Steinbrüchen brechen, zahlte mit vollen Händen, und so verging kein Jahr, da stand die Kirche fertig da. Nun ließ er es auch nicht an reicher Ausschmükkung des Innern fehlen. Kanzel und Altar waren von den geschicktesten Künstlern gearbeitet und mit der äußersten Pracht ausgestattet, eine herrliche Glocke zierte den Turm, und alles war zur Einweihung der Kirche bereit. Doch siehe, da zog an demselben Morgen, wo die Geistlichkeit sich anschickte, das neuerbaute Gotteshaus zu weihen, ein furchtbares Gewitter über das Tal herein, so daß man zögerte, die Prozession zu beginnen. Selbst der Glöckner weigerte sich, die Glocke ertönen zu lassen, bevor das Unwetter nicht vorüber sei. Da ward Klinger ungeduldig und vermaß sich hoch und teuer, nichts solle ihn abhalten, das einmal angefangene Geschäft zu unterbrechen, und wenn niemand anders es tun wolle, so werde er selbst in die Kirche eilen und das Geläute zum ersten Male in Bewegung setzen. Zwar versuchten ihn die Priester von diesem Beginnen abzuhalten, aber umsonst, er stürzte den Turm hinauf und fing an, die Glocke zu ziehen. Aber sonderbar, dieselbe klang wie ein Armesünderglöckchen, und bevor er ausgeläutet hatte, fuhr ein Blitzstrahl aus dunkler Wetterwolke herab in den Turm, tötete den Hammerherrn und zündete die Kirche an. Niemand traute sich, den Brand zu löschen, denn jeder sah hier das Gericht Gottes, und so war in kurzem von dem schönen Bau nichts als die Mauern übrig. Klingers Leichnam ward zerschmettet und verkohlt im Turme gefunden. Man verscharrte ihn am Rande des Waldes.

Seit jenem Tage geht um Mitternacht sein Geist ruhelos umher. Trifft er auf einen Wanderer, der sich des Nachts dorthin verirrt hat, so grüßt er ihn ehrerbietig. Einen Dank hat er freilich bislang nicht bekommen, denn ein jeder flieht erschrocken vor dem Gespenst. Er muß nun so lange umherirren und findet keine Ruhe im Grabe, bis einer seinen Schreck überwindet und zurückgrüßt. Niemand hat sich aber bereit erklärt, die Kirche wieder aufzubauen.

Anmerkung: Wie der Ortsname Waschleithe sagt, lag die Anlage einer Erzwäsche an einem Talhang, einer Leite. Sie ist nachweisbar seit dem 13. Jh. Im Niklashammer wurden Eisenerze verarbeitet. Eine hölzerne Kirche im Oswaldtal soll 1507 durch einen Steinbau ersetzt und 1515 eingeweiht worden sein. Seit ihrer Zerstörung durch Blitzschlag (wohl um 1533) liegt sie wüst. Möglich ist, daß die eingeführte Reformation ihren Wiederaufbau verhinderte. — Der heilige Oswald (604—642) gehört zu den 14 katholischen Nothelfern, die, in Not angerufen, dem Bittenden Hilfe leisten.

### 87. Die wüste Mühle im Trebnitzgrunde

Im Vorwerk Dörfel in Dittersbach, unweit von Glashütte, lebte einst ein gewisser Pessel, ein ebenso reicher wie habgieriger Mensch, dem alle Mittel recht waren, seinen Reichtum zu vermehren. Das Vorwerk war damals noch in Liebenau eingepfarrt. Als dieser Pessel in der dortigen Kirche zur Kommunion war, sah er, wie der Lauensteiner Schösser ein funkelnagelneues Goldstück als Opferpfennig auf den Altar legte. Da gab ihm der Teufel ein, sich dieses Goldstückes zu bemächtigen. Als er an den Altar trat, um die Hostie zu empfangen, faßte er mit gewandter Hand das Goldstück. Der Geistliche hatte jedoch den Frevel bemerkt, und statt ihm den Kelch zu reichen, verkündete er vor versammelter Gemeinde die begangene Schandtat. Pessel wankte nach Hause. Scham und Reue warfen ihn aufs Krankenbett, von dem er nicht mehr aufstand.

Nach einigen Tagen trugen ihn seine Hammerknechte nach Liebenau zu Grabe. Als sie in den Trebnitzgrund kamen, überraschte sie ein plötzliches Donnerwetter. Sie stellten den Sarg ab und flüchteten in die nahe Mühle. Mit einem furchtbaren Donnerschlag verzog sich

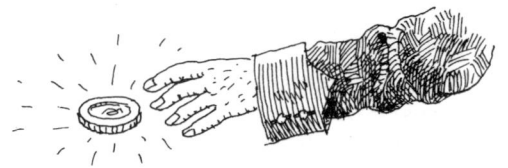

das Gewitter. Die Knechte traten wieder ins Freie, um den Leichen-
kondukt fortzusetzen, allein der Sarg war verschwunden. Nun glaubten sie nicht anders, als daß der Teufel ihn samt Inhalt entführt
hätte. Seit diesem Tage erblickt man den Schatten des alten Pessel,
der um die Mühle irrt und mit schaurigem Geheul seine Leichenträger sucht und sie bittet, ihn zur Ruhe zu bringen.

Durch diesen Spuk kam die Mühle bald in Verruf. Keiner wollte
dort mehr mahlen lassen, und noch weniger hatte jemand Ruhe in
ihr. So wurde die Mühle von ihren Bewohnern verlassen und gab
lange Zeit als Ruine der Wüsten Mühle von dieser schauerlichen Geschichte Kunde.

Anmerkung: Auf der Oederschen Karte ist die Trebnitzmühle als „Georgs Beßels mül
1 g" (Mühle mit einem Malgang) verzeichnet. Von der Wüsten Mühle zeugt „nur
noch der stellenweise überwölbte, verfallene und von Immergrün überwucherte Mühl-
graben" (Klengel).

## 88. Das Mönchsgesicht an der Kirche zu Schlettau

An der östlichen Außenseite der Kirche zu Schlettau befindet sich etwa acht Ellen über der Erde ein Stein in der Mauer, der, angeblich
ohne von Menschenhänden bearbeitet zu sein, einem Mönchsgesicht
täuschend ähnlich sieht. Das Volk erzählt sich von demselben folgende wunderbare Geschichte, die sich um das Jahr 1520 ereignet hat.
Damals hatte Johannes Küttner (oder Kottner), ein Bruder des Grünhainer Abtes Georg Küttner, als letzter katholischer Geistlicher die
Pfarrstelle zu Schlettau inne. Da begab es sich, daß einst in stiller
Mitternacht, als Küttner noch eifrig die Kirchenväter studierte, ein
bleicher Schatten auftauchte. Es war der Geist eines seiner Vorgänger. Der sprach zu ihm: „Es ist nunmehr hundert Jahre her, als die
Hussiten in der Nähe waren, daß ich ein silbernes Kruzifix um Mitternacht in die Kirchmauer eingemauert habe. Am nächsten Morgen
wurde ich von den wilden Ketzern erschlagen. Jetzt bin ich gekommen, um dich aufzufordern, das heilige Kreuz wieder an seinen früheren Ort auf den Altar zu stellen. Du wirst den Fleck, wo es vermauert ist, leicht erkennen, denn es wird sich deinem Auge ein
Lichtschein zeigen, und da, wo derselbe erglänzt, schlage ein, und du
wirst es sogleich entdecken!" Nach dieser Rede verschwand der
Geist. Der fromme Pfarrer aber eilte in die Kapelle, wo der Sakristan
ihn zur Messe bereits erwartete. Diesem teilte er das Erlebte mit und

hieß ihn, am folgenden Mittag mit Hammer und Spitzhaue zur Hand zu sein, um das Kruzifix aus seinem Verstecke herauszunehmen. Kaum war aber der Pfarrer wieder weggegangen, so versuchte der Böse das Herz des Sakristans, welches dem Geize an sich schon zugewandt war. Er beschloß, auf der Stelle den Versuch zu machen, das Kruzifix zu entdecken, den Raub auf die Seite zu schaffen und dann den Fleck möglichst gut wieder auszubessern, damit man von dem Diebstahl nichts gewahren möge. Nach kurzem Suchen fand er auch den Lichtschein, und als er an der Stelle, die hohl klang, einschlug, blinkte ihm auch das Silber entgegen. Allein er hatte bei dem Schlage das eherne Bildnis des Heilands mit zerschlagen.

Da fuhr auf einmal ein Donnerschlag vom Himmel herab, und die Kirchenglocken fingen von selbst an, Sturm zu läuten. Der Pfarrer fuhr aus dem Schlummer, er eilte aus dem Haus und fand schon eine Menge Volk um die Kirche versammelt, weil man glaubte, dieselbe stehe in Flammen. Als die Tür geöffnet wurde, fand man zwar dieselbe ganz hell, aber nirgends sah man Feuer; wohl aber lag der Tempelräuber zerschmettert neben dem herabgestürzten Kruzifix am Boden, doch war sein Kopf vom Rumpf wie abgehauen, und als man nach demselben suchte, fand man ihn an derselben Stelle in der Mauer, wo das Kruzifix eingemauert gewesen war. Der tiefbetrübte Pfarrer ließ nun das zerschlagene Bild des Heilands aus seinen Trümmern zusammensuchen und den Körper des Verbrechers aus der Kirche fortschaffen. Auch befahl er, den Kopf desselben nach

Morgen zu in der Mauer zum ewigen Gedächtnis einzumauern. Als aber der Tag anbrach, da sah man das bleiche Gesicht des Sakristans, von selbst zu Stein geworden, aus der Mauer herausblicken, und dort steht es noch, denn es läßt sich weder übertünchen noch vermauern, ja man hat beobachtet, daß es oft bittere Tränen vergießt und allemal, wenn dem Städtchen Gefahren drohen, in gelbem Lichte leuchtet.

### 89. Ein Gespenst ängstigt einen Oberwiesenthaler

Anno 1658 will ein Fleischhacker aus Oberwiesenthal gar früh nach Elterlein gehen. Er ist etwa eine halbe Meile gegangen, als er im Wald an eine Lichtung kommt. Dort begegnet ihm ein grausamer Mann mit feurigen Augen und brennender Zunge in der Gestalt eines verstorbenen Bürgers. Der hat eine Kette um sich mit eitel Totenköpfen. Darüber erschrickt der Fleischhauer und kehrt um, und der Mann begleitet ihn bis in sein Haus, bleibt vor ihm stehen und sieht ihn an, bis die Wirtin aufsteht und Licht anzündet. Da verschwindet er. Das hat der Fleischhacker seinem Pfarrer geklagt.

### 90. Das Arnsfeldische Gespenst

Anno 1621 geht der Schulmeister Johann Lindner in Arnsfeld in die Kirche und läutet den Morgen ein. Ehe er sich's aber versiehet, kommt ein Spektrum hinter ihm her und gibt ihm einen Backenstreich und spricht: „Warum stehst du mir auf meinem Leichenstein!"

Der Marmorleichenstein gehörte Johann Lothar, der vor Zeiten zu Arnsfeld gewohnt und allda begraben worden ist, Anno 1599, den 30. Januar.

### 91. Hammergespenster im oberen Erzgebirge

Am 30. September des Jahres 1670 hat sich in einem Bergort Folgendes zugetragen: Ein dreizehnjähriger Junge wurde von seinem Vater wegen einer Verrichtung über Feld ins nächste Dorf geschickt. Auf dem Rückweg begegnet ihm sein gewesener Pate, ein Hammerherr, der schon vor sechs Jahren gestorben war, in der Gestalt, wie er ihn im Sarge angezogen gesehen hatte. Der sieht ihn an und spricht: „Siehe, mein Patenkind, bist du es? Steht mein Hammer noch? Ist er noch nicht weggebrannt?" Der Knabe erschrickt und schüttelt den Kopf. Er will nun auf dem schnellsten Weg nach Hause, das Gespenst aber ist bald vor, bald hinter ihm und brummt etwas, was er nicht verstehen kann, und verändert dreimal seine Kleider. Da der Knabe über das Dorf herauskommt, fängt jener an: „Ach, wie müde bin ich! Ach, wenn mich doch jemand fragte! Mein Patenkind, gehe in meinen Hammer, an dem Orte wirst du Geld finden, dir ist's beschert", und da däuchte es dem Knaben, er sehe Geld vor sich liegen und schimmern. Als er seinem Städtlein nahe kam und zuvor durch ein Büschlein gehen mußte, da fing erst ein Lärm an: Das ganze Büschlein war voll schwarzer Männer, die den Hammermeister umringten, bald verwandelten sie sich in große rote Hirsche, daß der Knabe nicht wußte, wo aus noch ein, bald sah er einen Mann kommen, der hatte eine Rute in der Hand und drohte damit dem Gespenste und den Hirschen. Der Knabe lief mit Furcht und Zittern fort; die Hirsche verloren sich, aber das Hammergespenst begleitete ihn immer noch ein Stück Weges, und ehe es von ihm bergrunter Abschied nahm, beugte sich's noch einmal über den Knaben und sah ihm scharf in die Augen. Dann schlug es aber einen andern Weg ein, weiter vor sich hinmurmelnd. Der Knabe kam heim und lag dann acht Tage lang sehr krank.

Jahre zuvor hatte ein anderes Gespenst von sich reden gemacht. 1658 starb ein Bergbeamter, welcher zwar ein großer Freund der Schule und Kirche, sonst auch ehrbar im Gespräch, ohne Fluchen und Schelten und guttätig gegen seine Arbeiter gewesen war, und doch ging er nach seinem Tode als greuliches Gespenst um. Jenes ließ sich in des Verstorbenen Gestalt nicht nur auf dem Hammer, sondern auch in seinem Hause, meistens aber auf einer Schmelzhütte sehen, schlug Knechte und Mägde, gab seiner Tochter einen Schlag über den Leib, daß sie acht Wochen krank lag, neckte und quälte die Arbeiter, daß niemand bleiben wollte. Ein Jahr lang darauf war Frieden und Ruhe vor ihm. Dann tauchte es wieder auf, wobei es einem Bauern aufs übelste mitspielte. Dieser war dabei, eine Waldhütte abzureißen, deren Holz in seiner Wirtschaft Verwendung finden sollte. Wie er nunmehr das letzte Brett losmachen wollte, erschien der gespenstige Mann und drückte ihn so derb, daß er sterben mußte.

Nun fing er sein Mordspiel wieder an. Kaspar Bibern, einen Kohlenmesser, drückt er auf dessen Hofe tot. Den Tag vor dem Christfest im Jahre 1659 schlägt er in der Nacht kräftig ans Tor, daß der Wächter meint, es sei sonst eine wichtige Post und macht auf. Da präsentiert sich das Gespenst in einem schwarzsamtnen Pelze und mit einem spanischen Rohre und drückt dem Wächter alle Glieder entzwei und begeht andere Untaten mehr, so daß die Wächter des Ortes vor diesem gespenstigen Geiste in große Furcht gerieten.

## 92. Die geizige Müllerin

Im Jahre 1674 wohnte in Brand, einem gebirgigen Dorfe unter Joachimsthal, eine Müllerin, die Mühl-Adelin genannt, welche die armen Bergleute und Zinnseifner aus Gottesgab mit Brot versorgte, dasselbe aber so armselig buk, daß es fast eitel Spreu und Kleie war und in der Suppe zerschwamm. Da ihre Arbeiter sich beklagten und über das ärmliche Brot beschwerten, sagte sie mit Trotz: „Ei, meine Gottesgäber Säue können's schon fressen!" Da endlich diese Mühl—und Geldhamsterin gestorben, ist sie nachher oft wiedergekommen, hat den Mann geplagt, und so oft der Müller seine Säue gefüttert hat, ist allezeit eine fremde gespenstige Sau mit zugelaufen und hat samt den anderen aus dem Troge gefressen.

Ihre Tochter folgte der geizigen Müllerin im Hause nach und ließ sich vom Teufel ingleichen zum Schinden der armen Leute verleiten, raffte viel Geld und vergrub es. Als die kaiserlichen Soldaten 1691 durch den Ort zogen, ward sie von einem derselben heftig erschreckt, wurde sprachlos und starb. Niemand wußte, wo sie ihr Geld vergraben hatte. Darauf kam sie in unterschiedlicher Gestalt wieder, plagte und ängstigte ihren Mann, daß der endlich gar verzweifelte und im Jahre 1693 im Oktober seinen Kindern mitteilte, er halte es hier nicht länger aus und ziehe zu seinem Bruder. Weit kam er nicht. Man fand ihn tot in den Felsen.

## 93. Die eifersüchtige Tote

Im September des Jahres 1666 hat sich in einer Bergstadt ein schrecklicher Vorfall ereignet. Ein gewisser G. S. starb eines gewaltsamen Todes. In der Fastenzeit jenes Jahres war seine Frau des Todes verblichen. Da nun der Witwer zu einer zweiten Heirat schreiten wollte, erschien ihm ein Gespenst in Gestalt seiner verstorbenen Frau und ängstigte ihn, daß er keine Ruhe finden konnte. Er gebot daher seinem Gesinde, sie sollten in der Stube schlafen und ihre Betten vor seine Schlafkammer rücken. Donnerstags rät ihm das Gesinde: „Herr, wenn ihr doch, zuvor ihr wieder Bräutigam seid, Eurer vorigen Frau einen Leichenstein setzen ließet, vielleicht bliebe sie dann draußen."

Er bestellte darauf am Freitag die Maurer und ließ einen Leichenstein setzen. Er sagte darauf: „Nun habe ich meine Alte hier eingeschwert, sie wird nicht wiederkommen, der Teufel müßte sie denn herausführen!" Nimmt die Maurer mit sich nach Hause und trinkt mit ihnen auf die Arbeit. Darauf geht er zu Bette. Das Gesinde aber läßt er vor seiner Kammertür.

Um Mitternacht kommt das Gespenst in die Stube, wo das Gesinde schläft, sucht in den Registern und blättert darin. Darnach rauscht es über die Gesindebetten hinweg und begibt sich in die Schlafkammer. Am nächsten Morgen wartet das Gesinde vergebens darauf, daß ihr Herr aus der Kammer kommt. Schließlich geht man hinein und findet den Herrn erwürgt in seinem Bette. Das Gespenst hat sich danach noch oft sehen lassen.

### 94. Spuk in einer Pinge bei Eibenstock

Im Dönitzgrunde bei Eibenstock, in welchem noch die Überreste früherer Zinnseifen zu sehen sind, zeigt man auch eine alte Pinge. Von derselben wird erzählt, daß einst zwei Reiter über dieselbe setzen wollten, daß sie aber dabei mit ihren Pferden hinabstürzten. Wer nun in der Johannisnacht an diese Pinge kommt und aufmerksam horcht, der vernimmt in der Tiefe nicht nur das Klirren von zusammenschlagenden Hufeisen, sondern auch das leise Ticken einer Uhr.

### 95. Die Weihnachtsmette der Toten zu Stollberg

In der alten Marienkirche zu Stollberg, die auch Totenkirche heißt, feiern die Seelen der Verstorbenen — manche sagen: die in katholischer Zeit Verstorbenen — jedes Jahr in der heiligen Nacht ihre Christmetten. So hatte sich einst eine Frau in der Totengasse, die jetzt Zwickauer Straße heißt, vorgenommen, in die Weihnachtsmetten zu gehen. Vor Mitternacht schreckt sie aus einem schweren Traum auf und denkt, es sei Zeit zur Kirche. Sie macht Licht, zieht sich an und tritt auf die Straße. Da ist es noch ganz still. Als sie an der Totenkirche vorbeikommt, erblickt sie dunkle Gestalten, die dem geöffneten Kirchtore zuschreiten. Verwundert darüber, daß die Metten in dieser Kirche sein sollen, schließt sie sich ihnen an und tritt ein. Das Gotteshaus ist matt erleuchtet. In den Frauenständen ist nur an einer Bank noch ein Eckplatz frei, den sie nun einnimmt. Am Altar sieht sie einen Priester in seltsamer Gewandung, der in einem großen Buche zu lesen scheint, sich verbeugt, niederkniet, alles unter der lautlosen Aufmerksamkeit der zahlreichen Gemeinde. Die Frau mustert ihre Umgebung: lauter fremde Gesichter, deren Blicke mit unheimlicher Traurigkeit auf ihr haften. Da erkennt sie in ihrer Nachbarin eine Frau, die vor kurzem begraben wurde. Sie will fragen, was das alles bedeutet, aber die Gestalt winkt ihr mit knöchernem Finger zu, daß sie schweigen solle. Da verschwindet die ganze Erscheinung. Zitternd und bebend vor Furcht steht die Frau auf der Straße und bricht an ihrer Haustüre zusammen, wo sie dann von Leuten, die in die wirklichen Metten gehen wollten, halb erstarrt gefunden und heimgebracht wird. Nach drei Tagen trug man sie hinaus nach dem Gottesacker.

### 96. Der spukhafte Mönchskopf zu Chemnitz

In der Stadt Chemnitz bei dem sogenannten Kloster in der Vorwerkstube war noch vor nicht gar langer Zeit ein Mönchskopf zu sehen, auf dem, so oft man die Vorwerkstube reparierte, allemal ein Groschen Geld gefunden ward. Dieser Kopf war aber sehr empfindlich, wenn jemand mit ihm Kurzweil treiben wollte. So ist einmal ein Steinmetzgeselle nach Chemnitz gekommen, und weil er vieles von diesem Kopf gehört, hat er ihn auch sehen wollen. Als er nun dessen altes, zorniges Gesicht genau betrachtet, hat er es nachzuäffen versucht. Auch gab er sich viele Mühe, es zu verspotten, so daß die Strafe nicht lange auf sich warten lassen konnte. Als er einmal mit einer Gesellschaft von Kameraden nach Hause ging, da kam ihm ein Bedürfnis an. Seine Weggefährten gingen unterdessen weiter. Da tauchte ein Mönch auf, packte ihn, daß ihm Angst und Bange wurde, und warf ihn in einen mit Eis bedeckten Teich. Seine Kameraden, die wieder umkehrten, ihn zu suchen, fanden ihn winselnd und vor Schrecken fast stumm im eisigen Wasser liegen. Sie zogen ihn heraus und brachten ihn als Halbtoten nach Hause. Sein Mund war ihm dergestalt der Quere gezogen, daß er über ein halbes Jahr zubrachte, ehe er wieder gesund war. Dazu trug bei, daß in der Kirche für ihn gebetet wurde.

### 97. Die Franzosen-Resel im Marienberger Bergmagazin

Im Bergmagazin von Marienberg geht die Franzosen-Resel um. Sie kann keine Ruhe im Grabe finden, weil sie auf Erden ein gar so trauriges Los gehabt hat, daß sie zuletzt den Verstand verlor und sich das Leben nahm. Als junges Mädchen war sie nach Dresden gekommen in den Dienst einer vornehmen Frau. Dort ging es lustig zu, und Resel wurde von einem jungen Franzosen, in den sie sich verliebt hatte, verführt. Der zog bald darauf mit seinem Kaiser in den Krieg, und Resel kam wieder nach Hause, aber nicht allein, sondern sie brachte ein schwarzhaariges, schwarzäugiges kleines Mädchen mit. Alle schauten sie deshalb über die Achsel an und nannten sie die Franzosen-Resel. Selbst ihr Vater wollte sie nicht wieder in sein Häusel aufnehmen, tat's aber zuletzt doch auf Zureden des Pfarrers.

Die Resel ernährte sich und ihr Kind schlecht und recht durch Botengänge und Krankenpflege. Daher kam es, daß sie auch, als 1813 nach den Schlachten in Böhmen verwundete Soldaten nach Marienberg gebracht wurden und das Bergmagazin Lazarett wurde, dorthin als Pflegerin ging. Sie trug aber von dort den Keim des Todes in das Haus ihrer Eltern. Diese starben ebenso wie das Kind der Resel schnell hintereinander, und auch im Bergmagazin verging kein Tag, wo es nicht Tode gab. Es war eine schwere Zeit, und die Resel war zuletzt der einzige Mensch, der die sterbenden Kriegsleute noch pflegte.

Da wollte es das Unglück, daß Resel in einem gestorbenen Franzosen ihren einstigen Geliebten erkannte. Diese Tatsache in Verbindung mit den monatelang erduldeten schweren Prüfungen brachte das arme Weib um den Verstand, und in ihrem Wahnsinn schleppte sie die sterbenden Soldaten an den Beinen die schmalen Steintreppen hinunter, daß ihr Kopf auf den einzelnen Stufen aufschlug und sie unten mausetot waren. Die Leichen warf die Resel, die stark und kräftig war, in den hinter dem Bergmagazin damals befindlichen Steinbruch. So trieb's die Unglückliche von morgens früh bis abends spät. Am anderen Morgen aber wurde auch ihre Leiche in dem benachbarten Weiher gefunden. Das schwere Herzeleid hatte sie ums Leben gebracht und in den Tod gejagt. Ihre arme Seele aber kann noch immer keine Ruhe finden und geht im Bergmagazin um in den Monaten, in denen damals all dies Unglück geschehen ist. Schon mancher hat sie gesehen in der Nacht beim Mondenschein, wenn er in die Nähe des Bergmagazins gekommen ist.

Anmerkung: Das Bergmagazin, ein viergeschossiger Bau aus Bruchsteinen, wurde 1809 als Getreidespeicher errichtet. Bergmeister Friedrich Wilhelm Heinrich von Trebra (1740 — 1819) wollte damit ein Vorratsgebäude für Krisenzeiten schaffen. In unmittelbarer Nachbarschaft befindet sich seit 1863 ein Denkmal für 1813 im Lazarett verstorbene Soldaten aus der Zeit des Napoleonischen Krieges. 163 tote französische, 8 österreichische und 4 preußische Soldaten werden erwähnt.

## 98. Das Berggebäude „Thurmhof" bei Freiberg

Hinter dem Gute Turmhof vor der Stadt Freiberg bemerkt man die Überbleibsel eines ehemaligen bedeutenden Bergbaues. Dort war vor mehr als drei Jahrhunderten das Berggebäude Thurmhof gangbar, welches zu den hervorragendsten der damaligen Zeit gehörte und in seinen Anfängen vielleicht bis in die Zeit der Gründung Freibergs zurückreichte. Wie aber alles in der Welt der Vergänglichkeit zum Opfer fällt, so waren auch die Tage dieser Grube gezählt, denn schon vor Jahrhunderten kam sie zum Erliegen, wie manche benachbarte, und die Ausbeute der Gewerke verwandelte sich in Zubuße. Wodurch nun der Thurmhof zum Erliegen gekommen, darüber gibt folgende Sage Aufschluß.

Eine wichtige Person bei der Grube war der Kunststeiger Heinrich; er verstand das Maschinenwesen wie keiner, das aber wußte er auch und ließ sich deshalb von niemandem in sein Fach hineinreden, nicht einmal vom Obersteiger, der doch sein Vorgesetzter war. Deshalb gab es auch mancherlei Zwiespalt zwischen den beiden, und mit der Zeit hatte sich eine Feindschaft herausgebildet, die namentlich dem Obersteiger seine Stellung sehr verleidete. Der Kunststeiger war bekannt und gefürchtet wegen seines abstoßenden Charakters. Neid, Habsucht, Rachsucht, Streitsucht, namentlich beim Kartenspiel, dem er besonders zugetan war, und sonstige üble Eigenschaften hafteten ihm an und brachten ihn fortwährend in Händel mit seiner Umgebung. Auch erzählte man sich von ihm, daß er einen Pakt mit dem Teufel geschlossen habe. Dieser Kunststeiger hatte nun einen Sohn mit Namen Veit, einen muntern, freundlichen und friedliebenden Jüngling mit bravem, rechtschaffenem Herzen, der ebenfalls dem Bergmannsstande angehörte und auf dem Thurmhofe anfuhr. Sein Vater, obschon ein rauher und harter Mann, war ihm mit wahrhaft abgöttischer Liebe zugetan.

Auch der Obersteiger Gebhardt vom Thurmhof hatte ein Kind, und zwar ein vielumworbenes hübsches Töchterchen, welches Johanna hieß. Alle Bemühungen um ihre Hand wurden aber von Johanna zurückgewiesen, denn sie hatte sich bereits mit des Kunststeigers

97

Sohn Veit heimlich verlobt, und wenn letzterer die ihm bereits verheißene Anstellung als Untersteiger erhalten haben würde, wollten sie Hochzeit machen. Der Obersteiger erfuhr auch sehr bald aus dem Munde seiner Tochter, wie die Sache stand, und seine Bedenken wurden durch die Tränen und Bitten der Tochter und im Hinblick auf Veits bergmännische Tüchtigkeit und untadelhafte Aufführung endlich beseitigt. Anders war es bei dem alten Kunststeiger. Derselbe grollte mit dem Obersteiger fort und trachtete darnach, ihm Schaden zuzufügen. Dabei sollte ihm selbst der Teufel zu Diensten sein. Es hatte sich nämlich ergeben, daß Heinrich in seiner Bosheit und Habsucht mit diesem unlängst einen Pakt abgeschlossen hatte. Für die Dienste, welche ihm der Teufel zu gewähren versprach, sollte ihm der Kunststeiger alljährlich die Seele eines Menschen liefern, und zwar sollte es jederzeit derjenige sein, welcher am letzten Tage des Jahres der Letzte beim Ausfahren aus der Grube Thurmhof wäre.

Wieder war der letzte Tag des Jahres herangekommen, an welchem nach dem Vertrage der Kunststeiger dem Teufel eine Seele zu beschaffen hatte. Die Schichtzeit war abgelaufen, die Zeit zum Ausfahren gekommen. Die gesamte Mannschaft befand sich auf der Fahrt; der Obersteiger war vom Kunststeiger durch irgendeinen Vorwand in der Grube zurückgehalten worden. Jetzt kamen sie zum Schachte; da bestieg der Kunststeiger schnell die Fahrt und gab vor, dem Obersteiger beim Hinausfahren das Öffnen des Schachtdeckels ersparen zu wollen. So wäre der Obersteiger der letzte gewesen, der ausfuhr.

Der Himmel aber fügte es, daß der Kunststeiger dennoch eine falsche Rechnung gemacht hatte. Sein eigener Sohn Veit war, unbemerkt von ihm, noch in der Grube zurückgeblieben. So wurde dieser nun derjenige, der zuletzt zum Ausfahren kam — aber er hat das Tageslicht nicht mehr gesehen, und keines Menschen Auge erblickte den Unglücklichen jemals wieder. Der Teufel lauerte seinem Opfer auf und stürzte es rücklings in die grausige Tiefe. Als der Kunststeiger seinen Feind, den Obersteiger Gebhardt, rüstig und ohne Gefahr Sprosse um Sprosse hinter sich nachfahren sah, mochte er sich wohl wundern, daß der Satan sich nicht des letzteren bemächtigte. Mit Unwillen und Staunen bemerkte er, daß sein Widersacher unbeschädigt nach ihm die Schachtkaue betrat. Als er aber die Mannschaft überschaute und unter ihr seinen Sohn Veit vermißte, da fiel es ihm

wie Schuppen von den Augen; der Teufel hatte ihn um das Liebste, für welches sein verknöchertes Herz noch Gefühl gehegt, betrogen. Bewußtlos sank er zusammen.

Die Abwesenheit Veits war bald bemerkt worden; man wunderte sich über sein Ausbleiben. Da erhob sich der wieder zum Bewußtsein gekommene Kunststeiger und schrie: „Ich will sehen, wo mein Sohn geblieben ist!" Dann fuhr er zurück in die Grube. „Niemand folge mir, dem sein Leben lieb ist!" herrschte er die Knappen an, die sich erbötig zeigten, ihn zu begleiten.

Die Berghäuer gehorchten und lauschten nur hinab in die Tiefe. Da erscholl es drunten wie von mächtigen Axthieben, und man vernahm bald darauf ein entsetzliches Geprassel. Erschrocken flohen die Leute, denn sie befürchteten des Schachtes baldigen Einbruch und hatten sich nicht getäuscht. Der Kunststeiger zerhieb mit furchtbaren Axtschlägen die Kunstgestänge und zerstörte die Gerinne, in welchen das starke Aufschlagwasser zum Umtriebe des Kunstrades über den Schacht geleitet war, so daß die ganze Wassermasse sich in die Tiefbaue ergoß und bald die ganze Grube ersoff. In den wild hereinstürzenden Gewässern hat der Kunststeiger seinen Tod gefunden. Der Teufel verpaßte seine Zeit nicht: er hatte ihn drunten geholt.

Des Obersteigers Tochter Johanna verfiel infolge jenes trübseligen Ereignisses in ein hitziges Fieber, an welchem sie lange in Lebensgefahr darniederlag. Die Jugend half ihr die Krankheit überwinden, aber sie war und blieb für immer tiefsinnig. So trat sie in das in der Freiberger Sächsstadt gelegene Jungfrauenkloster zur heiligen Maria Magdalena ein. Erst später verließ sie es wieder, als dasselbe bei der Reformation gänzlich aufgelöst wurde, und kehrte in die Welt zurück. Die Grube Thurmhof kam nach jenem unglücklichen Ereignissen zum Erliegen, denn wo der Teufel gehaust hat, kann kein Segen aufkommen.

Anmerkung: Die Sage weist einen interessanten historischen Kern auf: Zwischen 1531 und 1595 war das Thurmhofrevier das bedeutendste vom Freiberger Bergbau im 16. Jahrhundert und lieferte bis 1618 69049 kg Silber. Der Thurmhofer Bergbau war mit Teufen über 350 m für den damaligen Bergmeister Martin Planer (1515 — 1582) der Anlaß, im hiesigen Bergbau mittels Kunstgezeuge, das sind u. a. Kehrräder, zur Wasserhebung eine umfassende Mechanisierung der Erzförderung durchzuführen. Damit waren die Kosten zur Wasserhebung gesenkt und 408 Haspelknechte freigesetzt. Zur Gewinnung der erforderlichen Aufschlagwässer fing er 1558 bis 1560 mit dem Bau eines umfassenden Wasserzuführungssystems an, das 1603 bis ins obere Erzgebirge reichte und heute noch Brauchwasser nach Freiberg zuführt. — Im Gegensatz zur Sage erlebte der Thurmhofer Bergbau den Einbau von Kunsträdern erst nach der Reformation. 1578 gab man das Revier auf. Heute künden noch einige Halden und Huthäuser, besonders aber häufige Einbrüche vom alten Thurmhofer Bergbau.

Als Kunst wurde seit der Renaissance das handwerkliche Können der Anfertigung von „Kunstgezeugen" im Bergbau bezeichnet. Im Bergbau gehörte die Herstellung von Anlagen zur Förderung, Befahrung und Bewetterung dazu, später auch alle Maschinenanlagen (Wassersäulenmaschinen, Dampfmaschinen). Ein Kunstmeister stand im Rang eines Ingenieurs. — Das Jungfrauenkloster Zur heiligen Maria Magdalena, gelegen in der Freiberger Sächsstadt, bestand von vor 1248 bis zur Auflösung durch die Reformation.


## 99. Der Berggeist am Donat zu Freiberg

Auf dem Donat Spat im Bereiche der Elisabeth-Fundgrube zu Freiberg sieht man in der Nähe eines alten Schachtes den Namen Hans in Stein gehauen und deutet ihn als Erinnerungszeichen an einen hier verunglückten Bergmann dieses Namens. Folgendes hatte sich zugetragen:

Es hat einmal am Donat eine armer Bergmann, namens Hans, gearbeitet, der so in Dürftigkeit schmachtete, daß er oft in der Grube mit Tränen laut über seine Not jammerte. Da zerteilte sich einmal plötzlich der Felsen, und aus dem steinernen Tor trat ein kleines Männchen hervor. Das war der Berggeist. Der sprach zu ihm: „Hans, ich will dir helfen, aber du mußt mir jede Schicht dafür ein Pfennigbrot und ein Pfenniglicht geben und keinem Menschen etwas davon sagen." Hans erschrak zwar, allein da er sah, daß derselbe guter Laune war, so versprach er alles. Der Berggeist verschwand und ließ ihm viel Silber zurück. Hans hatte nun immer Überfluß an Geld, gab auch tüchtig davon aus, hütete sich aber wohl, irgend jemandem

etwas von seiner Geldquelle zu sagen. Da kam das Stollenbier, an welchem die Bergleute gewöhnlich etwas über die Schnur zu hauen pflegen. Dies tat leider auch Hans, und nicht lange dauerte es, so war er betrunken, vergaß sein dem Berggeist gegebenes Versprechen und erzählte seinen Genossen, was ihm begegnet war. Am anderen Tage, als er nüchtern geworden, erinnerte er sich freilich an sein Geschwätz, allein er konnte das Gesagte nicht wieder zurücknehmen und fuhr mit Zittern und Zagen an. Sein Geschäft war aber, den Knechten, welche am Haspel standen, das Zeichen zu geben; allein dasselbe ließ an diesem Tage lange auf sich warten; man rief ihn zwar, aber es erfolgte keine Antwort. Plötzlich zuckte es am Seile, ein helles Licht erglänzte in der Teufe, und die Haspelknechte, die nicht wußten, was das zu bedeuten hatte, drehten gleichwohl geschwind den Rundbaum, und bald war der Kübel zutage gefördert. Allein statt des Erzes lag in demselben der Bergmann Hans tot mit blauem

Gesichte wie ein Erwürgter, auf ihm das letzte Pfennigbrot, und rings um den Kübel brannten die Pfenniglichter, die er dem Berggeist geopfert hatte und die dieser jetzt samt dem toten Spender zurückgab.

Anmerkung: Die Grube St. Donat lag im Bereich der Himmelfahrter Fundgrube, zu der auch St. Elisabeth gehörte. Sie lag vor dem Donatstor. Befahren wurde sie um 1520 bis 1620. Die alte bergmännische Bezeichnung Spatgang gibt die Ost — West- bis Südost — Nordwest-Richtung des Streichens, d. h. der Ausdehnung der Erzgänge an.

## 100. Die Teufelswand bei Eibenstock

In der Teufels- oder Steinwand, welche zwischen Eibenstock und Unterblauental am linken Ufer der Bockau unweit von ihrer Mündung in die Mulde liegt, befindet sich eine große Höhle. Mit der hat es folgende Bewandtnis. Zehn reiche Bösewichter hatten sich zusammengetan, alle gute und gangbare Münze an sich zu bringen, sie in fremden Ländern mit jüdischem Gewinn gegen schlechte umzutauschen und diese ins Land zurück und nach und nach unter die Leute zu bringen, was ihnen auch recht wohl gelang. In diesen Geschäften fuhren sie einst auch mit einem Wagen voll Geld dem Böhmerwalde zu und gedachten vor Einbruch der Nacht eine Herberge zu erreichen. Da überraschte sie aber ein mörderisches Ungewitter, und sie sandten die Knechte aus, ein Obdach zu suchen. Bald brachte einer von diesen die Nachricht, daß nicht fern von der Straße auf einer Anhöhe ein unbewohntes Schloß stehe. Weil nun der Wagen nicht wohl mit dahin gebracht werden konnte, so ließen die Herren ihre Knechte bei demselben und gingen selbst ins Schloß. Hier fanden sie nur ein einziges Gemach, das sie vor dem Regen notdürftig schützte. In diesem stand eine morsche Tafel, daran setzten sie sich und begannen von ihren bösen Plänen zu reden. Da plötzlich wurde das Gewitter heftiger, ein dreifacher Wetterstrahl klirrte, die Burg stürzte zusammen, und aus ihren Trümmern stieg ein gespaltener Felsen hervor. Die Knechte lagen betäubt unter dem Wagen; als sie erwachten, schien der Mond hell durch die gelichteten Wolken. Sie sahen nach dem Wagen und erschraken, denn das Geld darauf war verschwunden. Es schlug Mitternacht. Mit dem letzten Schlage trat eine lichte Gestalt unter sie, welche ihnen zu folgen gebot. Zitternd gehorchten sie und kamen an einen hohen Felsen, in dessen Inneres eine steinerne Tür führte, welche, sobald sie von der Gestalt berührt

wurde, mit lautem Krachen aufsprang. Sie traten in ein Gewölbe, dort saßen die zehn Herren totenbleich und zählten feuriges Geld. Die Knechte zitterten. „Gehet hin und sagt, was Ihr gesehen!" sprach der Geist. „Diese zehn Unholde, eure Herren, müssen so lange hier das glühende Geld zählen, bis ein Mann, welcher zehn Armen uneigennützig Wohltaten erwies, mit dem wunderseltenen Kraute Lunaria den Felsen berührt, dies Gewölbe öffnet und alles Geld mit sich nimmt. Solches gebet männiglich kund zur Warnung!" Der Geist verschwand, und die Knechte lagen wieder unter dem Wagen. Zu gewissen Zeiten erhebt sich in dem Felsen ein mächtiges Getöse, welches seit einigen Jahren noch zugenommen hat.

### 101. Irrlichter bei Annaberg und Scheibenberg

Am Schottenberge unterhalb von Annaberg gibt's alte Bergkessel und Pingen, daran der Fußsteig Stickel vorbeigeht. Da sind etlichemal bei Nacht, sonderlich zur Winterszeit, Reisende von Irrlichtern betört und in Löcher als auch in tiefen Schnee geführt worden, daß man sie auf ihr jämmerliches Schreien und Rufen aus der Stadt mit Laternen aufgesucht und gerettet hat.

Im Jahre 1683 den 22. Trinitatis ging ein Witwer mit seiner Braut beim Scheibenbergischen Gottesacker vorbei und sagte: „Da drinnen liegt mein voriges liebes Weib." Bei diesem Wort werden sie von einem Licht geblendet. Zweimal umgibt sie ein Feuerschein, so daß sie mit Schrecken davongelaufen sind.

Auch bei der Grube Dorothea auf Geyersdorfer Gebiet und bei der Grube „Stern" auf Mildenauer Revier läßt sich zu gewissen Zeiten ein Lichtlein sehen.

Nordöstlich von Geyer zeigt sich an Herbstabenden eine merkwürdige Lufterscheinung oder ein rötlich leuchtendes, beinahe sieben Ellen hohes Irrlicht, das, sobald es sich zu bewegen anfängt, immer kleiner wird, bis es endlich ganz verschwindet. In der dortigen Gegend wird es die Staatslaterne von Geyer genannt.

### 102. Der Berggeist in der Struth

In der Struth, einem Wald zwischen Freiberg und Bräunsdorf, wurde einst ein Bergwerk betrieben. Als ein Häuer nach der Nachtschicht ausfahren wollte, hörte er es tapsen. Die Tür ging auf, und er nahm ein Licht wahr. Als er dem Licht nachgehen wollte, verschwand es. Er schloß darauf die Tür. Aber schon hörte er wieder das Tapsen, auch die Tür ging wieder auf. Nun wurde es dem Bergmann unheimlich. Er hatte keine Courage, der Sache nachzugehen.

Bei seiner nächsten Schicht ging es wieder los. Da sah er einen Berggeist die Leitern auf- und niedersteigen. Das ging wohl eine halbe Stunde lang. Dann war der Geist wieder verschwunden. Das Kerlchen war vielleicht zwei Ellen hoch und hatte eine gelbe Blende umhängen. Obwohl diese ohne Licht war, ging von ihr ein heller Schein aus.

Anmerkung: Erzgänge sind südöstlich von Langhennersdorf bekannt. Unweit der Eisenbahn gab es die Bergmännische Hoffnung Fundgrube mit Neuschacht, und am Ortseingang lag die Grube Gott über uns.

### 103. Der Berggeist bestraft einen Kunstwärter

Nahe bei Sieben-Schlehen bei Neustädtel befand sich ein Schacht, in welchem Folgendes geschah: Als der Kunstwärter daselbst das Kunstzeug einölte und dabei an den Hauptzapfen kam, ließ sich ein Gesicht an der Wand sehen, welches sprach: „Diesen Zapfen schmiere ich." Der Kunstwärter gehorchte und ließ von da an diesen Zapfen unberührt, bis er doch einmal das Gebot übertrat. Kaum hatte er den Hauptzapfen eingeölt, so geriet er mit dem rechten Arme in das Kunstzeug, welches ihm den Arm abriß. Doch empfand er dabei nicht den geringsten Schmerz, und die Wunde blutete auch nicht. Als er den weggerissenen Arm aufhob, erblickte er das Gesicht an der Wand wieder; dasselbe sah in höhnisch an, ohne etwas zu sagen.

Anmerkung: Die Grube Sieben-Schlehen, nahe der Straße von Neustädtel zum Filzteich im Hohen Gebirge gelegen, gehörte mit zu den bedeutendsten im Schneeberger Revier (Siehe auch den Sagenkreis um Martin Römer). Im vorigen Jahrhundert erfolgten technische Neuerungen in der Grube, wie z. B. der Bau eines Pferdegöpels, die Verwendung von Schießbaumwolle als Sprengstoff und der Einsatz einer Wassersäulenmaschine.

### 104. Der Berggeist in der Grube Sieben-Schlehen bei Neustädtel

Es war eines Jahres am Heiligen Abend, als ein Bergmann in der Grube Sieben-Schlehen, nachdem er sein Gebet verrichtet hatte, getrosten Mutes einfuhr. Rüstig ging er an seine Arbeit. Da gegen Mitternacht ließen sich in einiger Entfernung Schritte vernehmen, und der Bergmann glaubte, einer seiner Gesellen komme, um ihn abzulösen. Doch als die Schritte näher kamen, erblickte er einen Unbekannten, der trug an der Brust eine golden funkelnde Blende mit einer Kerze darin, seine Kleidung war dunkel bis auf die weißen

Strümpfe; an den Füßen hatte er glänzend schwarze Schuhe, und auf dem Kopf trug er einen Hut, ähnlich den Napoleonshüten. Sein Gesicht konnte jedoch der Bergmann in dem Gegenlicht nicht sehen; nur das eine sah er, daß ein silberweißer Bart bis auf die Brust herniederhing. Die Erscheinung blieb vor ihm stehen und sagte nichts, leuchtete ihn aber an und kehrte auf demselben Wege zurück. Als der Bergmann am anderen Morgen von seinem Begegnis erzählte, sagten ihm seine Gesellen, das sei der Berggeist gewesen.

In demselben Schachte arbeitete am Karfreitag des folgenden Jahres ein anderer Bergmann. Derselbe hörte in seiner Nähe ein unaufhörliches Sägen und Hämmern, wiewohl er wußte, daß keine Zimmerleute da waren. Er zeigte dies beim Ausfahren dem Steiger an, welcher sogleich einfuhr und die Töne ebenfalls hörte. Darauf ließ derselbe den Ort mit Brettern verschlagen. Nach wenigen Tagen aber war er tot.

### 105. Der boshafte Berggeist im Schachte Orschel

Ein Bergjunge fuhr einst auf dem Bergschacht Orschel bei Schneeberg an; da erschien ihm ein Berggeist, welcher ihn zu töten drohte. Doch ließe er es bei der Drohung bewenden, wenn ihm der Junge alle Tage eine Semmel mitbrächte; aber er solle niemandem etwas davon sagen. Eine Tages vergaß der Junge die Semmel, da fand man ihn erwürgt in einem Kübel. Um ihn herum lagen lauter verschimmelte Semmeln, welche mit ihm ans Tageslicht gefördert wurden.

### 106. Der Globensteiner Bergmann

In der Nähe von Rittersgrün steht ein hoher Fels, der Globenstein, unter dem der Pöhlbach dahinfließt. Drinnen in dem Gestein haust ein Bergmann. Mit einem brennenden Grubenlicht auf dem Kopf ist er des Nachts zu sehen. Wenn zu später Stunde trunkene Bergleute vorüberkamen, womöglich mutwillig seiner spottend, dann ist es vorgekommen, daß er sie an ihren Bergseilen an den Felsen gehängt hat, oder er warf sie in den Bach. Einige hat er mit Donnern, Blitzen, Bobern und Steinwürfen so erschreckt, daß sie sich krank niederlegen mußten.

### 107. Geschichten vom Schneeberger Berggeist

Außer den verschiedenen Gefahren, welche den Bergleuten von bösen Wettern, giftigen Schwaden usw. drohen, sind sie auch in nicht geringer Gefahr von seiten der Bergteufel, Bergmönche und Berggespenster, welche in der Finsternis herrschen und in den Strecken herumfahren wie brüllende Löwen. Sie suchen die Bergleute, sofern diese nicht mit Gebet und Glauben zu widerstehen vermögen, zu verschlingen.

Im Jahre 1538 ist ein Bergmann in der Höflichen Besserung Fundgrube von einem Ungeheuer erwürgt worden, weswegen damals Kurfürst Johann Friedrich in einem Befehl ausführlichen Bericht verlangte. Im Jahre 1683 ging am 26. März die Mannschaft auf der Levitenzeche auf drei Schächten in solcher Anzahl zur Schicht, daß man nichts mehr von der Kaue sah. Kurz zuvor war aber ein dicker Mann, mit Silber und Gold geschmückt, aus dem Kämmerlein heraus in die Kaue zu einem Bergmann, namens Israel Ficker, welcher daselbst Schachtholz zugerichtet, gekommen und hatte ihn gefragt: „Kennst du mich nicht?", und da der Bergmann geantwortet: „Herr, wie soll ich Euch kennen, Ihr werdet wohl einer vom Herzog aus Holstein sein" (der diese Zeche baute), hat er ihn geheißen anzufahren. Weil dies der Bergmann nicht tun wollte, wurde er von dem Fremden furchtbar erschreckt, so daß er verstarb und am 30. des Monats begraben wurde.

## 108. Weitere Geschichten vom Schneeberger Berggeist

In der St. Georgenzeche zu Schneeberg ist einem Knappen ein Berggeist erschienen, der ihn mit solcher Gewalt auf einen Stein setzte, daß er wie angemauert sitzen bleiben mußte. Ebenso erging es einem Steiger, welcher die Bergleute sehr streng behandelte. Ein andermal zeigte sich der Berggeist als ein schwarzer Mönch, der wiederum einen Bergknappen ergriff und ihn, weil dieser sich in der Teufe ungebührlich aufgeführt hatte, aufhob und auf einer ehedem silberreichen Grube so hart niedersetzte, daß ihm das Hinterleder platzte und alle Rippen krachten.

Später erschien der Berggeist wieder und schlug mit der Faust gewaltig an die Felswand. Die Bergleute, welche daselbst arbeiteten, sahen darauf eine Höhlung, in welcher viel Silber lag. Hätten sie sogleich eine Hacke oder ein anderes Gerät in die Höhle geworfen, so würden sie den Schatz gewonnen haben. So aber unterließen sie es aus Unkenntnis, und der Schatz verschwand; auch der Berggeist ließ sich von dieser Zeit an nicht wieder sehen.

## 109. Der Geyersche Bergteufel

Anno 1592, den 24. November, wurde zu Geyer Gregor Schneider, ein Kärrner, der den Zwitter aus dem Geyersberg geführt, begraben; dem hat einst ein Bergteufel Feuer unter die Augen gespien und damit das ganze Angesicht verbrannt, daß ihm das eine Auge und die Nase weggeschmort und er darüber hat sterben müssen.

Anmerkung: Südöstlich der Stadt Geyer liegt die Granitkuppe des Geyerberges, in dessen Tiefe nach Zinnerz gegraben wurde. Hier wurde Zwitter abgebaut, ein Gestein aus Quarz, Glimmer und Zinnstein.

## 110. Der Berggeist erscheint in Roßgestalt

Zu Annaberg war eine Grube, genannt der Rosenkranz, darinnen arbeiteten zwölf Knappen. Die schwatzten miteinander possenhaft, wollten sich gegenseitig mit dem Berggeist Angst machen und leugneten ihn als einen lächerlichen Popanz. Da mit einem Male sahen sie eine Roßgestalt mit langem Halse und mit feurigen Augen an der Stirne und erschraken darüber zu Tode. Dann ward aus der Roßgestalt die wahre Gestalt des Bergmönchs, die trat ihnen schweigend nahe und hauchte jeden nur an. Sein Atem aber war wie ein böses

Wetter; sie sanken tot nieder von des Geistes Anhauch, und nur einer kam wieder zu sich, gewann mit Mühe den Ausgang und berichtete, was sich zugetragen. Dann starb auch er. Darauf ist die silberreiche Grube der Rosenkranz zum Erliegen gekommen und nicht mehr angebaut worden.

### 111. Die Ritter in den Greifensteinen

Ein Wanderer, namens Jahn, irrte bei Nacht einst in der Gegend der Greifensteine im Walde umher. Da trat ihm plötzlich eine zwerghafte Geistergestalt entgegen und winkte, ihm zu folgen. Nicht ohne Grauen folgte Jahn. Über Stock und Stein führte ihn der Zwerg, bis sie endlich an eine Höhle kamen, die sich, sobald sie eintraten, mächtig erweiterte und ein prächtiges Ansehen gewann. Die Wände waren von Silber, die Tische und Stühle von Gold. Tausend kristallene Leuchter mit langen Kerzen verbreiteten einen blendenden Glanz über das Gewölbe. Zwölf Männer in stattlichen Rittergewändern mit langen Bärten saßen an einer langen Tafel und speisten. Der Zwerg lud den erstaunten Jahn ein, sich zu setzen und am Mahle teilzunehmen. Der Hunger besiegte die Schüchternheit — Jahn setzte sich und aß und trank von dem, was ihm der Zwerg bot. Noch nie hatte

er so köstlich getafelt; er ward erquickt und allmählich getrosten und frohen Mutes.

Die zwölf Männer schienen sich über ihn zu freuen und geboten dem Zwerge, sein Ränzel zu füllen. Mit herzlichen Worten schied Jahn von seinen gastfreien Wirten. Der Zwerg führte ihn aus der Höhle, die, wie Jahn jetzt bemerkte, in einem der Greifensteine lag, und geleitete ihn auf die Straße, welche nach Böhmen führte und auf welcher Jahn sich nicht mehr verirren konnte. Dann verschwand jener. Als nun Jahn sein Ränzel umpackte, um zu sehen, womit ihn die freigebigen Geister beschenkt hatten, da fand er in demselben eine ziemliche Anzahl von Barren gediegenen Goldes und Silbers. Voller Freude gelobte er, dasselbe recht gut anzuwenden. Er baute also in der Gegend des Freiwaldes bei Thum mehrere Häuser, welche er armen Leuten ohne Mietzins überließ, und tat auch sonst allerlei Gutes an Kranken und Armen. Später, als die Zahl jener Häuser sich vermehrte und ein ganzes Dorf daraus entstand, ward dasselbe ihm zum Andenken Jahnsbach genannnt.

Anmerkung: Jahnsbach wurde als Waldhufendorf gegründet. 1497 lautete die Schreibweise Jahnspach, 1555 Johsispach. 1551 wohnten 22 Bauern und 25 Inwohner, d. h. hauslose Bürger, Knechte und Mägde im Ort.

### 112. Der Berggeist der Greifensteine steht Gevatter

Einst lebte in Geyer ein armer Häuer, namens Hans Geißler, der war blutarm und hatte ein schwangeres Weib und viele Kinder und wußte oftmals nicht, wo einen Bissen Brot hernehmen. Am größten war aber seine Not am Silvesterabend, als die Niederkunft seines Weibes auf wenig Stunden heran war und er weder eine warme Stube noch sonst eine Erquickung, ja nicht einmal eine Wehmutter für sie hatte. Er eilte hinaus, eine erfahrene Muhme zu holen, verirrte sich aber bei dem gräßlichen Schneegestöber vom Wege und kam, durch tiefe Wehen sich mühsam durcharbeitend, zuletzt an die Felsenschichten des nahen Greifensteins. Er erschrak und wollte umkehren, als der Berggeist ihm erschien und mit freundlichem Blick ihn also ansprach: „Eile, glücklicher Vater! Gott hat dein Weib mit drei holden Knäblein gesegnet! Wenn du nicht dawider bist, will ich dein Gevatter sein!" Da verließ Hansen die Furcht, und er anwortete: „In Gottes Namen magst du mein Gevatter sein, aber wie tue ich dir die Stunde der Taufweihe kund?" Wie nun der Berggeist lächelnd sagte, daß er ohnedem zur rechten Zeit kommen werde, da verließ sich Hans darauf und eilte heim.

Sein Weib hatte ihm wirklich drei holde Knäblein geboren. Am anderen Tage, als alles zur Taufe bereitet war, da ließ auch der Gevattersmann vom Greifenstein nicht auf sich warten. Er erschien in Häuerkleidung und übte das fromme Werk mit inniger Andacht, und als die heilige Handlung vorüber war, da schenkte er Hansen einen Schlägel und ein Eisen und sprach: „Lieber Gevatter, bete und arbeite! Wo du mit diesem Gezäh einschlägst, da wirst du reiche Ausbeute finden, und dann denke allemal an deinen Gevattersmann!" Darauf verschwand er. Seine Worte aber trafen ein; Hans ward ein reicher Mann und soll die Siebenhöfe bei Geyer gebaut haben.

### 113. Das Grubenmännchen in Johanngeorgenstadt

In dem Bergwerke zur Treuen Freundschaft hat sich am 7. August 1719 folgendes begeben: Es arbeitete vor Ort Johann Christoph Schlott, und da man zu Mittag ausgepocht hatte, hörte er gegen den Schacht noch jemanden husten. Da meinte er, es werde der Steiger vor Ort fahren, solches in Augenschein zu nehmen. Nachdem sich aber niemand eingestellt hatte, gedachte er auszufahren. Aber kaum hatte er sich umgewandt, da sah er, wie ihm jemand vom Schachte her mit brennendem Grubenlichte entgegenkam. Erst dachte Schlott, daß es doch der Steiger sei. Als sie endlich beide auf der Strecke zusammenstießen, gewahrte er einen sehr kleinen Mann in einem braunen Kittel. Derselbe hielt sein Grubenlicht ans Gestein, so daß es auch sofort hängenblieb, legte die Tasche ab und sprach zu Schlott: „Ist die Schicht schon zu Ende?", denn die Bergleute fuhren an diesem Tage wegen der Beerdigung des Hammerwerksbesitzers eine Stunde früher aus. Bei dieser Anrede überfuhr Schlott ein Schauer, so daß er sich als letzter in der Grube schleunigst davonmachte. Von dieser Begegnung erzählte er dem Steiger, welcher ihm anfangs nicht recht glauben wollte, sich dann aber von Schott die Stelle zeigen ließ, an die das Männchen sein Grubenlicht gehängt hatte. Daselbst nahm man eine kleine Kluft wahr, und es wurde an der Stelle nach einem Schuß gebohrt, der einen Gang öffnete, von dem man mehrere Quartale nacheinander eine gute Ausbeute machte.

## 114. Das Romanusmännchen zu Siebenlehn

Ein gewisser H. Lommatzsch aus Zwickau berichtete folgende Begebenheit: Als in Siebenlehn noch Bergbau betrieben wurde, hauste daselbst ein Berggeist, Romanusmännchen genannt. Er war zwar kein böser Geist, aber immerhin suchte er den Menschen allerlei Schabernack anzutun. So spielte er einst meinem seligen Vater einen tüchtigen Streich. Dieser arbeitete in seiner Jugend bei einem Siebenlehner Meister, dessen Grundstück am Verbindungsgäßchen lag und mit einem mannshohen Zaun umgeben war. Als mein Vater eines Abends von einem Geschäftsgange etwas spät nach Hause kam, fand er alles verschlossen, und auf sein Pochen hörte niemand. Um nun in sein Zimmer zu gelangen, das in einem Seitengebäude lag, ging er ins Gäßchen und wollte über den Zaun steigen. Plötzlich brach aber der Zaun unter ihm zusammen, und vor ihm stand ein großer schwarzer Hund mit feurigen Augen und fletschenden Zähnen, der ihn nicht von der Stelle ließ. Mein Vater fing vor Angst an zu schwitzen, und allmählich schwanden ihm die Sinne. Am anderen Morgen aber fand er sich, zwar in Schweiß gebadet, im übrigen jedoch ganz wohl, im Bett liegend. Und der Zaun war in schönster Ordnung.

Als mein Vater später selbständig geworden war, hielt er Pferd und Wagen. Ich war schon ein Junge von zwölf Jahren, als mir mein Vater eines Tages erlaubte, ihn auf einer Fahrt nach Dresden zu begleiten. Das gab natürlich große Freude. Nachts halb zwölf Uhr wur-

de abgefahren. Mein Vater war eigentlich kein Raucher, hatte sich aber gerade an jenem Abende eine Zigarre angebrannt. In der Nähe der Ochsenwiesen kam uns ein Mann entgegen und bat um Feuer, das ihm bereitwillig gegeben wurde. Beim Zusammenhalten der Zigarren explodierten dieselben. Der Mann war im selben Augenblick verschwunden; das Perd aber, durch den Knall erschreckt, ging durch und konnte erst bei Nossen wieder zum Stehen gebracht werden.

Als wir nun in Nossen über die Muldenbrücke fuhren, sah mein Vater auf der Brückenmauer eine schöne Hitsche (Fußbank) stehen und hieß mich absteigen und die Hitsche holen. Da ich aber nichts sah, stieg mein Vater selbst ab und griff danach. Er hatte aber nichts in den Händen; doch fühlte er einen heftigen Schmerz, als wenn die ganze Hand verbrannt wäre. Wir machten nun schnell kalte Umschläge. Als wir aber frühmorgens in Kesselsdorf die Umschläge erneuern wollten, war die Hand wieder ganz heil. Man sah nichts daran, und der Vater verspürte auch keinen Schmerz mehr.

Als ich später in die Lehre kam, fuhr ich eines Tages mit meinem Lehrmeister in den Wald nach Holz, und zwar nach Tischers Stelle. Das war ein Holzschlag. Unterwegs hielt mein Meister an und sagte zu mir: „Geh, steige ab, dort liegt eine grüne mit weißen Perlen besetzte Geldbörse!" Ich stieg ab, sah aber nirgends eine Börse liegen. Nun stieg mein Meister selbst ab, griff zu und hatte einen großen, grünen Frosch in der Hand. Zugleich ertönte ein Lachen, man konnte aber niemanden sehen.

In Siebenlehn und Umgegend erzählt man noch manchen anderen Schelmenstreich des Romanusmännchens. Seit jedoch der Bergbau hier aufgehört hat, hat man nichts mehr von ihm gespürt. Wahrscheinlich hat es nun Ruhe gefunden.

### 115. Einem Bergmanne in Geising erscheint ein grauer Mann

Gottfried Behr aus Geising, welcher im Zwitterstock zu Altenberg arbeitete und einen Brennofen beschickte, erzählte Folgendes: Es war der 31. August 1713 morgens drei Uhr. Er wollte gerade aufstehen, als ein Mann an sein Bett trat, grau von Haaren und Bart, in einer vollkommen menschlichen Gestalt und mit einer langen grauen Kutte bekleidet. Er sprach: „Bleib liegen und warte noch ein bißchen!" Und als Behr geantwortet: „Ich muß anfahren", sagte er weiter: „Du sollst noch eher droben sein, als der, so mein Volk zählen läßt. Warte noch ein bißchen, ich will dir was sagen. Ich will mit dir ins Zechenhaus gehen und dir was weisen, wie ich mein Volk will wegnehmen. Du hast unterschiedliche Warnungen getan, und dabei haben dich viele verunglimpfet; dieselben haben ihr Teil schon gekriegt. Und wenn sie dich itzo werden wieder so verunglimpfen, wenn du es sagen wirst, so soll es denen wieder so gehen wie den ersten. Und du sollst eher droben im Zechenhause sein als der Geschworene, das merke dir zum Wahrzeichen gewiß!" Daraufhin ist der Mann verschwunden, ohne daß zu sehen gewesen war, wohin.

Hierauf ist Behr aus dem Bette aufgestanden und hat sich angezogen. Wie er dann seinen ordentlichen Weg den Mühlenberg hinan gegangen ist und am Zechenhaus ankam, stand dort der alte graue Mann innen an der Tür. Vom Ofentopfe an zog er einen Strich mit dem rechten Arme über die Bergleute nach dem Fenster zu, dabei berührte er Behr auf eine Art an der linken Seite, daß er solches die ganze Woche lang sehr schmerzhaft gefühlet und manche Träne darüber vergossen hatte. Nun nahm Behr wahr, daß die Leute alle weggewesen, bis auf zehn Personen, so an dem Ofen traurig gesessen. Der graue Mann aber hatte dazu gesagt: „Da haben sie die zwölf, die mögen sie auszählen." Darauf verschwand er wieder, worauf Behr die Bergleute, welche soeben fortgewesen, wieder mitten unterm Gebete um sich gesehen; es sei auch gleich der Herr Geschworene hereingekommen und habe sich sofort am Tische an seinen Platz gesetzt und mit den Burschen sein Gebet getan; weiter aber sei Behr dann weder im Zechenhause noch in der Grube oder sonstwo etwas aufgefallen. Als er freitags hernach, den 8. September, wie gewöhnlich ins Zechenhaus sich begab und dort in die Stube eintrat, sah er wieder diesen alten grauen Mann in voriger Gestalt und Tracht, wie er beim vorderen Fenster am Tisch auf seinem, Behrs Platz saß. Nachdem er nun näher getreten und sich habe neben ihn setzen wollen, stand derselbe auf und verschwand gleich wieder vor seinen Augen, worauf er sich gesetzt und mit den Bergleuten gebetet habe.

Am 11. September, früh 5 Uhr, erschien der graue Mann dem Gottfried Behr wieder vor dem Bette und sagte, er solle mit ihm wohin gehen, da würde eine Hochzeit sein, es wären schon drei Tafeln gesetzt. Nachdem aber Behrs Frau dazugekommen und ihn gerufen, wäre der graue Mann wieder verschwunden.

### 116. Die zankenden Geister auf Oberlauterstein

Die Burg Oberlauterstein ist im Hussitenkriege geschleift worden. In den noch längere Zeit gebliebenen Überresten wohnten Berggeister und Zwerge, welche sich nicht miteinander vertrugen, sich stets zankten und des Nachts einen furchtbaren Lärm verursachten, so daß die Wanderer oft auf den Gedanken kamen, es donnere daselbst. Da kam einst aus dem Bayerlande ein Geisterbanner, ein Feilenhauer von Profession, in diese Gegend. Es war ein langer, hagerer Mann mit zerlumpten Kleidern, als Geisterbanner gesucht hier und da, gefürchtet aber von jung und alt. Der Amtmann im Schlosse Niederlauterstein bat ihn, die Geister in der Ruine Oberlauterstein zu bannen,

denn sie ließen auch ihn nicht ungeneckt. Der Feilenhauer versprach das und hielt auch Wort. In einer finsteren Nacht nahm er seine Beschwörung vor, pfiff dreimal ganz laut, und die unruhigen Geister krochen allzumal in den vorgehaltenen Ranzensack. Diese Geister trug der Mann in der folgenden Nacht im Ranzen, wie eine Partie junger Katzen, in die entferntere Ruine des Raubschlosses am Katzenstein, wo er sie wieder freiließ. Dort vertrieben sie sich nun unter dunklen Fichten die Zeit mit Würfel- und Kartenspiel. Als jedoch die Ruinen des Raubschlosses immer mehr zusammenbrachen, wurde es den gebannten Geister zu eng und unbequem, und sie zogen aus. Nicht selten sieht man sie jetzt noch in der Nähe des alten Oberlauterstein in feuriger Gestalt. Die Frauen dieser Geister heißen Klageweibel. Sie zeigen den nahen Tod der Bewohner an und haben ihren Sitz auf den sumpfigen Wiesen von Ansprung. Zuweilen erscheinen sie auch in Zöblitz in Gestalt kleiner Kinder, bittere Tränen vergießend.

### 117. Der graue Zwerg am weißen Stein bei Alberoda

Bei dem sogenannten weißen Stein, einem einzeln stehenden Felskegel zwischen der Mulde und Alberoda, sitzt zuweilen ein graues
Männchen. Wenn der rechte Mann zur rechten Stunde kommt und
sagt dazu das richtige Sprüchelchen, dann sieht er den Zwerg, und
dieser zeigt ihm große Schätze, ganze Backschüsseln voll Gold.

### 118. Der Zwergenkönig vom Scheibenberg

Das Städtchen Scheibenberg im Obererzgebirge hat seinen Namen
von dem an seiner nordwestlichen Seite befindlichen tafelförmigen
Basaltberge gleichen Namens. Derselbe ist von Zwergen bewohnt
und beherbergt reiche Schätze. So trug es sich zu, daß im Jahre 1605
Lorenz Schwabe, Pfarrer in Scheibenberg, mehrere Gäste aus Annaberg bei sich hatte und seine Frau etliche darunter befindliche
Freundinnen über und um den Scheibenberg führte, um ihnen die
Gegend zu zeigen. Sie trafen ein Loch darin an, in welches drei Stufen führten, und in diesem lag ein glänzender Klumpen wie glühendes Gold. Darüber erschraken sie und eilten zum Pfarrhaus zurück.
Der Pfarrer samt den übrigen Gästen ließ sich nun zu dem Loche
führen, die Frauen konnten es aber nicht wiederfinden.

Allerdings liegt auch an der Morgenseite eine Art Höhle, das
Zwergloch genannt. Darin wohnten einst viele Zwerge, deren König
Oronomassan (nach anderen Zembokral) hieß. Sie waren nicht über
zwei Schuh lang und trugen recht bunte Röckchen und Höschen. Es
schien ihr größtes Vergnügen zu sein, die Leute zu necken; sie taten
aber auch manchem viel Gutes und halfen vorzüglich frommen und
armen Leuten.

Einst im Winter ging ein armes Mädchen aus Schlettau in den am
Fuße des Scheibenberges gelegenen Wald, um Holz zu holen. Da begegnete ihr ein kleines Männchen mit einer goldenen Krone auf dem
Haupte, das war Oronomassan. Er grüßte das Mädchen und rief gar
kläglich: „Ach, du liebe Maid, nimm mich mit in deinen Tragkorb!
Ich bin so müde, und es schneit und ist so kalt, und ich weiß mir keine Herberge! Drum nimm mich mit zu dir in dein Haus!" Das Mädchen kannte den Zwergenkönig zwar nicht, aber da er gar zu flehent-
lich bat, so setzte sie ihn in ihren Tragkorb und deckte ihre Schürze
über ihn, damit es ihm nicht auf den Kopf schneien möchte. Darauf

nahm sie den Korb auf den Rücken und trat den Rückweg an. Aber das Männchen in dem Korbe war zentnerschwer, und sie mußte alle Kräfte zusammennehmen, daß sie die Last nicht erdrückte. Als sie zu Hause angekommen war, setzte sie den Tragkorb keuchend ab und wollte nach dem Männchen darin sehen. Sie zog ihre Schürze herunter — und wer vermag ihr Staunen zu schildern? Das Männchen war fort, und statt seiner lag in dem Tragkorbe ein großer Klumpen gediegenen Silbers.

### 119. Die Vertreibung der Zwerge aus dem Erzgebirge

Vor Menschengedenken, als das obere Erzgebirge noch nicht besiedelt war, war das Waldgebirge und dessen Felslöcher, so auch der Pöhlberg, dicht von Zwergen bevölkert. Durch Aufrichtung der Pochwerke, Eisenhämmer und des „Klippelwerkes" sind sie verjagt worden. Sie wollten aber wiederkommen, wenn die Hämmer würden einst wieder stillstehen.

### 120. Ein Waldmännchen bringt einem verirrten Kinde Nahrung

Im Jahre 1632 ist dem Hans Schürf zu Crottendorf eine Tochter von acht Jahren im Walde entlaufen. Dreizehn Tage suchte man vergeblich nach ihr, bis sie von einer Köhlerin im Walde angetroffen und heimgebracht wurde. Da man sie fragte, was sie denn all die Zeit gegessen und getrunken, hat sie geantwortet: „Ein Männlein hat mir alle Tage eine Semmel und zu trinken gebracht."

Ein guter Waldgeist ist auch das Harzbergmännel. Wenn man

über den zwischen Sorgau und Nennigmühle gelegenen Harzberg wandert, kann es passieren, daß ein altes Männel mit weißem Bart am Weg steht, mit dem Kopf wackelt und eine Haselgerte schwingt. Sosehr man über den Gesellen anfangs erschrickt, so wird man bald merken, daß von nun an einem alles wohlgelingt. Das ist dem Harzbergmännel zu danken.

### 121. Die Busch- oder Holzweibel im Erzgebirge

In den Wäldern des Erzgebirges sind die Buschweibel heimisch. Mancherorts werden sie auch Holzweibel oder Buschmütter genannt. Es sind gute Geister, die wilde Kräuter sammeln und den Menschen helfen. Haben sich Kinder im Walde verlaufen, so bringen sie die Verirrten zum Waldrand, damit sie den Weg nach Hause finden. Kommen sie in die Dörfer, dann behüten sie die kleinen Kinder, verschließen offen gelassene Türen oder binden das Vieh an, wenn es sich losgerissen hat.

Der wilde Jäger ist der Feind der Buschweibel. Wenn er auf seinem Roß durch die Luft jagt, gefolgt von seinen wilden Weidgenossen, hetzt er die Buschweibel und bringt sie um, wo er nur kann, und dann bleibt für lange Zeit schlechtes Wetter. Um den wilden Jäger zu vertreiben, zünden sie an verschiedenen Stellen im Walde Feuer an. Den aufsteigenden Rauch kann der wilde Jäger gar nicht vertragen. Er muß husten, glaubt zu ersticken und sucht schleunigst das Weite. Dann lassen Regen, Sturm und Hagel nach, und die Buschweibel tauchen nun selbst triumphierend über den Wäldern auf. Wenn der Waldnebel aufsteigt, sagt man daher: „Die Buschweibel ziehen auf." Auch vor dem Teufel müssen sie sich in Acht nehmen. Sitzen sie

aber auf einem Baumstamm, in den ein Kreuz geschlagen ist, hat der Böse keine Macht über sie. Daher sind sie den Holzfällern besonders gewogen, da diese dem Brauch gemäß in den fallenden Baum ein Kreuz mit der Axt schlagen. Einmal kam ein Holzweibel angerannt, hinter dem der Teufel her war, und rief schon von weitem: „Holzhauer, hacke drei Kreuze auf den Stock!" Das tat der auch geschwind. Das Weibel setzte sich darauf, und der Teufel mußte mit leeren Krallen abziehen.

Die Buschweibel waren auch zu manchem Schabernack aufgelegt. So wird berichtet, daß einem Mann aus Lauterbach ein Buschweibel erschien, daß seinen Kopf in den Händen trug. Darob erschrak der Mann nicht wenig, denn er glaubte, der wilde Jäger habe dem guten Geist den Kopf abgeschlagen. Doch dann setzte sich das Buschweibel den Kopf wieder ordentlich auf den Rumpf. Da merkte er, daß der Waldgeist nur seinen Schabernack mit ihm trieb. Unbesorgt konnte er sich nun über das heraufziehende schöne Wetter freuen.

Leider mußten die Buschweibel das Erzgebirge verlassen. Denn seit das Brot im Backofen gezählt wird, wissen sie nicht mehr, wovon sie leben sollen. Früher wurde es nicht gezählt, da konnten sie sich das Brot überall holen. Auch auf der böhmischen Seite des Erzgebirges trifft man die Buschweibel nicht mehr. Wie man sich erzählt, ging auch dort die gute alte Zeit vorüber, was die Buschweibel selbst prophezeit hatten, denn sie sagten: „Wenn man wird die Knödel im Topf und das Brot im Ofen zählen, dann ist unsere Zeit vorbei, und wir werden nicht mehr da sein!" Sie konnten nämlich nichts nehmen, was abgezählt war, und fanden nun nichts mehr zu essen.

Anmerkung: Über die Begegnung des Mannes aus Lauterbach mit einem Buschweibel, dort Buschmutter genannt, wie auch über die Verfolgung der „Buschmütter" durch den wilden Jäger berichtet Martha Hunger in „Die Blume vom Schlettenberg", Band 1, S. 26.

## 122. Die Holzweibel ziehen fort

Als die Holzweibel von den Menschen nicht mehr gastlich aufgenommen wurden, nahmen sie immer heimlich etwas weg: hier ein paar Klöße aus dem Topfe, dort ein frisch gebackenes Brot, und das war ihnen ein Leichtes, denn sie konnten sich unsichtbar machen. Doch man merkte endlich, daß hin und wieder etwas fehlte, und nun zählte die geizige Hausfrau allemal ihre Klöße und Brote, und die

Weibel konnten dann nichts davon wegnehmen. Das war schlimm für die kleinen Leute, und sie beschlossen, die ungastlichen Stätten der Menschen zu verlassen und weit fortzuziehen.

Auf der Höhe des Kaadner Burgberges auf der böhmischen Seite wollte die Auswandererschar den rauschenden Egerfluß überqueren, und ihr König rief dem Fährmann zu: „He, Ferge, du sollst deinen Lohn im voraus wählen: entweder einen Kreuzer für jede Person oder einen Hut voll Goldstücke ein für allemal!"

Da sich die Weiblein unsichtbar gemacht hatten, so kannte der Fährmann ihre Zahl nicht; und er dachte: Du nimmst, was gewiß ist. Er entschied sich daher für die Goldstücke. Aber der Zug Leutchen wollte schier kein Ende nehmen, und Nacht und Tag ohn Unterlaß mußte der Mann die Fähre lenken. Endlich sagte der König: „Ferge, du bist jetzt zu Ende. Willst du aber einmal sehen, was du mit deiner Arbeit geleistet hast?" Als dies der Fährmann bejahte, winkte der König, und alsbald wurden die Weiblein sichtbar, die alle kleine Sturmhütlein trugen. Da erstaunte der Fährmann über die Menge der kleinen Gestalten, die sich auf den angrenzenden Feldern aufgestellt hatten, dicht an dicht, so daß alles ringsum kohlschwarz aussah. Da merkte er nun, wie töricht seine Wahl gewesen war und daß ihm der verschmähte rote Kreuzer viel mehr eingebracht hätte.

### 123. Von Waldweibchen bei Pobershau und Rabenstein

Ungefähr 10 Minuten von Pobershau und nicht weit vom Walde zeigt man auf der sogenannten Amtsseite das Burkhardtsloch. Hier lebten vor vielen Jahren Waldweibchen, auch wilde Weibchen genannt, welche sehr gutmütig waren und oft armen Leuten in ihrer

Not halfen. Deshalb werden sie noch heute in der Gegend, so oft man von ihnen erzählt, Feen genannt.

Anno 1644, als Kurfürst Johann Georg I. im Rabensteiner Wald auf Jagd war und am 18. August an der Stadt Chemnitz vorbeigezogen kam, erhielt er die Nachricht, daß seine Jäger in einer Stallung ein wildes Weiblein gefangen hätten. Es sei von menschlicher Gestalt, eine Elle lang, am Leibe rauh, Angesicht, Hände und Fußsohlen aber glatt. Das habe angefangen zu reden und gesagt: „Ich verkündige und bringe den Frieden." Darauf sagte der Kurfürst: „Wir erinnern uns, als wir vor 25 Jahren auf den Crottendorfischen und Lautersteinischen Wäldern gejagt, daß wir dergleichen Männlein gefangen, welches gesagt: Ich bringe euch Krieg." Er befahl daraufhin, das Weiblein wieder laufenzulassen.

## 124. Die Waldfrau von Satzung

Der mächtige Ritter auf Burg Haßberg wollte seine Tochter Maria-Sybille gegen deren Willen verheiraten. Um der Verbindung mit dem ungeliebten Freier zu entgehen, verließ sie heimlich die Burg und fand bei einem Köhler Zuflucht. Dessen im Hochmoor gelegene Hütte schien ihr ein sicherer Ort. Da begehrte eines Abends ein Fremder Einlaß. Das ahnungslose Mädchen öffnete die Tür, und niemand anders stand vor ihr als der ihr zugedachte Bräutigam. Er hob sein Schwert und schlug ihr die Hand ab. Der Köhler heilte die Wunde und fertigte ihr einen blechernen Handschuh an. Nach ihrem Tode erschien sie als guter Waldgeist im Gebiet der Kriegswiese. Dort hört man sie zuweilen mit ihrem Handschuh klappern. Wer sich im Walde verirrt und dem Klappern folgt, wird auf den rechten Weg geführt. Wer sich gut mit ihr stellen will, legt ihr Zucker und Brot hin.

## 125. Die Moosmännchen auf dem Kahleberge bei Altenberg

Auf der mitternächtlichen Seite des Kahleberges sind schon viele irregegangen. Das verdanken sie den Moosmännchen, welche sich hier aufhalten und an gewissen Tagen besonders die Holzhauer nekken. Ein Holzarbeiter sah einmal ein solches Männchen; es war klein, und sein Gesicht war mit Moos überzogen. Der Holzhauer konnte es aber nur sehen, wenn er es etwas seitlich anblickte; so wie er ihm das volle Angesicht zuwandte und es anreden wollte, war es verschwunden; sah er es aber beim Weitergehen nur von der Seite an, so war es wieder da.

### 126. Das Waldweibchen in Steinbach

In den Wäldern bei Steinbach und Grumbach unweit Jöhstadt läßt sich oft ein altes Mütterchen sehen, das ist das Waldweibchen. Es tut niemandem etwas zuleide, ja es hilft sogar den Leuten bei der Arbeit. Es wird vom Satan oder dem wilden Jäger gejagt. Auf seiner Flucht vor dem Bösen sucht es einen Stock, in den die Holzhauer ein Kreuz geschnitzt haben. Findet es ihn, so setzt es sich darauf und ist alsdann erlöst. Vor alten Zeiten ist es in den genannten Dörfern in die Häuser gekommen, hat sich an den Ofenherd gesetzt und gesponnen; wenn es aber das Gespinst herein in die Stube geworfen hat, dann mußte man ihm zu essen geben.

Im Jahre 1681, bei dem Beginn der Pest, traf man ein Holzweibel im Pfannenstiel, dem sogenannten Schönburgischen hohen Wald. Das hat einen großen Schneefall, schnelle Wasserfluten und einen hitzigen Sommer vorausgesagt. Dann würden viele Menschen und Vieh sterben müssen.

Im Jahre 1633 hat bei Steinbach am Aschermittwoch ein Bauer einen Baum im Walde gefällt, und indem der Baum im Fallen ist, haut er nach Holzhackergebrauch ein Kreuz hinein. Sogleich kommt ein gejagtes Weiblein und bleibt an dem mit dem Kreuze bezeichneten Baume stehen und füllt dem Holzhacker seinen Korb mit Spänen. Als der Holzhauer sich zum Heimweg rüstet, schüttet er den Korb wieder aus und läßt die Späne liegen. Ein Spänchen ist im Korb hängengeblieben. Als er nach Hause kommt, findet er an dessen Statt einen ganzen Taler. Er geht alsobald wieder in den Wald, in der Hoffnung, solcher Talerspäne viele aufzulesen, aber vergebens. Doch weil der Mann damals in kurzer Zeit zu Geld gekommen, hat man vermutet, er müsse doch etwas gefunden haben. Von dieser Zeit an geht niemand gern am Aschermittwoch daselbst ins Holz, in der Meinung, der Teufel jage das Holzweibchen am Aschermittwoch.

## 127. Das Waldweibchen im Seegrund bei Zinnwald

Ein Mann aus Zinnwald trieb etwas Spitzenhandel, der ihn öfters nach Böhmen führte. Einmal ritt er durch den Seegrund nach Eichwald. Da begegnete ihm ein Waldweibchen. Dasselbe redete ihn an: „Bruder, willst du mit mir schnupfen?" Dabei tat es seine Schürze auf, die voller Laub war. Der Spitzenhändler ging spaßeshalber auf das Angebot ein und griff in die Schürze, um sich eine Handvoll Laub zu nehmen. Doch wie er dem Waldweibchen ins Gesicht sah, zog er seine Hand erschrocken zurück, denn dieses glich einem Käse. So machte er, daß er schleunigst fortkam. Das Waldweibchen aber rief ihm nach: „Nun muß ich noch hundert Jahre warten. Hättest du das Laub genommen und wärest nicht erschrocken, so wäre ich erlöst!" Ein Blatt war ihm jedoch unter den Ärmel geraten; und das war, wie er später fand, lauteres Gold.

## 128. Waldgespenster im Obererzgebirge

Die Wälder über dem Blöselstein und am Müntzerberg sind sehr unheimlich. Im Jahr 1575 hat ein Waldteufel den Köhler Georg Schwander, drei Jahr nachher seinen Gesellen und 1582 einen dritten Köhler, Oswald Wellner, erschreckt, gedrückt und so vergiftet, daß sie haben sterben müssen.

Ferner hat ein Wald- und Mordgeist im Buchholzer Busch am Wege unter den vorbeigehenden Leuten vielen Zank und Schlägerei verursacht, daß sie bisweilen blutig und halbtot voneinander geschieden sind.

Wie Gottfried Richter, der Pfarrsubstitut in Raschau, im Jahre 1661 vor Ostern seinen Bruder im benachbarten Elterlein, von woher er gebürtig, besucht hatte und nun spät durch den Wald nach Hause eilt, verführt ihn ein Gespenst in den dichten Wald und zerplagt ihn die halbe Nacht hindurch. Wie er frühmorgens nach Hause kommt, sieht er bleich und zerschunden aus und legt sich todkrank nieder. Nach etlichen Tagen ist er dann gestorben.

## 129. Tanz der Waldgeister

Die hintere Aue, ein Tal von Dreihansen bis Niederlößnitz, war einst mit Wald bewachsen, und in diesem wohnten viele Geister. Der Wald wurde nach und nach gerodet, das Tal urbar gemacht und die

Geister vertrieben. Dieselben kommen aber noch in den warmen Sommernächten auf ihre alten Spielplätze und führen ihre munteren Tänze das Tal entlang auf. — Auch auf einer Wiese bei Stollberg tanzen im Mondscheine niedliche Mädchengestalten.

### 130. Der wilde Jäger zwischen Stangengrün und Hirschfeld

Eines Tages sind zwei Brüder, die mit Spitzen handelten, auf der Straße von Stangengrün nach Hirschfeld geritten. Da vernahmen sie plötzlich am hellerlichten Tage auf freiem Felde das laute Hoho-Schreihen des wilden Jägers, ohne ihn selbst zu sehen. Nur unter ihren Pferden, die sich furchtbar gebäumt, sind eine Menge kleiner Dachshunde herumgelaufen, ohne daß sie jedoch einen derselben hätten von den Pferden treten sehen, und plötzlich ist alles wieder verschwunden gewesen.

Zwischen Hirschfeld und Stangengrün liegt der Teufelswald. In demselben hat man ebenfalls mehrmals die wilde Jagd gesehen und gehört. Dies widerfuhr unter anderem einem Tischler, welcher einst des Nachts um 12 Uhr mit einem Karren durch den Wald fuhr. Da hörte er Pfeifen und Gebell, und darauf sah er auch den wilden Jäger als schwarze Gestalt zu Fuße an sich vorübergehen; derselbe führte zwei Hunde bei sich.

### 131. Das wütende Heer und der wilde Jäger

Im ganzen Erzgebirge, besonders in dem höheren Teile desselben, läßt sich das wütende Heer sehen und hören. Man vernimmt ein starkes Jägergeschrei und gewöhnlich den Ruf: Hu! Hu! Hu! — So reiste zu Ende des 17. Jahrhunderts ein alter Geistlicher von Oberwiesenthal, namens David Ryhl, nach Annaberg durch einen dicken

Wald, und es erhob sich mitten im Walde ein ungemein lauter Jägerlärm, um welche Zeit doch kein Arbeiter noch Jäger zu finden waren. Der Fuhrmann besann sich bald darauf und sagte: „Herr, es ist das wütende Heer, wir wollen in Gottes Namen fahren, es kann uns nicht schaden."

Manchmal hört der Wanderer, wenn er in dem oberen Erzgebirge durch die einsamen Wälder und Felder geht, immer etwas, teils im Gebüsch, teils im Korn, neben sich herbewegen, gerade wie wenn ein großes Tier, eine alte Kuh, das Getreide niedertritt; gleichwohl sieht er nichts, und man schreibt auch dieses Geräusch dem wilden Heere zu.

Einstmals ist im Dorfe Steinpleis die ganze wilde Jagd mit Hundegebell, Peitschenknall und Jagdgeschrei um Mitternacht mitten durch den Hof des Richters gegangen. — Ein anderes Mal ritt ein beherzter Mann ganz allein auf der Heerstraße, da sah er einen alten Bergmann vor sich hergehen. Als er an ihn herankam, bot er ihm einen guten Abend, erhielt aber keine Antwort, ebensowenig auf die Wiederholung des Grußes, und da er etwas hitzig war, schrie er: „Ei, so soll dich Grobian der Teufel holen!" und zog ihm eins mit der Reitgerte über. Aber siehe, auf einmal wußte er nicht mehr, wo er war, er ritt bis in die Nacht in der Irre herum, und erst gegen Mitternacht hörte er Stimmen. Auf sein Rufen kamen Leute, und als er fragte, wo er sei, sagte man ihm, daß er in seinem Heimatorte war; man führte ihn bis an sein Haus, und immer noch kannte er sich nicht aus; erst als seine alte Mutter mit einem Lichte vor die Tür trat, wußte er wieder, wo er war. Der wilde Jäger hatte ihn geäfft.

Auch an dem Hohlweg, der von der Straße von Weißbach nach Kirchberg abgeht, läßt sich das wütende Heer vernehmen. Desgleichen auf der Ämmlerstraße, die von Mittweida (Markersbach) nach Schwarzbach führt. Neben dem „Hussa!" der vorüberjagenden Reiter ertönt aber auch eine schöne himmlische Musik.

In Grünberg, nördlich von Crimmitschau, ging einst ein ärmlich gekleideter Mann mit einem spitzen Hute auf dem Kopfe, begleitet von einem kleinen Hunde, von Gehöft zu Gehöft. Sämtliche Hunde im Dorf schlossen sich ihm an. Laut bellend stürmte die wilde Meute fort. Nach etlichen Tagen kamen die Hunde abgezehrt wieder zurück. Wenn man wüsten Lärm hört, so sagt man: „Es klingt, als ob das wütende Heer käme."

## 132. Der Pfannenstieler Waldteufel

Hinter Grünhain liegt ein Wald, der Pfannenstiel genannt, auf welchem nicht allein viel Menschen sind erschlagen worden, sondern es hat auch ein Waldteufel viele Leute erschreckt, gedrückt und mit Feuer angeblasen, daß sie davon gestorben sind. Desgleichen ist einem Schneeberger mit Namen Mehlhorn begegnet. Als er eines Tages einen Malzsack auf dem Rücken den Berg hinantrug, hat ihn dieser dermaßen gedrückt, daß er kümmerlich mit dem Leben davongekommen ist.

## 133. Der Wassergeist zu Scheibenberg

Hinter Scheibenberg läuft der Tiefe Stollen in ein Teichlein aus. Dort erschreckt ein Wassergeist die Leute mächtig. Bald vertritt er ihnen als ein riesiger Mann den Weg, mal als ein Wolf. Bald macht's einen Tumult hinter den Leuten, als wenn ein ganzer Trupp Reiter ankäme und verwirrt die Leute auf unterschiedliche Art. Da um und um Wasser und Teiche sind, kommt man da leicht zu Schaden. So ist 1633 der Bergmeister des Ortes ins Wasser gefallen und konnte sich nur kümmerlich retten.

## 134. Der Nix im Grundtümpel bei Wildenau

Zu Wildenau, einem Dorfe östlich von Schwarzenberg am rechten Ufer der Pöhl, die am untern Ende des Dorfes ins Schwarzwasser fällt, befindet sich im Pöhler Wasser ein unheimlicher Ort, der Grundtümpel, wo sich das Wasser im Raum von der Größe einer Stube immer herumdreht und sich öfters darin allerlei Spuknisse sehen lassen, als Weiber, Männer, Pferde usw. Man hat auch um selbige Gegend bis nach Schwarzenberg und Sachsenfeld viele Irrwische und feurige Drachen ziehen und spielen sehen. Wenn die Leute aus Raschau nach Wildenau gingen oder von Schwarzenberg herüberkamen, hat sie es oft die ganze Nacht irre- und ganz nahe an besagten Tümpel geführt. Wenn der Tag anbrach, fanden sie sich zu ihrem Erstaunen am Wasser wieder. Teils sind ihnen allerlei Ungetüme begegnet, wie einem Fischer mit seinen Netzen, die haben sie bis in die Dorfhäuser verfolgt, daß sie zu zehn bis zwölf Wochen krank gelegen.

Einst wohnte ein alter Fischer am Ufer der Pöhl, der hatte eine wunderschöne Tochter. Wie es aber so zu gehen pflegt, bald war ihr

Herz nicht mehr frei, und so hatte sie sich denn aus der großen Anzahl ihrer Anbeter einen der hübschesten jungen Burschen ausgesucht. Da sie heiteren und munteren Sinnes war, kamen oft aus dem benachbarten Dorfe die jungen Mädchen und Burschen bei ihrem Vater zusammen und vertrieben sich die Zeit mit heiteren Scherzen und Spielen.

Da begab es sich einst am Andreasabend, daß das junge Volk auch wieder beisammen war und im Scherz darauf kam, die Zukunft zu befragen. Man schaffte Blei herbei, und ein jedes versuchte sein Glück im Gießen. Als nun die Reihe auch an die schöne Fischerstochter kam, da spritzte auf einmal beim Guß helles Feuer aus dem Wasser, das Blei zerfuhr und nahm sich auf dem Wasser wie Blutstropfen aus. Das Mädchen schrie laut auf, und alles schwieg bestürzt ob des traurigen Anzeichens. Endlich schlug ihr Bräutigam vor, das Schicksal noch einmal zu befragen, nämlich nach dem Pöhlwasser zu gehen und dort Reiser zu suchen. Zwar wollte das Mädchen nicht mit fort, allein durch Zureden ließ sie sich endlich bewegen mitzugehen. Alle ihre Begleiter brachen sich ihre Zweige, als aber das schöne Trudchen nach einem derselben langen wollte, glitt sie aus, und ein Nix, ganz blauen Leibes und mit einem Krönlein auf dem Haupt, zog sie hinab in die Fluten.

Der Vater starb bald darauf vor Kummer. Der unglückliche Bräutigam aber irrte jede Nacht am Ufer der Pöhl in halbem Wahnsinn herum und behauptete, er sehe seine Braut in blauer Nixentracht aus der Flut auftauchen, sie breite die Arme nach ihm aus und rufe ihm zu, in einem Jahre werde sie wieder mit ihm vereint sein. Sie werfe ihm dann feurige Küsse zu, die wie die Sternlein am Himmel glänzten, allein er vermöge sie nicht zu erhaschen.

So verging ein Jahr. Als wiederum die Andreasnacht kam, stand der Jüngling wie gewöhnlich am Ufer. Allein dieses Mal sah er seine Braut nicht mehr aus den Fluten winken. Als Leiche lag sie im Sande, und als der andere Morgen kam, da fand man ihn tot neben ihr.

Seit jenem Tage sieht man auf dem Wasser unzählige Irrlichter auf und ab fliegen, die manchen schon verführt haben. Wo aber der Nix das Mädchen hinabzog, da ist das Wasser grundlos geworden. Ohne Unterlaß wirbeln die Wellen dort im Kreise, und wehe dem Schwimmer, Kahn oder Floß, die sich dahin verirren, der Strudel zieht sie ohne Erbarmen in den Grundtümpel hinab.

## 135. Wie die Wechselbutten ein Kind holen wollten

Im Erzgebirge lag einmal eine Frau in den Wochen. Auf einmal schrie sie laut auf: „'s Gungel is wack." Und wirklich war die Wiege leer. Da hörte man auf dem Boden ein Kind kreischen. Flugs nahm der Vater das Lämpel und leuchtete damit naus. Da lag richtig sein Junge bei der Treppe, und der Vater hörte was rauschen — das war'n die Wechselbuttenweiber, die bösen Nixen vom Weiher. Das Jungel war schon am ganzen Leibe kalt wie ein Fisch.

Wie kam's denn nun aber, daß sie das Kind nicht ganz mitgenommen hatten? Das kam so. Auf dem Flecke, wo's lag, war ein Wechsel, so nennt man eine Diele, wo eine neue Lage Bretter angestoßen ist, und darüber bringen die Butten ein Kind nicht weg.

Sie hätten sich wohl gar sehr gefreut, wenn's ihnen gelungen wäre, denn dann hätten sie einen Wasserkopf, ein Nixenkind mit einem großem Kopfe, dafür gebracht, den die Leute auch Wechselbalg nennen.

Von der oberen Zschopau ist bekannt, daß in ihr ein Nix lebt, welcher jedes Jahr sein Opfer fordert.

## 136. Die Nixteufe bei Sachsenburg

Unmittelbar unterhalb der Biensdorfer Aue prallt die Zschopau auf eine Klippe aus schwarzem Hornblendefelsen. Diese Stelle heißt die Nixteufe. Hier soll ein Nix seine Heimstätte haben.

Einst holte der Nix die Hebamme zur Geburt eines Nixenkindes. Nachdem die Hebamme ihre Arbeit verrichtet hatte, hat der Nix ihr eine Schüssel mit Gold hingehalten. Sie hat aber nur das genommen, was ihr als Lohn zustand. Hätte sie mehr genommen, wäre sie wahrscheinlich nicht lebend zurückgekehrt.

Einmal mußte der Fährmann den Nix zur Fischerschenke übersetzen. Der Nix bezahlte das Fahrgeld und setzte sich in den Kahn. In der Mitte des Flusses verschwand er jedoch. Denkt der Fährmann: Brauchst wenigstens nicht vollends hinüberzufahren, und kehrt um. Doch da steht der Nix wieder am Ufer und verlangt übergesetzt zu werden, bezahlt jedoch diesmal nichts. Der Fährmann fährt zum zweiten Mal los. In der Mitte der Zschopau ist der Passagier abermals verschwunden. Der Fährmann kehrt also um. Am Ufer steht der Nix und fordert zum dritten Mal, übergesetzt zu werden. Obwohl

der Nix wieder in der Mitte der Fahrstrecke verschwindet, fährt der Fährmann diesmal bis ans andere Ufer und stakt erst dann zurück. Jetzt steht niemand mehr an der Abfahrtsstelle. So hat der Nix den Fährmann belehrt, daß man für vollen Lohn nicht nur die halbe Arbeit tun darf.

## 137. Der törichte See bei Satzung

Oberhalb des Kammdorfes Satzung liegt in einer öden, morastigen Gegend eine kleine, nur 150 Ellen im Umkreis haltende Lache, die man den törichten See nennt. Niemand geht gern in seine Nähe, denn seine nächste Umgebung ist eine der traurigsten, die man sich denken kann. Sein Wasser ist schwarz und schlammig und verbreitet einen häßlichen Geruch; nur einige kränkliche Kiefern wachsen an seinem Ufer, und selbst das Moos, welches den Boden desselben bedeckt, erweckt einen traurigen Anblick. Einst hatte Veit Vogel von Satzung in dieser Gegend Vögel gestellt, da hat er von 9 bis 12 Uhr mittags einen großen Tumult und Alarm von Jauchzen, Schreien, Geigen und Pfeifen gehört, daß es nicht anders geschienen, als werde eine Bauernhochzeit oder lustiges Bankett in dem See abgehalten. Dergleichen Freudengetön vernahmen auch andere zu anderer Zeit. Einst hat ein Mann von Sebastiansberg, Georg Kastmann genannt, in dieser Gegend Feuerholz gemacht. Zu diesem ist ein schöner Reiter auf einem großen Pferde geritten gekommen, mit einer langen Spießrute in der Hand. Der hat den Holzhacker gegrüßt und gefragt, ob er den törichten See wisse. Da der Holzhacker mit Ja geantwortet, hat ihm der Reiter ein Trinkgeld versprochen, wenn er mit ihm gehe und ihm den Ort zeige; da sie nun beide hingekommen, ist der Reiter vom Pferde gesprungen und hat gesagt: „Ich bin ein Wassermann; mir ist mein Weib von einem anderen Wassermanne entführt worden. Ich habe sie in der weiten Welt in vielen Wässern und Seen gesucht und doch nicht gefunden, und soll sie nun in einem so garstigen und wilden Orte sein? Halte mir mein Pferd fest, daß es mir nicht nachspringt, ich will hinein und mir mein Weib herausholen." Darauf hat er mit seiner langen Rute ins Wasser geschlagen, daß es sich zerteilte, und ist hineingegangen. Sobald er aber darin gewesen, hat sich ein so jämmerliches Geschrei und Wehklagen erhoben, daß der Holzhacker nicht wußte, wo er vor Angst bleiben sollte, weil sonderlich das Pferd sehr wild und ungebändigt war und immer ins Wasser springen wollte. Mittlerweile ist aber über diesem Tumult das Wasser ganz rot geworden, und da hat der Reiter sein Weib hervorgebracht und gesagt, er habe sich nunmehr an seinem Feinde gerächt und den Räuber, der ihm sein Weib entführt, erwürgt. Dann hat er sich samt seinem Weibe auf sein Pferd geschwungen und ist davongeritten. Zuvor aber hat er dem Holzhacker ein Beutelchen, darin ein Kreuzer gewesen, zum Trinkgeld verehrt mit dem Versprechen, so oft er in diesen Beutel greifen werde, solle er so viel, als jetzt darin sei, finden. Der Ausgang hat es auch bestätigt, daß also dieser arme Mann viel Geld zusammengebracht, weil er sehr oft der Versuchung erlag, in den Beutel zu fassen. Da er nun aber den Beutel zu frei und zu öffentlich gebraucht, ist er ihm endlich entwendet worden, doch hat der Räuber keinen Genuß davon gehabt.

## ZWEITER TEIL

# Sagen von überirdischen Kräften

131

### 138. Der Kätelstein bei Annaberg

Im Dorfe Frohnau bei Annaberg lebte vor alter Zeit ein Steiger namens Günzer, ein frommer und redlicher Mann. An einem Winterabend, als er sich auf dem Heimweg befand, trat ein Fremder aus dem Dickicht und bat ihn um ein Nachtlager. Zwar gefielen ihm weder Stimme noch Aussehen des Fremden, allein er mochte dessen Bitte nicht abschlagen. Wortlos schritten sie nebeneinander her, bis sie an Günzers Haus kamen und dessen Tochter Katharina ihnen die Tür öffnete. Als das Mädchen den Fremden erblickte, stieß sie einen Schrei aus und ließ vor Schreck die Lampe fallen. Der Fremde aber war verschwunden. Wieder zu sich gekommen, erklärte sie, der Teufel habe in der Tür gestanden, der sie als Braut heimführen wolle. Dann erzählte sie, was sie vergangene Nacht geträumt hatte. Sie lag im Walde, als eben dieser Fremde auf sie zukam, sie seine Braut nannte und küßte. Als er wieder von dannen ging, erkannte sie an den Hörnern, Schwanz und Pferdefuß, daß es der Teufel war. — Der alte Günzel wollte seine Tochter beruhigen, als sein Blick auf ein Blatt Papier fiel, das auf dem Tisch lag. Darauf stand geschrieben: „In neun Wochen werde ich um Mitternacht ans Fenster pochen und meine Braut heimführen!" — Nun bestand kein Zweifel mehr, daß der Traum Wahrheit geworden war.

Vater und Tochter verlebten neun Wochen in Angst und Sorgen. Sie beteten von früh bis abends, allein eine innere Stimme sagte ihnen, daß der Böse nicht so leicht von ihnen lassen werde. Und so war es auch. Als die Mitternachtsstunde des letzten Tages der neun Wochen verstrichen war, pochte es ans Fenster, und eine schreckliche Stimme rief: „Braut heraus! Braut heraus!" — Günzel flehte Gott um Beistand an, worauf der Gottseibeiuns unter Donner und Blitz mit den Worten verschwand: „Noch neun Wochen Frist, dann bist du meine Braut, oder eure Hütte steht in Flammen!"

So verstrichen abermals neun sorgenvolle Wochen. Wieder kam die gefürchtete Mitternachtsstunde, und mit dem zwölften Schlag klopfte es ans Fenster und rief: „Heraus die Braut, sonst brennt das Haus!" — Günzer antwortete: „Um Christi Wunden, hebe dich hin-

weg, Satan!" — Da brüllte der Teufel: „Braut, das Haus steht in Flammen, nochmals neun Wochen Frist, und bist du dann nicht mein, so wird dein Vater elendiglich enden!" Daraufhin wurde das Haus ein Opfer der Flammen. Nur mit Mühe retteten Vater und Tochter das Leben.

Mitleidige Menschen errichteten den Obdachlosen eine Hütte am Waldesrand. Der Ort, wo ihr Haus gestanden hatte, war zu einem stinkenden Schwefelpfuhl geworden. Doch schon nahte abermals das Ende der neunten Woche. Da fiel Katharina am hellichten Mittag in einen Schlaf, und ihr träumte, der Teufel samt seinem Gefolge stehe am Haus, schaue zum Fenster herein und fordere sie auf, mit ihm zu kommen. Da tat sich die Tür auf, und ein Engel schwebte herein, ein Kruzifix in der Hand. Er sprach: „Folge mir, ich bringe dir Frieden!" — Er führte sie mitten durch den Wald zu einem Felsen. Der Engel berührte ihn mit dem Kruzifix, da öffnete er sich. Durch einen Felsspalt schritten sie in das Berginnere, bis sie an ein Tor kamen, das wie Silber glänzte. Davor saßen sieben Greise mit spitzen Mützen und langen Bärten. Sie schritten durch das Tor in einen hohen Saal. Unter einem Baldachin lag eine wunderschöne Frau, von Sternenglanz umstrahlt, die Fürstin der Berge. Der Engel berichtete ihr, was dem Mädchen drohte, und bat um Hilfe. Darauf befahl die Fürstin einem Zwerg, ihr aus einem Kristallschränkchen ein Kreuz zu bringen. Dieses überreichte sie mit den Worten: „Kätchen, trage dieses Kreuz stets an deiner Brust, und der Böse wird dir nichts anhaben können!" Der Zwerg band das Kreuz an eine Perlenschnur und hängte es ihr um den Hals. Darauf nahm sie der Engel bei der Hand und führte sie denselben Weg zurück, den sie gekommen waren.

Als sie ihrem Vater von dem wundersamen Traum berichtete, zeigte ihr dieser ein Jesuskreuz, das er im Schacht gefunden hatte. Sein Name stand darauf und darunter die Inschrift: Dem Gläubigen hilft Jesus Christus.

Guten Mutes sahen sie jetzt der gefürchteten Mitternachtsstunde entgegen. Bald pochte es auch ans Fenster und brüllte: „Heraus die Braut, heraus die Braut!" — Da öffnete Katharina das Fenster und hielt dem Bösen ihr Kreuz entgegen. Unter Wehgeschrei wich er zurück. „Kätchen, dich schützt Gottes Macht, ich habe keinen Teil an dir. Aber jetzt ist die Reihe an dir, Günzer! Komm heraus, daß ich dich packen kann!" — Allein auch hier mußte er weichen. Günzer hielt ihm sein Jesuskreuz entgegen. Nun entlud sich ein furchtbares Gewitter. Ein Orkan warf die stärksten Bäume nieder und erschütterte das Häuschen in seinen Grundfesten. Der zum Strom angeschwollene Waldbach drohte, es wegzureißen. Allein kaum schlug es ein Uhr, so war alles wieder still, und der Mond leuchtete durch die Wolken.

Kätchen war nun ihres höllischen Bräutigams ledig und konnte einen wackeren Bergmann ehelichen. Ihrem Vater waren noch zehn glückliche Jahre vergönnt. Als er starb, wurde er an der Stelle begraben, wo der Engel den Felsen gespalten hatte. Kätchen ging täglich an sein Grab, Jahr für Jahr, bis sie selbst eine Greisin war. Als sie eines Tages nicht zurückkam, fand man sie tot neben dem Grab.

Man brach ihr eine Gruft in den Felsen. Doch als man dabei war, den Sarg niederzulassen, erschienen zwei Engel, hoben den Sarg auf und trugen ihn in den sich öffnenden Felsen. Die Öffnung verschlossen sie mit einem Quaderstein, daß keine Spur davon zu sehen war. Seit jener Zeit heißt der Felsen, in dem Kätchen den ewigen Schlaf schläft, der Kätelstein.

### 139. Dr. Fausts Höllenzwang

Wer sich die Kunst zu eigen machen will, Geister herbeizuzitieren, ja selbst den Teufel sich dienstbar zu machen, der greife nach dem Buche „Dr. Fausts Höllenzwang"! Von dem berüchtigten Dr. Faust kann er diese Kunst erlernen. Freilich haben schon viele nach diesem Buche vergeblich gesucht, weil sie den Dornenbusch hinter dem Chemnitzer Schlosse nicht kennen, unter dem es vergraben ist.

Anmerkung: Das Volksbuch von Doktor Faust, die „Historia von D. Fausten", erschien als Volksbuch 1587 in Frankfurt am Main. Johann Faust soll um 1480 in Knittlingen in Württemberg geboren und 1540 im Breisgau gestorben sein.

## 140. Wie Saufbrüder vom Teufel bestraft wurden

In einem böhmischen Grenzdorf trug es sich zu, daß sechs Saufbrüder in der Nacht vom Sonnabend zum Sonntag bestialisch soffen. Da an der Wand ein Bild des Teufels angebracht war, wurde diesem etliche Male zugetrunken. Einem von den sechsen fuhr denn doch der Schreck in die Glieder, und er machte sich davon. Die anderen fünf sind des Morgens 6 Uhr mit gebrochenen Hälsen tot gefunden worden. Man ließ sie dort bis zum dritten Tag liegen zum allgemeinen Abscheu.

## 141. Wie ein Herr von Berbisdorf zu Tode kam

Bei einem Brand des Schlosses Niederlauterstein kam dessen Besitzer Georg von Berbisdorf auf schreckliche Weise ums Leben. Um den neunzigjährigen Greis vor dem Feuer zu retten, hatte man ihn in Tücher gewickelt und wollte ihn so aus einem Fenster herablassen. Allein die in der Eile geknüpften Knoten lösten sich, und der unglückliche Alte wurde auf dem Felsen zerschmettert. Doch hatte bei diesem Absturz der Teufel seine Hand im Spiel; denn Georg von Berbisdorf war ein harter, rücksichtsloser Mann. Nun schien er von der Hölle seine gerechte Strafe erhalten zu haben. Ab und zu taucht sein gliederloser Rumpf in der Schloßruine auf, dann sucht er seine verstreuten Knochen. Er hat sie aber bis auf den heutigen Tag nicht alle finden können. — 1559 kaufte Kurfürst Friedrich das Schloß von Kaspar von Berbisdorf und bestimmte es zum Sitz eines Amtes. 1639 steckten schwedische Reiter das Schloß in Brand. In den Ruinen wird seitdem nach Schätzen gegraben. Drei Kessel mit Gold gilt es zu finden, aber bisher ist das noch keinem gelungen, selbst einem Mönch aus Prag nicht.

## 142. Ein Zauberbuch lockt Krähen an

Eine alte Bernsbacherin, die damals selbst schon Großmutter war, erzählte folgende Geschichte, die ihr Großvater erlebt hatte. Dieser war zu Besuch bei einem alten Freund, der einen Gasthof außerhalb seines Heimatortes betrieb. Da die Heuernte in vollem Gange war, mußte der Wirt mit all seinen Leuten hinaus auf die Wiese, so daß er seinen Gast einige Zeit allein in der Wirtsstube zurücklassen mußte. Als der nun so allein in der Wirtsstube saß, nahm er ein Buch aus dem Schrank und vertiefte sich darein. Auf einmal habe sich eine Krähe ans Fenster gesetzt, und bald wären ihr mehrere gefolgt, die sich sämtlich vor der Haustür niederließen. Da sei der Wirt atemlos ins Haus gestürzt gekommen, habe ihm, der doch sein liebster Freund war, eine Ohrfeige verabreicht und das Buch aus der Hand gerissen. Dann hätte er ihn über sein Handeln aufgeklärt mit den Worten: „Wäre ich nicht gekommen, so hättest du in einer Viertelstunde tot dagelegen, denn die Krähen hätten dich umgebracht!" — Angelockt worden sind die Krähen durch das Lesen in dem geheimnisvollen Buche.

## 143. Die weiße Taube von Cunnersdorf bei Hainichen

In Cunnersdorf am Pahlbach beobachtete einst der dortige Erbrichter, wie eine weiße Taube im Schein der untergehenden Sonne ihren Schnabel auf dem First des Scheunendaches wetzte und aufgeregt flatterte. Plötzlich sah er eine kleine Rauchwolke aufsteigen, der sofort eine helle Flamme folgte. „Feuer!" gellte da sein Ruf in die Abendstille, „Feuer, helft, ihr Nachbarn, helft!" Mit Feuereimern und Feuerleitern kam man herbeigeeilt und bildete Eimerketten vom Dorfteich und vom Pahlbach. Die Feuersbrunst war stärker, die Scheune brannte nieder. Doch das Wohnhaus konnte gerettet werden.

Wo war die Taube geblieben? Sie saß auf der Scheune des Nachbargutes, und da schlugen aus dessen Strohdach ebenfalls Flammen. So flog die Taube von Scheune zu Scheune, und eine jede brannte nieder.

Hatte die Taube mit ihrem Schnabel das Feuer entfacht? Noch hielt sich die Meinung, daß die Taube die Unglücksbringerin sei. Doch dann kamen die Bauern zu der Einsicht, daß die Taube vor dem Feuer hatte warnen wollen. Der Erbrichter setzte ihr daraufhin ein Denkmal. Er ließ zwei Tauben in Stein hauen, brachte sie neben dem Schlußstein der Tür an und meißelte die Worte dazu: Dies Haus steht in Gottes Hand, die weiße Taube wird es genannt.

Anmerkung: Die Ortssiegel von Cunnersdorf aus den Jahren 1710, 1826 und 1834 zeigen eine Taube. Seit 1675 hieß der Gasthof im Erbgericht an der Straße von Freiberg nach Hainichen „Zur weißen Taube". Ein Neubau von 1875 trug diesen Namen bis 1951; dann nannte ein Besitzer den Gasthof in „Zur Hoffnung" um, doch die erfüllte sich nicht. Der Gasthof existiert heute nicht mehr.

### 144. Der Kirchbau in Crottendorf

Als man vor langer Zeit beschloß, in Crottendorf eine Kirche zu bauen, suchte der Teufel das Vorhaben auf jede Art zu verhindern. Das Mauerwerk, das die Maurer tagsüber aufgeführt hatten, riß er in der Nacht wieder ein, und das zugehauene Bauholz schleppte er von der Baustelle an das entgegengesetzte Ende des Dorfes. Da kam ein Priester vorbei, als man gerade damit beschäftigt war, den vom Teufel angestellten Unfug wiedergutzumachen. Da segnete er Bauholz und Baumaterial, und nun hatte der Teufel keine Macht mehr darüber und mußte es in Ruhe lassen, so daß der Bau bald vollendet war.

137

## 145. Die Teufelsscheune in Reitzenhain

Der sächsische Anteil des Grenzdorfes Reitzenhain ist wegen einer großen Scheuer bekannt, welche zum dortigen Vorwerk gehört. Sie heißt im Volksmund die Teufelsscheune. Diese Scheune wurde vom Teufel auf Grund eines Vertrages innerhalb einer Nacht erbaut. Doch hatte die Zeit nicht ganz gereicht, und so blieb an der oberen Giebelseite ein Loch offen, das nun nicht mehr geschlossen werden konnte. Trotzdem regnete und schneite es in diese Öffnung nicht hinein.

## 146. Der teuflische Pfarrer in Neuhausen

Anfang des vorigen Jahrhunderts wurde in Seiffen der Familie Vogel ein Knabe geboren. Weil er sehr gescheit war, wurde er Pfarrer und kam in die Kirche in Neuhausen. Dort befanden sich aber das sechste und siebente Buch Moses. In diese Zauberschriften vertiefte sich Pfarrer Vogel. Als er eines Sonntags von der Kanzel predigte, sprach er nicht von Gott, sondern predigte das Wort des Teufels. Als die Leute das hörten, waren sie ganz entsetzt, und Pfarrer Vogel ging seines Amtes verlustig. An seine Stelle trat Pfarrer Terne.

Eines Nachts ging Pfarrer Terne mit Freunden an der Kirche vorbei. Da hörte man auf einmal die Orgel spielen. Er bat seine Freunde, draußen zu warten, und ging allein in die Kirche. Da hörte er seinen Vorgänger Vogel von der Kanzel predigen. Ganz weiß im Gesicht kam er wieder heraus. Am anderen Tag ging er in der Mitternachtsstunde mit zwei Jesuiten in die Kirche. Auch diese Nacht war der Geist wieder da. Da nahmen sie den Geist des Herrn Vogel und sperrten ihn in eine Flasche und verbrannten ihn anschließend auf dem Spangenberg. Pfarrer Terne wurde nun nicht mehr von dem Geist belästigt, hat sein Amt gut versorgt und ist dann auch gestorben. Weil er aber seinen Vorgänger gebannt hatte, ließ es ihm im Grabe keine Ruhe mehr, und man sah ihn mitternachts dreimal um die Kirche herumgehen. Nach einem Jahr ließ der Vikar die Leute nach dem Gottesdienst niederknien und ein Vaterunser für Pfarrer Terne beten. Nun fand dieser seine Ruhe, und man hat ihn nicht wieder gesehen.

Von Pfarrer Vogel ist auch bekannt, daß er während der Freiheitskriege die Altargeräte in seiner Pfarre einmauern ließ. Seitdem spukte es dort. Allerdings spricht dagegen, daß er während dieser Kriege noch ein Kind war. Daß er mit dem Teufel im Bunde war, zeigte sich, als ihm einmal ein Kutschenrad brach. Die Kutsche fuhr auf drei Rädern weiter, denn der Teufel mußte die Achse halten. Auch mußte der Teufel für Pfarrer Vogel die Straße von Einsiedel nach Neuhausen pflastern. Einige sahen, wie der Teufel vor der Kutsche die Pflastersteine setzte und sie hinter ihr wieder geschwind wegriß.

### 147. Der Teufel in der Talmühle

An der Freiberger Mulde, zwischen Altzella und Roßwein, lag vor vielen Jahren, als noch alles ringsum mit Wald bedeckt war, eine Mühle, genannt die Talmühle. Da die Müllersleute keinen männlichen Erben hatten, bestimmten sie, daß ihre Tochter einen Müller heiraten sollte.

Eines Tages meldete sich ein Müllerbursche und fragte nach Arbeit. Der Müller brauchte gerade einen Knappen und nahm ihn in Dienst, war auch mit seiner Arbeit zufrieden. Nun spann sich zwischen dem Knappen und der Müllerstochter ein Herzensverhältnis an, das mit der Zeit immer inniger wurde. Doch der Müller wollte von einer Verbindung seiner Tochter mit dem mittellosen Burschen nichts wissen.

An einem schönen Abend bei hellem Mondschein ging der Bursche am Muldenufer spazieren und war in Gedanken über sein ungewisses Verhältnis zu seinem Rösel versunken. Da sprach er für sich: „Wenn jetzt nur gleich der Teufel käme und mir ein Mittel verschaffte, daß ich mein Rösel heimführen kann, ich würde ihm jeden Preis zahlen." Es dauerte nicht lange, da erschien der Teufel in höchsteigener Person. Er erschlich sich das Vertrauen des Burschen, so daß ihm dieser seinen Kummer anvertraute. Darauf versprach ihm der Böse, ihm zu großem Reichtum zu verhelfen und den Müller zu bewegen, ihm Tochter samt Mühle zu geben. Allerdings müsse er sich ihm unter gewissen Bedingungen mit Gut und Blut verschreiben. Nach 25 Jahren werde er wiederkommen, und dann müsse er den Vertrag erfüllen. Außerdem bedinge er sich aus, daß ihm während dieser Zeitspanne alle Nächte um Mitternacht ein Maß Hirse auf den Boden der Mühle gestreut werde. Tue er das einmal nicht, sei er ihm verfallen. Nach einigen Bedenken war der Müllergeselle bereit, den Vertrag zu unterschreiben.

Alles ging nun nach Wunsch. Mühle und Müllers Röschen wurden sein. Die Mühle nahm einen tüchtigen Aufschwung, und ihr Besitzer gelangte zu Reichtum, wie es der Teufel versprochen hatte. Zur Freude der jungen Müllersleute wurden ihnen zwei Kinder geboren. Bislang war der Müller seiner Verpflichtung gegenüber dem Teufel gewissenhaft nachgekommen, aber eines Abends war er fest eingeschlafen und hatte das Hirsestreuen verpaßt. Mit einem Male durchfuhr die Mühle um Mitternacht ein Rumoren, als solle alles zugrunde gehen. Der Müller rannte, ohne ein Wort zu seiner Frau zu sagen, auf den Boden und streute ein Maß Hirse. Sofort war alles wieder still.

Nach und nach vergingen die 25 Jahre, und eines Tages erschien der Teufel, um den Müller an den Vertrag zu erinnern. Noch fehlten drei Tage. Da der Müller den Teufel so inständig bat, von der Erfüllung des Vertrages abzusehen, schlug ihm der Teufel vor, er möge ihm an jedem der drei Tage eine Aufgabe stellen. Könne er eine davon nicht lösen, so solle der Müller gewinnen, sein Leben und Gut behalten. Löse er aber alle drei, so werde er den Müller holen, und von der Mühle werde keine Spur übrigbleiben.

Am Abend kam der Teufel wieder und verlangte, die erste Aufgabe zu hören. Der Müller hatte unterdes sechs Sack Hirse und sechs

Sack Korn untereinandergemischt, die nun der Teufel wieder auseinandersortieren sollte. Der Teufel breitete den Getreidehaufen auseinander, hielt das linke Nasenloch zu, blies mit dem rechten hinein, und Hirse und Korn schieden sich, daß sie nicht reiner auseinandergelesen sein konnten. Für den zweiten Tag hatte der Müller drei Sorten vermengt, und zwar Korn, Hirse und Gerste. Der Teufel kam, blies erst mit dem rechten, dann mit dem linken Nasenloch hinein, und alle drei Sorten waren aufs beste geschieden. Voller Schadenfreude erinnerte der Teufel den Müller daran, daß ihm nur noch eine Aufgabe zu lösen bleibe.

Der Müller wußte sich keinen Rat mehr. Vor lauter Angst bekam er heftiges Leibweh, so daß er sich vor Schmerzen nicht zu lassen wußte. Der Teufel stellte sich pünktlich ein, sah den Müller in seinem elenden Zustand und freute sich weidlich über dessen Verlegenheit. Da ging dem geplagten Müller mit langgedehntem Ton ein Wind ab. Entschlossen rief er dem Teufel zu: „Geschwind, mach einen Knoten rein!" Wenn der Teufel auch sonst alles kann, dieses brachte er nicht zustande. So war er denn überlistet und der Müller gerettet. Mit Flüchen und Verwünschungen sprengte der Teufel auf seinem Pferd von dannen, die Straße nach Etzdorf zu, wobei er das Pferd in seiner Wut derart drangsalierte, daß es wild ausschlug. Dabei traf es den Markstein mit solcher Wucht, daß ein Hufeisen drin steckenblieb. — Das Hufeisen im Markstein war noch lange Zeit zu sehen.

## 148. Wie der Teufel einen verliebten Scholaren zu Freiberg holt

Auf der Klosterschule zu Freiberg hatte sich ein geistlicher Scholar heftig in eine schöne Jungfrau verliebt, und weil sie sich nicht von ihm verführen ließ, wie es sein Wille war, suchte er Hilfe bei einem Schwarzkünstler. Der zog ihn in seinen Kreis und begann mit den üblichen Beschwörungen. Da ist der Teufel, der sich zu solchem Spotte nicht lange bitten läßt, in Gestalt der Jungfrau erschienen und hat sich so gebärdet, daß der vor brennender Liebe halb unsinnige Jüngling vermeinte, seine Liebste vor sich zu sehen. Er sprang auf und reichte ihr aus dem Kreise heraus die Hand. Doch das war sein Unglück und Verderben. Denn alsbald riß ihn der Teufel an sich und warf ihn dermaßen gegen die Wand, daß er auf der Stelle tot war. Dabei hat der Böse auch den Schwarzkünstler nicht geschont, sondern er hob den zerschmetterten Körper des Scholaren auf und warf ihn in den Kreis hinein gegen den Hexer, daß der winselnd liegen blieb. Am Morgen wurde er noch halbtot gefunden und gebührend zur Rechenschaft gezogen. Solches geschah im Jahre des Herrn 1260.

Anmerkung: Die Klosterschule könnte die der Dominikaner gewesen sein, wo Dietrich von Freiberg (um 1250 — 1310) nahezu zeitgleich als Lesemeister tätig war. Sie ist aber nicht nachweisbar. Erstmalig wird eine Schule in Freiberg an der Marienkirche, dem späteren Dom, genannt.

## 149. Der Satan setzt einem Bergmann hart zu

Den 26. Februar des Jahres 1607 hat ein Bergmann, welcher sonst seines stillen Wandels wegen einen guten Ruf genoß, in der Fastnachtszeche, von anderen angestachelt, allerhand Allotria getrieben und leichtfertige Reden über Gott und göttliche Dinge geführt. Unter anderem spottete er, daß, wenn er in die Hölle käme, dort genug gute Gesellen anzutreffen gedächte. Als er nun nach dem Ende der Zecherei auf dem Heimweg war, erschien ihm der Satan in schrecklicher Gestalt. Der setzte ihm heftig zu und drohte ihm, er wolle, wenn er einst Macht über ihn hätte, ihn schon dorthin führen, wo er genug gute Gesellen anträfe. Auch in der folgenden Zeit wich der Satan dem Bergmann nicht von der Seite, fuhr mit ihm ein und aus der Grube, focht ihn an und plagte ihn. Da offenbarte sich jener endlich seinem Beichtvater. Nachdem er versprochen hatte, ein gottesfürchtiges Leben zu führen und schlechte Gesellschaft hinfort zu meiden, blieb der Satan aus und ließ sich auch ferner nicht mehr blicken.

## 150. Der Teufel will die Beichte nehmen

Im Jahre 1537 lag ein alter, ehrlicher Bergmann zu Freiberg namens Benedix Reisiger, der in der Viehgasse vor dem Peterstore wohnte, auf dem Krankenlager. Bei diesem erschien der Satan vor aller Augen in Gestalt und Kleidung eines Geistlichen. Er gab vor, beauftragt zu sein, als Notarius alle die Sünden, die er begangen, aufzuzeichnen. Er setzte sich vor seinem Bette nieder, nahm Feder und Tinte und entfaltete ein langes Papier. Nun ermahnte er den Kranken, ernstlich die Wahrheit zu sagen. Wiewohl der Bergmann anfangs sehr erschrocken gewesen, faßte er bald Mut und antwortete: „Ich bin ein armer Sünder; willst du meine Sünden aufschreiben, so schreibe zuerst: Des Weibes Samen Christus Jesus hat der Schlange den Kopf zertreten." Wie solches der angebliche Notarius vernommen, ist er alsbald mit Papier und Schreibzeug verschwunden, daß nichts von ihm als ein übler, abscheulicher Gestank zurückblieb. Der Bergmann ist bald darauf in Frieden gestorben.

## 151. Die vom Teufel Besessene zu Freiberg

Im Jahre 1600 ist Anna Fiedlerin eines Kindes genesen. Wie ihr Mann bei ihr am Wochenbett sitzt, um über die Gevatternschaft zu beraten, wurde er ganz plötzlich von einer Krankheit befallen. Darüber entsetzte sie sich dermaßen, daß Blut austrat und sich Schmerzen über Schmerzen einstellten. Von da an begann ihre Leidensgeschichte. Sie hatte abscheuliche Konvulsionen und Gesichte. Mehrmals erschien ihr der Teufel, einmal in Gestalt der Hebamme, und trieb sein Spiel mit ihr. So zerrte er sie aus dem Bett und setzte sie auf die Dachrinne, ein anderes Mal fand man sie drei Uhr morgens auf dem Ofen, dann wieder vor dem Fenster auf den blanken Steinen. In Gegenwart von Augenzeugen wurde sie aus dem Bett gehoben, so daß sie frei schwebte und man glaubte, sie wolle zum Fenster hinaussehen. In der Kirche ist der Teufel wie eine Katze um ihre Beine gekrochen. Zu ihrem Troste erblickte sie mitunter einen weißen, hellen Glanz. Dann sah sie in die Zukunft und prophezeite vielerlei, so auch die baldigen Drangsale Freibergs im Dreißigjährigen Kriege.

Weder Beschwörungen noch Zureden und Ermahnungen der Geistlichkeit noch Arzneimittel vermochten, ihren Zustand zu bessern.
Dieser hielt zwanzig Jahre an, wobei sie die letzten drei Jahre verschlossenen Leibes gewesen ist. Am 10. Oktober 1620 ist sie selig gestorben.

Anmerkung: Andreas Möller (1598 — 1660) hat diese Begebenheit in seiner Freiberger Stadtchronik 1653 berichtet. Dort ist der Name der Frau mit Anna Stephan Fleischer wiedergegeben. — In Roßwein soll 1586 die Schleyermagd ebenfalls vom Teufel
geplagt gewesen sein.

## 152. Die Teufelskanzel in der Chemnitzer Schloßkirche

Das Schloß Chemnitz war einst ein Benediktinerkloster. Aus jener
Zeit ist nur die Kirche mit ihrem spätgotischen Portal aus Rochlitzer
Porphyr erhalten. Das Kloster war wegen seiner Sittenverderbnis im
ganzen Land verrufen. Die Erbauung der Kirche war nun gar nicht
im Sinne des Teufels. Er beschloß daher, der Mit- und Nachwelt ein
Zeichen seiner Mißbilligung zu hinterlassen. Kaum war die Kirche
des neuen Mönchsklosters vollendet, da begann er gegenüber von
Altar und Kanzel eine zweite Kanzel zu bauen. Um den Mißmut der
Klosterbrüder noch zu vergrößern, vermauerte er die Kanzel, so daß
sie nicht betreten werden konnte. Als der Morgen graute, war er mit
seinem Werk fertig. Zufrieden entfernte er sich. Die Brüder erstaunten nicht wenig, als sie die neue Kanzel erblickten. Ihre Verwunderung steigerte sich noch, als sie bemerkten, daß der Zugang zu ihr
vermauert war. Zu ihrem Entsetzten fanden sie im Mauerwerk die
Spur eines eingedrückten Pferdehufes. Da erkannten sie den Schöp-
fer dieses Werkes. Die Kanzel erhielt daraufhin den Namen Teufels-
kanzel.

## 153. Eine Hexe wird erkannt

Zu Arnsfeld bei Wolkenstein wurde eines Mannes Vieh verzaubert,
so daß es Blut gab. Als die Magd melken wollte, merkte sie das lose
Stück. Darauf nahm sie ein Seihtuch, stach's voller Nadeln und koch-
te es, um die Herkunft des Zaubers zu erfahren. Schon kam der
Nachbarin Mann gelaufen und begehrte Zitronenschalen. Da es der
Magd verboten war, das Geringste zu verschenken, wies sie ihn ab.
Da kam der Mann wieder und bot etliche Hühnchen zum Verkauf,

auch das mußte die Magd ablehnen. Er kam zum dritten Male und verlangte nur eine Birne vom Baume, bekam aber wieder nichts. Nun bekannte er, daß seine Frau brennende höllische Schmerzen habe, und bat die Magd, sie solle das Seihtuch mit den Nadeln wegtun. Damit war offenbar, wo die Hexe zu suchen sei. Der Mann mußte mit Weib und Kind davonziehen.

### 154. Die Hexen zu Schellenberg

Im Jahre 1529 sind zu Schellenberg im alten Schloß, welches an der Stelle der von Kurfürst August erbauten Augustusburg stand, zwei Hexen, die alte und die junge Rodin, verhört, gefoltert und dann wahrscheinlich hingerichtet worden. Sie wurden beschuldigt, mehrmals zu Schönerstädt auf dem Hexensabbat gewesen zu sein, Diebsdaumen verkauft, untreue Männer durch Zaubermittel zu ihren Frauen zurückführen gelehrt, Hexen gesotten und Abwesende zitiert zu haben.

### 155. Die Zauber-Else zu Zwickau

Im Jahre 1557, am 22. Mai, ist in Zwickau die alte Zauber-Else gefangengesetzt worden. Sie hatte den Leuten Getränke gesotten und den Mägden Kinder abgetrieben. Vielen Menschen fügte sie an Armen, Beinen, Fingern, Fersen und Brüsten Schaden zu und trieb manch andere Zauberei. Einem Maler zu Glauchau verabreichte sie Gift, woran er starb. So hatte sie auch leiblich mit dem bösen Feinde gebuhlt und es lange Zeit mit ihm getrieben. Der hat ihr Geld gegeben, bisweilen 2 und 3 Taler, bisweilen auch 4 Taler, mehr aber nie. Als man sie fragte, wie er aussehe, hat sie geantwortet, er wäre ein alter, grauer, häßlicher Teufel. Dieser Geist, so sagte sie, sei auf der Gasse oft neben ihr gegangen, doch außer ihr hat ihn niemand sehen können. Als sie gefangen gesessen, kam er oft ins Gefängnis und fragte sie durchs vergitterte Fenster, wie es ihr gehe und ob er ihr heraushelfen solle. Darauf habe sie geantwortet, sie wolle schon gern heraus, habe aber auch an ihre Seele zu denken. Darauf hat er sich nicht mehr blicken lassen. Bis zum 18. Juni hat die Zauber-Else im Gefängnis gesessen, dann hat sie wegen vielfältiger Zauberei ihre Strafe empfangen und ist am Galgen verbrannt worden.

Anmerkung: Die Anklage meist alter Frauen als Hexen gehört zu den traurigsten Kapiteln mittelalterlicher Kirchengeschichte. Unter der Folter, mit Daumenstöcken oder Beinschrauben, flüssigem Schwefel oder Pech, wurden die Geständnisse erzwungen. Die Todesstrafe wurde von einem weltlichen Gericht verkündet und durch Erdrosseln, Ertränken, Verbrennen oder Köpfen vollstreckt.

### 156. Das Fegeweib vom Katzenstein

Am Schwarzwasser unweit Pobershau, zwischen Zöblitz und Marienberg, erhebt sich der Katzenstein. Dieser trug noch am ausgehenden Mittelalter eine Burg, auf der ein wilder Raubritter hauste. Durch seine Untaten machte er die ganze Gegend unsicher. Da beschlossen die auf den umliegenden Burgen ansässigen Ritter, diesem Treiben ein Ende zu setzen. Sie rückten vor die Burg, umschlossen sie und begannen, sie aus Kartaunen und Feldschlangen zu beschießen. Allein alle Kugeln fielen kraftlos und unschädlich nieder, denn auf der Mauer stand die alte Amme des Ritters, welche mit dem Teufel im Bunde war. Mit einem Besen fegte sie die heranfliegenden Kugeln aus der Luft weg. Schon wollten die Belagerer schier verzweifeln. Da trat ein Burgkaplan hervor und sprach, er wolle die Kugeln segnen, denn er wisse einen Spruch, dem nichts widerstehen könne. Wie gedacht, so geschehen. Die erste gesendete Kugel, die man abschoß, schmetterte die Hexe zu Boden, die zweite machte ein großes Loch in die Mauer, und nicht lange dauerte es, so war die feste Burg so

zerschossen, daß die Mannschaft sich auf Gnade und Ungnade ergeben mußte. Der Raubritter wurde hingerichtet und seine Burg dem
Erdboden gleichgemacht. Um Mitternacht aber soll man bei Mondschein die gespenstige Amme die Trümmer fegen sehen.

Aber der Kampf hat noch andere Zeugnisse hinterlassen. Als der
Besen der Amme von einer Kugel getroffen wurde, zersplitterte dessen eine Hälfte in lauter winzige Stückchen, die sich über das
Schwarzwassertal verstreuten. Sie bildeten Wurzeln, und bald war
das Tal vom gelb blühenden Hexenkraut übersät. Der Teufel indes
konnte seine Niederlage nicht verschmerzen und verließ daher dieses Gebiet. Seine Wut war so groß, daß sein Abflug ein greuliches
Unwetter heraufbeschwor. „Am nächsten Morgen konnte man genau
sehen, welchen Weg der Teufel genommen hatte. In seiner Spur waren alle Bäume umgeknickt, die Erde war umgepflügt, und alles sah
entsetzlich und wüst aus." Auf diesem Streifen, der sich quer durch
den Kriegwald zieht, kommen seitdem weder Bäume noch Sträucher
fort. Er heißt daher die Teufelsschleuse.

Anmerkung: Auf dem Katzenstein bei Pobershau ist keine Burg nachweisbar. Er ist als
Aussichtsfelsen befestigt. Ihm gegenüber liegt der Rabenberg, der ein sagenhaftes
Raubschloß getragen haben soll. — Über „Hexenkraut" und „Teufelsschleuse" be-
richtet Willy Löschner, Pobershau, in: Die Wunderblume vom Schlettenberg, Band 1,
Marienberg 1983, dem obiges Zitat entnommen ist.

### 157. Das Pestpulver des Totengräbers zu Geyer

Der Totengräber zu Geyer wurde wegen Zauberei im Jahr 1680 auf
dem Gottesacker verhaftet und ins Gefängnis gebracht. Man hatte
gesehen, wie er auf dem Markte etwas ausstreute. Nun suchte man
nach Beweisen, ob sich dahinter eine Bosheit verberge. Schreckliche
Dinge kamen da ans Tageslicht. So hatte er sein eigenes Weib wieder
ausgegraben, ihr die Augen, Nase und Zunge herausgeschnitten und
diese verbrannt und die Asche auf die Gassen gestreut. Er wurde deswegen mit dem Staupenschlag bestraft und auf ewig des Landes verwiesen.

Nach einer anderen Quelle hat er seine Frau ermordet, ihren
Mund mit schwarzen Beeren bestrichen, als sei sie an der Pest gestorben, alsdann ihr den Kopf abgeschnitten, das Herz aus der Brust
genommen, verbrannt und die Asche auf die Straße gestreut. Und

wer darübergegangen, ist gestorben. Seines Kindes Kopf hat er an die Feuermauer gehängt; so viele Tropfen Blut von ihm gefallen sind, so viele Menschen sind gestorben. Die Todkranken hat er aufs Gesicht gelegt, und das Sterben hat kein Ende genommen. Drei Ruten hat dieser Mann ausgesteckt, eine nach Annaberg, die andere nach Schweinitz, die dritte nach Elterlein. Vor Gericht rühmte er sich, wieviel Glück er mit seiner Kunst in großen Städten gemacht habe. Er meinte, wenn er nur die Erde oder einen Kreuzweg oder eine Dachtraufe erreichen könnte, so wollte er sich schon die Freiheit verschaffen.

### 158. Der zauberkundige Wilddieb

In Breitenbach trieb einst ein Wilddieb sein Unwesen, der konnte sich und andere Dinge in jede beliebige Gestalt verwandeln. Einst hatte er einen Hirsch geschossen, als er von fern einen Jägerburschen kommen sah. Flugs verwandelte er den Hirsch in einen Busch und sich selbst in einen Holzklotz. Der Jägerbursche trat heran und machte es sich auf dem Holzklotz bequem und schnitt auf der glatten Oberfläche eine Rolle Tabak klein. Und gerade an der Stelle, wo er am derbsten schnitt, war der Kopf des verzauberten Wilddiebes, der sich nicht rühren durfte. Sooft jener dieses Abenteuer erzählte, fügte er hinzu: „Da hab' ich aber die Zähn' müssen zambeißn."

Anmerkung: Vermutlich handelt es sich bei dem genannten Ort um den Ortsteil Breitenbach von Pfaffroda bei Meerane.

## 159. Pestmacher im Erzgebirge

Zu Wolkenstein hat im Jahre 1614 ein Totengräber einer Pestleiche den Kopf im Grabe abgestoßen und diesen in seiner Stube an einer Schnur in Teufelsnamen aufgehängt. Dann hat er Hefe, Bier sowie Blut von Verstorbenen, ebenso Milch aus Brüsten von Pestleichen vermischt und in den Schädel gegossen und diesen dann erhitzt. So viel Tropfen aus dem schwitzenden Hirnschädel gefallen sind, so viele Pestleichen hat er selbigen Tages gehabt. Dieser Pestzauberer hatte auch zweierlei Pulver, ein gutes wider die Pest und ein ansteckendes, welches er aus der Pestdrüse gewann. Um solcher schrecklichen Übeltaten willen ist er verbrannt worden.

Im Jahre 1623 regierte die Pest zu Gottesgab, davon der halbe Ort ausstarb. Der Totengräber geriet in Verdacht, er habe die Seuche mit bösen Mitteln verursacht. Hans Leonhard, ein verwegener Mühlknecht, der eben aus dem Kriege gekommen war, wagte sich in das Häuslein des Totengräbers. Darin fand er einen Totenkopf über dem Ofen hängen, worüber er sich so erboste, daß er den Totengräber samt dessen Weib krumm und lahm schlug. Dann zündete er ihnen das Dach über dem Kopf an. Zwar sind sie dem Brande entkommen, aber nachher an ihren Wunden gestorben.

Auch hat eine gewisse Pittelin im böhmischen Abertham, das einst für seinen Käse berühmt war, die Pestseuche im Jahre 1633 durch Zaubermittel heraufbeschworen. Wie sie unter der Folter bekannte, hat sie eine Bürste neben einer Leiche ins Grab geworfen, wodurch die Seuche ausbrach, an der schon 263 Personen gestorben waren. Auf ihren Rat wurde dann die Bürste aus dem Grabe geholt, da sonst ganz Abertham aussterben würde. Diese Pestzauberin ist am 18. November in Joachimsthal an einem Pfahl mit dem Strange erwürgt und ihre dreizehnjährige Tochter enthauptet worden. Die Leichen hat man verbrannt. Ihr Sohn wurde des Landes verwiesen.

## 160. Die schmatzenden Pesttoten

In den Dörfern um Freiberg grassierte 1552 die Pest. Sonderlich starb viel Volk in Hermsdorf, Clausnitz und Dittersbach. Die toten Körper fanden im Grab keine Ruhe, fingen auch an zu essen. Stand man an den Gräbern, konnte man sie unten schmatzen hören. Auch begehrten sie nach den Lebenden, so daß einer den anderen nachholte. Deshalb hat man den Verstorbenen mit einem Grabscheit die Köpfe abgestoßen oder sie ganz verbrannt. Geholfen hat das nichts, denn die Pest hat als Strafe Gottes so überhandgenommen, daß einzelne Dörfer fast ganz ausgestorben sind.

### 161. Der Peststein bei Rauenstein

Auf einen furchtbaren Krieg folgten Teuerung, Hungersnot und schließlich die Pest. Diese wütete in Lengefeld so verheerend, daß die Stadt vom Verkehr abgesperrt wurde. Nun lebte in dem nahen Reifland ein junger Mann, welcher mit der Enkelin des Pfarrers zu Lengefeld verlobt war. Einst hatte er sie aus den Fluten der Flöha gerettet. Da nun die Pest täglich neue Opfer forderte und auch seine Braut und deren Vater und Großvater von der Seuche befallen waren, brach der Jüngling nach Freiberg auf, wo die Pest inzwischen nachgelassen hatte. Dort hatten die Totengräber mehrere Kräuter und Wurzeln in scharfem Essig aufgesetzt und damit ein Mittel gewonnen, mit dem sie sich selbst und vielen anderen halfen. Mit diesem Wunderessig kehrte der Jüngling um Mitternacht nach Reifland zurück, schwamm durch die Flöha und gelangte unbemerkt von den Wachen nach Lengefeld. Um den Vater seiner Braut zu retten, kam er zu spät, doch dieselbe und ihr Großvater wurden mit Hilfe des Wunderessigs wieder gesund.

Bald verschwand die Pest, die Sperre wurde aufgehoben, und die übriggebliebenen Bewohner von Lengefeld, Rauenstein und Reifland feierten ein Dankesfest. An der Stelle, wo man sich versammelte, wurde zur Erinnerung ein Stein aufgerichtet, den man den Peststein nennt.

Anmerkung: Die Errichtung eines Peststeines ist nicht nachweisbar. Im Volksmund nennt man ein natürliches Felsriff oberhalb des Bleicherteiches unmittelbar an der Oederaner Straße den Peststein. — Ein Pestdenkmal gibt es in Reifland. 1680 hat in der Zeit der Pest der Pfarrer Rümmler aus Lippersdorf seinem Rauensteiner Amtsbruder auf freiem Feld das heilige Abendmahl gereicht.

## 162. Der böse Pfaffe von Mulda

Am 10. April, Montag nach Palmarum, des Jahres 1536 hat ein katholischer Priester, der Pfarrer zu Mulda, allerhand Üppigkeit in einem Weinhaus getrieben und ist über Nacht daselbst ganz toll und voll liegengeblieben. Am Morgen des anderen Tages aber fand man ihn mit umgedrehtem Hals. Wie Martin Beck, der ehemalige Pfarrer zu Kleinhartmannsdorf, in seinen Frauensteinschen Annalen erzählt, wurde jener Priester insgeheim für einen Zauberer gehalten. In Wirtshäusern vermochte er nach Belieben böhmische und andere Groschen aus den Wänden herauszugraben. Auch führte er manches Gaukelspiel zur Verwunderung der Leute aus. Er ließ zum Beispiel Wein zu Feuer werden und wußte es im Spiel so zu machen, daß er allein alles gewann.

## 163. Pumphut in der Beiermühle

Seinen Namen Pumphut verdankt jener seltsame Müllersknecht seinem eigentümlich geformten Hut. Einmal sprach Pumphut in der Beiermühle bei Siebenlehn vor. Die Leute waren eben beschäftigt, ein neues Wasserrad einzusetzen. Sie beachteten daher den Fremden nicht und fertigten ihn kurz ab. Kaum war Pumphut weitergegangen, so fand sich, daß die Zapfen am Rad zu kurz waren. Die Zeugarbeiter, die ihr Werk so sorgfältig wie immer ausgeführt hatten, zerbrachen sich den Kopf. Da kam einem die Idee, der Fremde könnte wohl Pumphut gewesen sein und er habe ihnen einen Schabernack angetan. Sofort eilten sie ihm nach. Bald sahen sie ihn gemächlich an der Mulde dahinwandeln, aber so sehr sie auch rannten, sie vermochten ihn nicht einzuholen, und auf ihr Rufen hörte er nicht. Endlich blieb er stehen und wartete, bis sie heran waren. Nach vielen Bitten ging er mit zur Mühle zurück. Dort klopfte er links und rechts mit seinem Hütchen gegen das Rad, und schon paßte alles vortrefflich. Da man ihm nun alle Ehre erwies, bannte er auch noch die Sperlinge, die dem Müller viel Schaden zufügten. Seitdem soll sich kein Sperling mehr in der Beiermühle wohlfühlen.

## 164. Der Teufelsstein zu Lauter

Um Schwarzenberg zu belagern, hatte sich einst ein Kriegsheer in der Nähe von Lauter niedergelassen. In dem Lager lebte alles in

Saus und Braus. Da kam eines Tages ein Mönch aus dem Grünhainer Kloster daher, der einen Leuchter zur Reparatur nach Schwarzenberg bringen sollte. Als ihn sein Weg durch das Lager führte,
wurde er von den Kriegsknechten angehalten und dazu verführt, an
ihrem Gelage und ihrem Spiel teilzunehmen. Sein weniges Geld war
bald verspielt, und nun vergaß er sich so weit, daß er den Leuchter
in Geld umsetzte. In dem Augenblick kam der Abt des Klosters vorbei, welcher zufällig denselben Weg ging. Als er das Treiben und
Tun seines Ordensbruders sah, suchte er ihn im Guten davon abzuhalten. Doch er erntete von dem Mönch und den Kriegsleuten nur
Hohn und Spott. Da übermannte ihn der Zorn, und er rief: „So möge euch, ihr Genossen des Teufels, der allmächtige und strafende
Gott zu Stein werden lassen!" Kaum waren diese Worte gesprochen,
so erfüllte ein donnerähnlicher Schlag die Luft. Was der Abt in seinem Zorn erbeten hatte, war geschehen. Der Mönch und die Kriegsleute waren zu Felsblöcken geworden, die noch heute auf dem Teufelsstein emporragen.

### 165. Der gestörte Gottesdienst zu Marienberg

Anno 1578, dem 29. September, am Feste Michaelis, da der Pfarrer
in der Kirche predigte, ward ein Getümmel in der Kirchen, und es
roch übel nach Feuer und Schwefel. Darüber entstand ein Aufruhr.
Die Leute erschraken und liefen aus der Kirche, und der Pfarrer
mußte aufhören zu predigen. Das hatte der höllische Mörder ange-
richtet.

## 166. Wie die große Glocke in der Zwickauer Marienkirche ihre Stimmung bekommen hat

Am 11. Juli 1512 wütete von abends bis zum nächsten Morgen ein schreckliches Gewitter über Zwickau. Die große Glocke auf dem Turm der Marienkirche wurde damaligem Brauch gemäß die ganze Zeit über geläutet, bis sie zersprang. Der Glockenmeister, der die zersprungene Glocke umzugießen hatte, fragte die Ratsherren, als das Metall geschmolzen war und er das Werk beginnen wollte, welcher Ton der Glocke zugedacht sei. Man verlangte, er solle der Glocke das Chormaß nach der Orgel geben, also das bloße C. Darauf hat er ein Pulver aus Kräutern zugerichtet und in das Metall geworfen, und davon hat die Glocke den gewünschten Ton bekommen.

## 167. Der Grubenbrand bei Zwickau

Südwestlich von Zwickau liegt das Dorf Planitz. Bekannt wurde es 1479 durch einen Grubenbrand. Ein Jäger hatte leichtsinnigerweise in einen Fuchsbau geschossen und damit den Brand ausgelöst. Seitdem brannte der Kohlenberg. 1689 tauschten die Arnims Pretsch gegen Planitz. Einer der Arnims vermochte das Feuer zu segnen. Wenn irgendwo in der Runde eine Feuerbrunst ausbrach, holte man ihn, oder er eilte selbst hin, ritt um das brennende Haus herum, sprach seinen Segen, und augenblicklich verlöschte der Brand.

Anmerkung: Von den seit 1479 für etliche Jahre brennenden Kohlenflözen im Süden Zwickaus berichten mehrere Chronisten. Georgius Agricola hatte als Lateinschüler den Brand um 1505 erlebt. Auch Paracelsus hat den „brennenden Kohlberg" besucht. Petrus Albinus berichtet um 1580 erstmals von der sagenhaften Enstehung des Brandes durch den Büchsenschuß eines Jägers in einen Fuchsbau. — Vgl. auch Sage Nr. 6.

## 168. Der böse Graf von Wildenfels

Ein Graf von Wildenfels ist einst wegen seines Geizes in ein Pfund Hirse verbannt worden. Er muß so lange darin bleiben, bis der Haufen, von dem jedes Jahr nur ein Körnchen abfällt, verschwunden ist. Während einer Teuerung war ihm das Getreide immer noch nicht teuer genug, daher verkaufte er seine Vorräte nicht. Da kam ihm der Wurm hinein, der das ganze Getreide durchwühlte. Auch jetzt gönnte er es niemandem, sondern ließ es fuderweise in die Mulde schütten. Zur Strafe wurde er nach seinem Tode in die Hirse verbannt.

## 169. Der Wechseltaler

Wer einen Wechseltaler haben will, der braucht nur eine Katze in einen Sack zu stecken und damit um Mitternacht vors Kirchtor zu gehen. Dort legt er den Sack schön sachte hin und sagt: „Teufel, ich bring dir hier eine Seele, du mußt mir aber einen Wechseltaler dafür geben!" Der Teufel kommt auch und wirft dir einen Taler vor die Füße. Nun heißt es aber fix zugreifen und ausreißen; denn wenn der Böse hineinguckt und sieht, daß er betrogen ist, so schmeißt er den Sack voller Wut an die Kirchtür. Wer dann noch nicht weit genug weg ist, so daß er das Katzengeschrei hört, der wird davon stocktaub, und der Taler ist auch verschwunden.

Ist nun einer glücklich in den Besitz eines Wechseltalers gelangt, so ist ihm für immer geholfen; denn er kann damit bezahlen, sooft er will, immer ist der Taler wieder in seiner Tasche. Man kann den Taler jedoch aufhalten, indem man ihn in ein Glas tut und ein Gesangbuch darauflegt. Dann kann er nicht wieder fort und tanzt so lange in dem Glas, bis der, welcher ihn ausgegeben hat, voller Angst gelaufen kommt und ihn um jeden Preis zurückkauft.

Wer ihn für immer los sein will, der muß sich rücklings ans Wasser stellen und den Taler über den Kopf hinter sich werfen. Er darf dabei aber weder rückwärts noch zur Seite noch auf den Boden gukken. Dann kommt der Böse und holt seinen Taler wieder. So handhabe man das jedenfalls in Globenstein bei Rittersgrün.

## 170. Vom Festmachen der Speisen

Ein Bergmann in Seiffen vermochte ein Doktor-Faustisches Kunststück, indem er zur Lust in Gesellschaft beim Essen alle Speisen stahlfest machte, so daß kein Mensch, ehe er es wollte, einen Happen abschneiden konnte. — Desgleichen war in Elterlein ein Schlosser, Zacharias Vogel, der eine gute Zeit im Krieg gedient hatte und endlich Leutnant geworden war. Dieser konnte nicht nur sich selbst, sondern auch andere Menschen und alles Vieh, aber auch Käse, Butter, Brot und andere Speisen fest machen.

### 171. Die verbannten Grillen zu Elterlein

Bei einem Bäcker zu Elterlein war eine große Menge Grillen in den Stuben, die sich von Mehl und Teig mächtig genährt und im Teig steckenblieben. Früh, ehe er zu arbeiten begann, mußte der Bäcker sie allzeit von den Trögen auspochen und wegjagen. Da ließ er durch einen Umläufer die Grillen aus den Stuben bannen. Der böse Mensch nahm Geld auf Vorschuß und bannte die Grillen in den Stall. Dort bissen und peinigten sie das Vieh, daß dieses schrie. Der Bäcker mußte dem Betrüger noch einmal Geld geben, daß er sie aus dem Stall wegschaffte.

### 172. Von kugelfesten Soldaten

Zu Satzungen lebte einst ein ehemaliger Soldat, mit Namen Michael Vogel, welcher wegen der Festigkeit ein Amulett am Halse trug. Dieses Amulett bewirkte, daß er beim Trunke immer Zank und Schlägerei anfing. Als er aus dem Kriege nach Hause gekommen war, hatte er das Amulett mehrmals weggeworfen, aber aus Feuer und Wasser war es wiedergekommen. Endlich wurde sein Beichtvater auf das Amulett aufmerksam und nahm es an sich. Michael Vogel meinte, es müsse mit gewissen Zeremonien abgenommen werden, aber der Pfarrer versicherte, der Teufel habe über ihn keine Gewalt, er wolle es schon wegschaffen. Darauf ging er zu einem Schmied und warf es ins Feuer. Da fuhr's zur Esse hinaus mit Ungestüm und platzte wie ein Doppelhaken. Darauf wurde der Kerl ganz anders, friedlich und sittsam. So geschehen im Jahre 1652.

Ähnliches begab sich 1639 in Grünhain. Ein junger Fleischer hatte sich bei den damals auf Scharfenstein liegenden Schweden festmachen lassen; davon wurde er so blutdürstig und unbändig, daß er beim Trunk keines Menschen Freund war. Als er sich aber verheiratete und in die Zunft aufnehmen ließ, trachtete die Familie danach, wie er die Festigkeit loswerden möchte. Man brauchte allerlei Mittel, aber vergebens, bis endlich einer die Teufelei aus dem Leibe purgierte (abführte) und eine Hummel aus ihm herauskam.

### 173. Der Teufel holt den Baron von Wegefarth

Der Baron Philipp von Wegefarth war ein gewalttätiger Mensch, der kein Unrecht scheute. So versetzte er zum Beispiel eines Nachts den Grenzstein, um eine gewaltige Eiche in seinen Besitz zu bringen, die auf dem Grundbesitz seines Nachbarn, des Predigers Magister Teller aus Bräunsdorf, stand.

Seine Seele hatte der Baron dem Teufel verschrieben. Nach fünfzehn Jahren sollte sie dem Bösen gehören. Warnungen, sein lasterhaftes Leben zu beenden, beachtete er nicht. Nach fünf Jahren fand

man seine Dogge erwürgt, nach zehn Jahren wurde sein Rappe umgebracht. Als die fünfzehn Jahre um waren, lachte er nur, denn er glaubte, der Macht des Teufels trotzen zu können. Um die Mitternachtsstunde hatte er zwölf Prediger aus der Umgebung zu sich geladen. Elf trafen auch rechtzeitig ein, nur Teller aus Bräunsdorf ließ auf sich warten. Doch wenige Minuten vor Mitternacht traf der zwölfte ein und setzte sich an die gedeckte Tafel. Der Baron hielt ihn für Teller und glaubte sich gerettet. Da fiel ihm beim zwölften Glockenschlag das Messer aus der Hand. Er bückte sich und sah bei dem zuletzt eingetroffenen Gast einen Pferdefuß unter der Kutte. Bevor die Prediger zu beten anhuben, fuhr der Teufel mit dem Baron krachend durch die Wand. Womit angezeigt ist, daß ein böser Mensch niemals den Teufel zu überlisten vermag.

## 174. Der kugelfeste Räuber bei Zelle

Der Fleischer Hartenkopf aus Siebenlehn beschloß, von Raub und Mord zu leben. Zu diesem Zweck ließ er sich in einem alten Gemäuer eines ehemaligen Nonnenklosters im Zellwalde nieder, das in der Nähe des Klosters Zelle lag. Wer den Fußweg von Siebenlehn nach Roßwein wandelte, war deshalb seines Lebens nicht mehr sicher. Weil sich dieser Schnapphahn am Leib kugelfest gemacht und mit Geschütz und Gewehr versehen hatte, drohte jedem, der sich ihm zu nahen wagte, der Tod. Die aufgebotenen Landgerichte konnten daher wenig ausrichten, weil jeder für seine eigene Haut fürchtete. Schließlich wurde eine kurfürstlich-sächsische Korporalschaft aufgeboten, dieses Räubernest zu sprengen. Doch soviel man auch Bleikugeln gegen den Räuber aussandte, sie blieben nirgends an ihm haften. Endlich hat man einen silbernen Knopf geladen. Dieser löste den Zauber und fällte den kugelfesten Leib des Hartenkopf.

## 175. Der festgebannte Sohn in Freiberg

Im Jahre 1545 nahm in Freiberg folgendes Geschehen seinen Anfang. In der Weingasse wohnte damals der Leineweber Lorenz Richter. Eines Tages befahl er seinem vierzehnjährigen Sohn, etwas zu besorgen, und da dieser nicht sofort sich dazu anschickte, sondern eine Zeitlang in der Stube stehenblieb, wurde der Leineweber ergrimmten Gemütes und rief im Zorn: „Ei, so stehe, daß du dich nicht mehr von der Stelle rühren kannst!" Auf diesen Fluch des Vaters ist der Knabe auch flugs stehengeblieben und konnte sich nicht mehr fortbewegen. Drei Jahre stand er auf derselben Stelle, so daß er eine tiefe Delle in den Fußboden trat. Nachts mußte man ihm ein Pult hinstellen, damit er Kopf und Arme darauflegen und etwas ruhen konnte. Weil aber die Stelle, wo er stand, nicht weit von der Stubentür entfernt lag und er somit Eintretenden den Weg versprerrte, haben die Geistlichen der Stadt es nach vorherigem fleißigem Beten vermocht, ihn aufzuheben und in den gegenüberliegenden Winkel der Stube zu befördern. Dies geschah mit großer Mühe, denn wenn man den Knaben sonst forttragen wollte, ist er von unaussprechlichen Schmerzen befallen und ganz rasend geworden. In diesem Winkel, wo man ihn niedersetzte, hat er weitere vier Jahre gestanden und die Diele noch tiefer durchgetreten als zuvor. Man schlug auch einen Vorhang um ihn, damit er von den Ein- und Ausgehenden nicht gesehen werden konnte, denn er war am liebsten allein und hat wegen steter großer Traurigkeit auch nicht gern viel gesprochen.

Endlich wurde ihm die Strafe etwas gemildert, so daß er sich hinsetzen und sich auch ins Bett legen konnte, welches man neben ihm aufgestellt hatte. Er sah im übrigen ganz elend aus, war blaß von Angesicht und hager und schmächtigen Leibes. Auch war er sehr mäßig im Essen und Trinken, so daß man ihm oft die Speisen aufnötigen mußte.

Nachdem er sieben Jahre diesen üblen Zustand ertragen hatte, starb der Knabe am 11. September 1552 eines natürlichen Todes, nicht aber an der Pestseuche, wie einige später geschrieben haben. Die Fußstapfen hat man noch lange in dem Hause sehen können. Unrichtig ist, daß man den Vater, wie mitunter behauptet wurde, wegen der erfolgten Wirkung seiner damaligen Verwünschung den himmlischen Vater genannt hat. Vielmehr rührte diese Bezeichnung daher, weil er zu Pfingsten 1516 in einem geistlichen Spiel, das in Freiberg auf dem Markte aufgeführt worden ist, den Gott-Vater darstellte. Die Fußstapfen hätte er gern beseitigen lassen, da er sich der Verwünschung schämte. Allein der Rat untersagte ihm dies und gebot, die Fußstapfen zum immerwährenden Gedächtnis zu erhalten.

Anmerkung: Pfingsten 1516 erfolgten auf dem Markt in Freiberg die sogenannten Pfingstspiele religiösen Inhalts. Da könnte Lorenz Richter als Gott-Vater aufgetreten sein. — Augenzeugen berichten, daß die Fußstapfen bis zu Beginn unseres Jahrhunderts in der Dielung des Hauses Weingasse 1 zu sehen waren. Der Inhaber des Hauses hatte durch die häufigen Besuche Neugieriger viel Ärger. Bei der Erneuerung der Dielung verschwanden sie deshalb.

## 176. Der Nonnenfelsen im Schwarzwassertal

Der wilde Graf Iso von Isenburg saß noch in mitternächtlicher Stunde auf seiner Burg beim Weinkrug. Da er sich langweilte, meinte er: „Wenn ich nur einen Genossen hätte, und wenn es der Teufel wäre!" Da erschien der Teufel und forderte den Grafen zum Würfelspiel auf. Das kam diesem gerade recht, denn das Würfelspiel trieb er mit Leidenschaft. Mancher Wurf wurde gemacht, doch der Graf verlor fortwährend und hatte schon alle seine Knechte und Mägde und zuletzt sich selbst verspielt. Da gelüstete es den Teufel nach Isa, der einzigen Tochter des Grafen. Dieser liebte seine Tochter aber über alles und hätte für sie sein Leben gegeben. Er weigerte sich also, sein Liebstes auf den Wurf zu setzen. Da bot ihm der Teufel nicht nur die Freiheit für sich, seine Knechte und Mägde, sondern noch so viel Geld, als er mit seinem Streitrosse wiege. Da nahm der Graf einen gewaltigen Zug aus seinem Humpen und tat einen Wurf. Jubelnd sprang er auf, denn er hatte 12 geworfen. Hohnlachend forderte er den Teufel auf, den Wurf zu überbieten. „Soll geschehen!" sprach dieser, schüttelte die Würfel, und mit einem gewaltigem Donnerschlag rollten diese über den Tisch und zeigten — 13. Da zog der Graf in seinem Zorn das Schwert, um den Teufel niederzustrecken.

Doch dieser hauchte seinen schwefligen Odem aus, und der Graf sank kraftlos in seinen Stuhl. Da schien der listige Teufel Erbarmen zu zeigen. Er wollte auf Isa verzichten, wenn der Graf sie entweder seinem Todfeinde Riedhardt von Eisenbrück zum Weibe gebe oder sie als Nonne ins Grünhainer Kloster schicke. Da gelobte der Graf schweren Herzens, sie dem Kloster zu übergeben.

Jammernd nahm Isa Abschied von ihrem Geliebten, dem edlen Ritter Kuno von Stein. Dann schlossen sich hinter ihr die schweren Klostertore. Bald stand allnächtlich eine vermummte Gestalt an der westlichen Klostermauer, die beim Morgengrauen wieder verschwand, während ein Fenster des Klosters matt erleuchtet war. In der siebenten Nacht nach der Mitternachtsmesse eilte ein Nonne durch den Klostergarten und gelangte mit Hilfe des Vermummten über die Mauer. Beide verschwanden im Dunkel und eilten dem Walde zu.

Als das Glöcklein zur Frühmesse rief, wurde Schwester Barbara — das war Isas Klostername — vermißt. Da entsandte die Oberin Klosterknechte mit Spürhunden in die umliegenden Wälder. Obwohl die Flüchtigen einen beträchtlichen Vorsprung nach dem dichtbewaldeten Gebirge zu hatten, wurden sie am dritten Tage eingeholt. Sie standen auf einer hohen Felswand, zu deren Fuß das Schwarzwasser rauschte, als nahendes Hundegebell die Verfolger ankündigte. Bald erschienen die ersten Klosterknechte zwischen den Baumstämmen. Dem jähen Sprung in die Tiefe folgte ein markdurchdringender Schrei. Von den Flüchtigen war weder in den Wellen noch im Walde eine Spur zu finden. Der Felsen bedeckte sich darauf mit schwefligem Gelb. Er heißt seitdem der Nonnenfelsen.

## 177. Die drei Linden von Crimmitzschan und von Frankenhausen

In der Nähe des Sahnparks bei Crimmitschau stehen drei große schattenreiche Linden. Mit diesen hat es folgende Bewandtnis: Zu der Zeit, als noch dichter Wald die Gegend um Crimmitschau bedeckte, begleitete ein Fleischerbursche mit seinem Hund einen alten Juden nach Crimmitschau. Da vernahmen sie aus dem Wald ein klägliches Wimmern, als sei jemand in Gefahr. Der Bursche entschließt sich sofort, zu Hilfe zu eilen. Vergebens bittet ihn der Jude, ihn nicht allein zu lassen. Der Bursche verschwindet mit seinem Hund im Dickicht. Doch er sucht vergeblich nach einem Bedrängten, der Hilferuf ist verstummt. Als er zur Straße zurück will, wird sein Hund plötzlich von einem großen Wolfshund angefallen und gebissen. Der Bursche schlägt den Angreifer in die Flucht und verbindet die Wunde seines Hundes. Wieder auf der Straße angelangt, hält er vergebens Ausschau nach dem Juden, so daß er annehmen muß, dieser habe nicht warten wollen und sei allein weitergezogen.

In Crimmitschau angekommen, wird er ergriffen und ins Gefängnis geworfen. Er erfährt, daß der Jude erschlagen und beraubt wurde. Da er mit dem Juden auf der Straße gesehen worden war, bezichtigt man ihn des Mordes. Vergebens beteuert er seine Unschuld. Das Blut an seinen Händen, daß von der Wunde seines Hundes herrührt, zeugt gegen ihn. So wird er zum Tode verurteilt.

Auf dem Wege zum Schafott bricht er drei Lindenzweige und steckt sie an der Richtstätte in die Erde. Darauf spricht er: „Wenn diese Zweige, die nun bald von meinem Blute besprizt werden, Wurzeln schlagen, so ist meine Unschuld bewiesen. Verdorren sie, so glaubt, ich sei des Mordes schuldig!" Dann besteigt er das Schafott, sein Haupt fällt unter dem Schwert, und sein Blut benetzt die Lindenzweige. Diese verdorren aber nicht, sondern wachsen zu Bäumen heran.

Nach zehn Jahren ereignet sich Folgendes: Ein Bauer sieht einen Fremden bei den Linden stehen und mit der Axt gegen eine von ihnen ausholen. Er eilt hinzu und fragt, was das bedeuten solle. Da

161

spricht der Fremde: „Diese Linden sind Zeugen meines Verbrechens. Ich kann sie nicht mehr sehen!" Bei diesen Worten richtet er die Axt gegen den Bauern. Doch der Hieb geht fehl, der Bauer überwältigt den Fremden und bringt ihn in die Stadt. Dort wirft man ihn ins Gefängnis. Vor den Richter geführt, gesteht er, vor zehn Jahren einen Juden ermordet und beraubt zu haben. Mit dem erbeuteten Geld sei er ins Ausland geflohen, aber Gewissen und Heimweh hätten ihm in der Fremde keine Ruhe gelassen. So sei er zurückgekehrt.

Man machte ihm den Prozeß, und so wurde er an der gleichen Stelle hingerichtet, wo vor zehn Jahren das Leben des unschuldigen Fleischerburschen geendet hatte. Jenes Stück Feld, auf dem die drei Linden stehen, heißt noch heute das Gericht.

Man erzählt sich aber noch eine andere Sage. Der Schäfer des Rittergutes Frankenhausen wurde wegen eines Diebstahls zum Tode verurteilt, obwohl er seine Unschuld beteuerte. Da bat er sich noch die Gnade aus, auf dem Richtplatz drei junge Linden verkehrt pflanzen zu dürfen. Würden die Wurzeln austreiben, so sei dies ein Zeichen seiner Unschuld. Würden sie verdorren, so sollte man ihn des Diebstahls für schuldig halten. Man gewährte ihm diese Bitte, und der Schäfer pflanzte drei junge Linden mit der Krone in die Erde. Dann wurde er enthauptet. Aber die Wurzeln trieben aus, und die verkehrt gepflanzten Sprößlinge gediehen zu mächtigen Bäumen als Zeugen seiner Unschuld.

## 178. Die verkehrte Linde auf Schloß Augustusburg

Ein Angeklagter, der des Mordes beschuldigt wurde, bat das Gericht um ein Gottesurteil, das ihm auch gewährt wurde. Er riß ein Lindenbäumchen heraus und pflanzte es verkehrt in die Erde. Darauf sprach er: „So wahr aus den Ästen Wurzeln und aus den Wurzeln Blätter sprießen, so wahr bin ich unschuldig." — Und siehe, im kommenden Frühjahr trieben die in die Luft ragenden Wurzeln Blätter. Der Angeklagte war gerettet.

## 179. Der grünende Galgen

Auf dem Rittergut Blankenhain im Amte Zwickau diente einst ein Hirte namens Liebold. Dem waren die Knechte und Mägde übel gesinnt, weil er jede ihrer Unfolgsamkeiten seiner Herrin meldete. Eines Tages vermißte die gnädige Frau ein goldenes Kettchen. Da ergriff das Gesinde die Gelegenheit, sich an dem Burschen zu rächen. Der gewissenloseste unter den Knechten ging zur Herrin und zeigte den Hirten als den Dieb an, indem er wider besseres Wissen behauptete, diesen auf frischer Tat ertappt zu haben. Die Edelfrau glaubte dem Verleumder und übergab den Hirten den Gerichten, welche ihn

Schloß Augustusburg auf dem Schellenberg

trotz Beteuerung seiner Unschuld zum Tode durch den Strang verurteilten.

Nach wenigen Tagen wurde das Urteil vollstreckt. Unter dem Geläut der Sünderglocke führte man Liebhold vors Dorf, wo ein Galgen aufgerichtet war. Bevor er jedoch in den Tod ging, wandte er sich an die Umstehenden mit den Worten: „So wahr ich unschuldig bin, so wird dieser Balken, der mein Galgen ist, nach meinem Tode ausschlagen und zu grünen beginnen." Hierauf vollstreckte der Henker das Urteil.

Als das nächste Frühjahr kam, schlug der Balken des Galgens aus und wurde grün, wie Liebhold es vorausgesagt hatte. Die Edelfrau gebot daraufhin, den meineidigen Knecht zu verhaften. Aber ehe ihn die Häscher erreichten, hatte er sich im Koberbache ertränkt. Noch im selben Jahr wurde der wahre Dieb entdeckt. Als man eine Erle fällte, fand man in einem Dohlennest die gestohlene goldene Kette. Der Galgenbaum wuchs mit den Jahren zu einem starken und hohen Baum.

## 180. Die alte Linde auf dem Gottesacker zu Annaberg

Auf dem Gottesacker zu Annaberg steht eine große Linde, die ihre Äste weit ausbreitet. Unter ihnen pflegten der Rat und die Vornehmsten der Stadt zu sitzen, wenn die Trinitatispredigt unter freiem Himmel jährlich zu Mittag gehalten wurde.

Diese Linde ist einst umgekehrt gesetzt worden. Ein Reitknecht hatte einen Sohn, welcher sonderlich nicht an die Auferstehung glaubte. Ein Priester gab sich alle Mühe, diesen Menschen auf bessere Gedanken zu bringen. So ging er mit ihm auf den Gottesacker und stellte ihm vor, daß dieses das Feld des Herrn sei; und wie der ausgestreute Same auf dem Felde aufginge und herfürwachse, so würden die hier Begrabenen sozusagen als ein Samen wieder aus der Erde am jüngsten Tage herfürkommen. Darauf habe der ungläubige Mensch auf eine noch junge Linde gezeigt und zu dem Priester gesagt: „Sowenig diese Linde, wenn man sie ausreißt und umgekehrt mit den Ästen in die Erde setzt, wieder ausschlägt, so wenig werden diejenigen, welche tot sind, wiederum lebendig und auferstehen."

Hierauf antwortete der Priester, daß er gewiß sei, Gott sei so gnädig und gäbe ein Zeichen seiner Allmacht. Er wolle diese Linde umgekehrt in die Erde setzen lassen, und würde sie ausschlagen, so wäre das ein Zeugnis wider seinen bösen Unglauben. Und so ist es hernach auch geschehen.

Später wurde diese Sage umgedichtet. Der berühmte Rechenmeister Adam Ries äußerte Skrupel an der Lehre von der Auferstehung. Am 16. Oktober 1519 habe er sich auf dem Gottesacker seinem Beichtvater anvertraut. Dieser zog ein Lindenbäumchen aus der Erde und sprach: „So wahr es ist, lieber Ries, daß ich dieses junge Bäumchen verkehrt in die Erde stecke und es zu einem großen Baum heranwachsen wird, ebenso gewiß gibt es einst eine Auferstehung!" — Als Ries kurze Zeit später wieder auf den Friedhof kam, sah er, daß das Bäumchen angewachsen war. Seit dieser Zeit ward er gläubig und blieb es bis an seinen Tod.

Anmerkung: Adam Ries (1492 — 1559), der aus Franken stammende Rechenmeister, lebte ab 1522, spätestens ab 1525 in Annaberg als Rechnungsbeamter im Bergbau. Er erhielt den Titel eines Churfürstlich Sächsischen Hofarithmeticus. In seiner ehemaligen Wohnung Johannisgasse 23 befindet sich das Adam-Ries-Museum.

## 181. Ein Gottesurteil in Geyer

Der Maurergeselle Gottlieb Meyer war ein verkommener Trunkenbold. Seine Frau mahnte ihn wiederholt, besser für seine drei Kinder zu sorgen. Das tat er auf seine Art. Eines Tages ging seine Frau nach Hormersdorf, Butter zu holen. Unter dem Vorwand, der Mutter entgegenzugehen, brachte der Maurer die ahnungslosen Kinder zum Schacht auf den Zschierlichschen Feldern. Dort stürzte er sie in die Tiefe. Der Mörder wurde zu zeitlebens Zuchthaus verurteilt. Darauf gestand Meyer noch einen weiteren Mord, den er gemeinsam mit seinem Mordgesellen Sigismund Porges begangen hätte. Er wurde deshalb zur Bezeichnung des Tatortes nach Geyer gebracht. Bei der Konfrontation mit Meyer beteuerte Porges seine Unschuld. Als man ihn während des 11-Uhr-Läutens am Rittergut vorbeibrachte, sprach Porges, Gott möge ein Zeichen geben und Wunder tun, daß er unschuldig sei. Da löste sich aus einer Glocke der Klöppel und stürzte vom Turm. Damit hatte sich seine Unschuld offenbart. Besagter Meyer wurde ins Zuchthaus zurückgebracht. Er gestand, daß der angegebene Mord unwahr sei. Er habe nur noch einmal Geyer sehen wollen.

### 182. Der Splitter vom Kreuz Christi in der Marienkirche

Bis 1632 ward in der gewölbten Sakristei der Marienkirche zu Zwickau ein in arabisch Gold gefaßter Splitter vom Kreuz Christi verwahrt, welchen der Hauptmann Martin Römer im Jahre 1479 der Kapelle geschenkt hatte. In der Einfassung war mit kyrillischen Buchstaben eine Inschrift eingegraben, welche lautete: „Dieses ehrwürdige Kruzifix ist auf der Königin Befehl (Name unleserlich) hergestellt und in die Kirche der heiligen Dreieinigkeit (zu Konstantinopel) bei der Krypta gesetzt worden; es sind in demselben fünf Stücklein vom heiligen Kreuz und vier Edelsteine; die hölzernen Stücklein sind für 2 000 Gulden gekauft, das Gold aber und die Edelsteine kosten 1 000. Wer ein Stücklein von diesem Holze des Kreuzes mit Gewalt aus der Kirche der heiligen Dreieinigkeit nehmen wird, der sei verflucht, und das heilige Kreuz bringe ihn um; wer es etwa an einem anderen Orte antrifft, der schaffe es wieder in die Kirche der heiligen Dreieinigkeit, wer es nicht tut, den bringe Gott und das heilige Kreuz um."

Trotz dieses Fluches hat aber, als die Türken Konstantinopel eingenommen, ein Grieche dieses Heiligtum, damit es nicht in unheilige Hände komme, errettet und hernach Martin Römer in Zwickau verkauft. Er hat von dem Fluch nichts zu befürchten gehabt, weil er es nicht mutwillig entwendete, sondern nur vor denen, die es ohnedem zerschlagen und beschimpft hätten, bewahrt hat.

Nun hat aber der Herzog von Friedland, genannt Wallenstein, am
1. September 1632 dieses Kleinod durch seine Vettern, die Grafen
Maximilian von Wallenstein und Paul von Lichtenstein, aus der Kir-
che herausholen und hernach im Namen der Stadt Zwickau dem Kai-
ser anbieten lassen, als verehre die Stadt und die dortige geistliche
Behörde solches demselben freiwillig. Allein war dabei nicht guter
Wille, sondern nur Gewalt im Spiel. Als Folge davon hat der an dem
Kleinod haftende Fluch alle diese Personen ereilt. Wallenstein verlor
Wochen später am 6. November 1632 die Schlacht bei Lützen und
hatte seit dieser Zeit kein Glück mehr, also daß er bald darauf zu
Eger ein blutiges Ende nahm; die beiden Grafen aber sind noch in
demselben Jahre umgekommen, und keiner von ihnen ist eines na-
türlichen Todes gestorben.

Anmerkung: Die Inschrift des Kreuzes konnte zunächst in Zwickau nicht gedeutet
werden. Der Stadtrat bat deshalb Georgius Agricola, sich in Italien um eine Übersetz-
zung zu bemühen. Er fand in Venedig einen Priester, der den altserbischen Text über-
setzte. — Die Reliquie ist tatsächlich im Dreißigjährigen Krieg von Wallenstein an
den Kaiser gesandt worden, verscholl aber auf dem Weg nach Wien. Wallenstein wurde am 25. Februar 1634 in Eger ermordet. — Zu Martin Römer siehe Sage Nr. 313.

### 183. Der Schatz am Langenstein

Oberhalb von Neunzehnhain, einem Ortsteil von Wünschendorf, erhebt sich ein Bergkegel, der Langenstein genannt. Einst kam ein ver-
sprengter Trupp Wallensteinscher Reiter auf der Flucht vor den

Zwickau

Schweden ins Lautenbachtal. Ihre Mission bestand darin, eine Kriegskasse in Sicherheit zu bringen. Bevor sie von den Schweden aufgespürt wurden, vergruben sie die Kasse, in der sich Gold- und Silberbarren sowie Freiberger Münzen befanden. Sie schworen, niemals den Ort zu verraten. Verflucht sollte der sein, dem sein Leben lieber war als die Einhaltung des Schwures.

Es vergingen nur einige Stunden, da trafen die Schweden mit ihnen zusammen. Sie unterlagen dem übermächtigen Gegner und wurden von den Schweden einer nach dem anderen niedergemetzelt, aber keiner verriet das Geheimnis. Zuletzt waren nur noch ein Söldner und der Hauptmann übrig. Als der Söldner mit unmenschlichen Mitteln gefoltert wurde, brach sein Wille zusammen, und er war bereit, den Schatz zu verraten. Er mußte vorangehen, doch als er in die Nähe des Ortes kam, erreichte ihn der Fluch: Er fiel tot zu Boden. Den Hauptmann ermordeten die Schweden auf der Stelle, der Schatz aber wurde nicht gefunden. Er liegt noch heute, von der unsteten Seele des Söldners bewacht, die nicht eher Erlösung findet, bis ein verschwiegenes Menschenkind sie in der Martinsnacht von der schweren Bürde befreit.

## 184. Das Wunder von Langhennersdorf

Vor vielen hundert Jahren befand sich in der Pfarre von Langhennersdorf ein kunstvoll verziertes Kästchen, welches ein Knöchlein der heiligen Walpurgis enthielt. Diese Reliquie wurde vom Pater gehütet und gegen Zweifel an ihrer Echtheit verteidigt, bis sich in ihm selbst einige Bedenken zu regen begannen. Er griff nach dem Kästchen, um es zu öffnen, und da geschah es: Er vermochte plötzlich seine Hand nicht wieder von dem Kästchen zu lösen. Erst nach einigen Gebeten bekam er seine Hand wieder frei. Als dieses Wunder bekannt wurde, setzte ein Pilgerstrom ein. Ein jeder wollte das Kästchen befühlen und bestaunen.

## 185. Die Eselswiese bei Zwickau

Südlich von Zwickau liegt die Eselswiese, die den Eseln der Ratsmühle das Futter lieferte. Einst wurde diese Wiese von einem Hexenmeister, der auf ihr einen schweren Fall getan, mit einem Fluch belegt. So saftiger Klee und Gras auch auf ihr wuchsen, der Besitzer der Wiese wurde nicht froh darüber, denn die Milch des Viehs, welches davon fraß, war so blau wie Indigo.

Nun hatte aber ein armer Holzmacher nicht weit von jener Wiese seine Hütte gebaut, der, weil er drei Esel besaß, der Eselgüre genannt ward. Der machte sich die verzauberte Wiese zu Nutze, und seine Esel wurden dick und fett davon.

Einst, als ein schweres Gewitter niederging, pochte es an seine Hütte, und als er die Tür öffnete, da trat eine wunderschöne Jungfrau ein, weiß verschleiert, mit rosafarbenen Sandalen an den Füßen und einem goldenen, mit Diamanten verzierten Kranz auf dem Haupte. Trotz des Unwetters war sie nicht im geringsten durchnäßt. Sie setzte sich an den Tisch, wies aber Essen und Trinken wie auch ein Nachtlager zurück, indem sie sagte, sie bedürfe dieser irdischen Dinge nicht.

Der arme Güre legte sich verwundert nieder. Als aber der Morgen anbrach, weckte sie ihn, um Abschied zu nehmen. Der Güre begleitete sie noch ein Stück Weges, dann faßte er sich ein Herz und fragte sie, ob sie nicht vielleicht die heilige Jungfrau selbst sei, sie gleiche gar zu sehr dem Bilde derselben in der Kirche. Darauf antwortete sie: „Ja, ich bin es; du aber, guter Güre, sollst den Lohn für deine Gastfreundschaft heute abend erhalten, wenn deine Esel von der Weide zurückkehren." Damit entschwand sie.

Als nun die Sonne im Untergehen war, da ging der Güre voll Neugier seinen Eseln entgegen, allein er konnte nichts an ihnen wahrnehmen, als daß ihre Mäuler blutig waren. Da es nun auf der Wiese

weder Dornen noch scharfe Gegenstände gab, die Esel zudem wegen ihrer Hartmäuligkeit bekannt sind, suchte er die Weide ab und trat plötzlich auf etwas Spitzes. Er griff danach und zog einen Goldbarren aus der Erde, ja er fand ohne Mühe eine Menge davon. Schwerbeladen trieb er seine Esel in die Hütte. Am anderen Morgen aber, wie er seinen Reichtum beschaute, beschloß er, eine Kirche davon zu bauen. So entstand die Marienkirche. — Über der Tür zur sogenannten Götzenkammer in der Marienkirche steht die hölzerne Statue des Obristwachtmeisters von Heldenreich, gestorben 1674. Das Volk hält diese Statue für das Bildnis des armen Eselgüre, den man auch zum Stammvater der Herren von Römer gemacht hat.

Anmerkung: Zu Römer siehe Anmerkung zu Sage Nr. 313.

## 186. Die Gottesspeise bei Zwickau

Arme Dörfler schickten einst ihren Sohn, einen munteren Knaben, in den Wald, die Ochsen von der Weide heimzutreiben. Aber die Nacht überraschte den Knaben, und es erhob sich ein solches mörderisches Schneewetter, daß er nicht mehr aus dem Walde fand. Die Eltern gerieten darüber in große Angst. Erst am dritten Tag, nachdem der Schnee etwas abgeflossen war, vermochten sie, in den Wald zu gehen. Sie fanden den Knaben auf einem sonnigen Hügel sitzen, wo gar kein Schnee lag. Freundlich lachte er seinen Eltern entgegen. Als sie ihn fragten, wie es ihm ergangen und ob er nicht Hunger habe, erwiderte er, es sei ein Mann zu ihm gekommen, der habe ihm Brot und Käse gegeben. Also ist dieser Knabe sonder Zweifel von einem Engel Gottes gespeist und vor dem Unwetter bewahrt worden. Die Stelle im Walde, wo dies geschehen, heißt noch heute Gottesspeise. Sie liegt unweit der Stadt Zwickau.

## 187. Eine Spinne rettet einen Weber

Ein rechtschaffener Weber hatte seine Ware abgeliefert und befand sich nun, den sauer verdienten Lohn in der Tasche, auf dem Heimweg. Zwei Tagediebe hatten ihn bei diesem Geschäft beobachtet und trachteten danach, ihm das Geld abzunehmen. Froh zieht der Weber seines Weges. Da bemerkt er, wie ihm zwei Gestalten folgen. Er beschleunigt seine Schritte, aber seine Verfolger bleiben ihm auf den

Fersen. Jetzt sucht er sein Heil in der Flucht und rettet sich in den sogenannten Weinkeller, eine Höhle zwischen Hohenfichte und Schellenberg. Schon haben die beiden Strolche die Höhle erreicht, einer bleibt auch stehen, um in der Höhle nach dem Opfer zu suchen. Doch der andere hält ihn zurück, denn über den Höhleneingang spannt sich ein Spinnennetz. Wäre der Weber in die Höhle geflüchtet, müßte das Netz zerrissen sein. So stürmen sie weiter. Eine Spinne hatte die Angst des Flüchtlings bemerkt und in Windeseile ein Netz vor die Höhle gesponnen. So hatte sie einem armen Manne das Leben und den sauer verdienten Lohn gerettet.

### 188. Ein Zeichen für die rechte Feier des heiligen Abendmahls

In Neustädtel trug sich's bei angehender Reformation zu, daß eines Morgens verschiedene Bergleute und anderes Volk zusammenkamen und über die Reformation sprachen. Wie sie nun teils ungereimte Sachen vorbrachten und unter anderem auch auf die Lehre vom Abendmahl verfielen, gingen die Meinungen auseinander. Während die einen das Abendmahl in beiderlei Gestalt verteidigten, griff der andere Teil für das Abendmal in einer Gestalt Partei. Ein Bergschmied, der am Fenster saß, stritt für das Abendmahl in herkömmlicher Gestalt. „Wenn das der rechte Glauben sein soll", rief er in die Runde, „daß ein Laie das Abendmahl in beiderlei Gestalt empfangen soll, so will ich mit meiner Hand einen Vogel vor dem Fenster fangen." Indem er so redete und mit der Hand zum Fenster hinausgriff, hatte er plötzlich zwei Sperlinge in der Hand, die im Zank vor das Fenster gefallen waren. Darüber erstaunten alle nicht schlecht, am meisten wohl aber der Bergschmied.

Anmerkung: Das Abendmahl ist von Jesus vor seinem Sterben am Kreuz eingesetzt worden. Während die Gläubigen bis zur Reformation im Sakrament des Abendmahls vom Priester nur Brot empfingen (als Leib Christi), erhielten Lutheraner das Abendmahl erstmals in beiderlei Gestalt — Brot und Wein (als Leib und Blut Christi) — vom Pfarrer gereicht.

### 189. Ein Birnbaum verkündet das Ende des Lebens

Den 5. Januar 1630 starb Nikolaus Walde, Pfarrer zu Schwarzenberg. Ein Jahr zuvor verdorrte dessen Birnbaum. Als er das sah, sprach er: „Ich habe lange genug vom Sterben gepredigt, jetzt wird der Birnbaum mein Prediger. Mein Baum verdorret, und ich werde auch bald sterben!" Am Neujahrstage stieg er auf die Kanzel, und da er anfangen will zu singen „Helft mir Gottes Güte preisen", überfällt ihn ein Schlagfluß. Er muß nach Hause geführt werden und legt sich auf sein Todesbett.

## 190. Die Wunderblume bei Blauenthal

In einer jetzt völlig von Gestrüpp zugewachsenen Felsenschlucht bei Unterblauenthal war einst eine eiserne Tür zu sehen, die eine Höhle verschloß. Eines Tages mähte dort ein Blauenthaler Gras, und als er sich in der Mittagsstunde unter einen schattigen Baum setzte, stand auf einmal ein schwarzer Ritter vor ihm, zu seinen Füßen aber sah er eine gelbe Blume hervorwachsen. Der Ritter forderte ihn auf, diese Blume zu pfücken, da sie der Schlüssel zu der eisernen Pforte sei. Mit ihr könne er die Pforte öffnen und sich aus der Höhle so viel an Schätzen holen, als ihm behage. „Jedoch", setzte er hinzu, „laß diese Blume nicht liegen, sonst bist du verloren!"

Der Mann tat, wie ihm der Ritter geheißen. Die Höhle öffnete sich. Ihre Wände waren mit Edelsteinen besetzt, und auf dem Boden standen Kisten, aus denen ihm Gold und Silber entgegenglänzten. Die Höhle erweiterte sich zu einem Saal, und an einer mit einem Trauerflor bedeckten Tafel sah er den Ritter mit seinem Gefolge sitzen, bedient von Zwergen. Der Ritter winkte ihn heran und forderte ihn auf, sich an die Tafel zu setzen. Nachdem er gegessen und getrunken hatte, füllte er sich auf Geheiß des Ritters die Taschen mit Gold und Edelsteinen, soviel er fortbringen konnte. Als er wieder

vor der Pforte stand, schloß sich diese krachend, der Felsen wankte, und von der Tür war nichts mehr zu sehen. Erschrocken faßte der Mann nach der gelben Blume, doch sie war nicht da. Er hatte sie in der Höhle vergessen, als er die Schätze zusammenraffte. Nach wenigen Tagen war er tot. Man fand ihn, das Gesicht nach dem Nacken gedreht, und das Gold war verschwunden. Der Fels aber erhielt den Namen Teufelsfels.

Anmerkung: Als Wunderblumen gelten Himmelschlüsselchen (primula veris), Pfirsichblättrige Glockenblume (campanula persicifolia), Wegwarte (cichorium intibris), Vergißmeinnicht (myosotis).

### 191. Die Wunderblume des Teufelssteins bei Lauter

Gegenüber dem Geringsberge zwischen Lauter und Neuwelt erhebt sich am rechten Ufer des Schwarzwassers der kahle Teufelsstein. Er birgt ein verwunschenes Schloß, in dem kostbare Schätze angehäuft liegen. Jahr für Jahr harren sie der Hebung. Noch immer ruhen sie verzaubert unter mächtigen Felsblöcken. Der Schlüssel zu den verborgenen Zugängen ist eine gelbe Blume, welche alljährlich im Frühling aufs neue emporsprießt und ihren Wunderkelch entfaltet.

Ein Schäfer aus Beierfeld, welcher dort vor vielen Jahren seine Herde weidete, fand sie eines Tages und pflückte sie. Alsbald merkte er, wie sich in der Nähe ein Felsspalt öffnete. Verwundert schaute er in eine Höhle, in deren Hintergrund Gold schimmerte. Vor dem Eingang saß ein bärtiger Wächter, der ihn ermahnte, keinen Laut von sich zu geben. Doch der Schäfer konnte einen Ausruf des Erstaunens nicht unterdrücken. Ebenso schnell und geheimnisvoll, wie er sich geöffnet hatte, schloß sich der Felsspalt wieder und hat sich bis heute nicht wieder aufgetan.

### 192. Die blaue Blume von Rittersberg

Leinöl gehörte im Erzgebirge in die Haushalte wie das tägliche Brot. Die Häusler, die oft am Hungertuch nagten, brauchten es zur Rauchermad (rauhes Mädchen), zum Buttermilchgötzen, zu den verschiedenen Kartoffelkücheln und den Latschen (Kartoffelpuffer).

Einst wurde ein Mädchen aus Rittersberg von ihren Eltern in die Ölmühle geschickt, um frischgeschlagenes Leinöl zu holen. Die Ölmühle lag etwas abseits vom Dorf. Der Weg führte eine kurze Strekke durch Wald, ein Wiesenrain war noch zu durchwandern, und die Ölmühle war erreicht. Mit dem frischgeschlagenen Leinöl im Korb trat das Mädchen den Rückweg an.

Am Wiesenrain angekommen, strahlte ihr eine blaue Blume entgegen. Diese wunderschöne Blume muß ich mit nach Hause nehmen, dachte das Mädchen, damit sich meine Eltern auch daran erfreuen können. Doch als sie ihnen die Blume zeigte, brachen Vater und Mutter in Tränen aus. „Du Unglücksmädel", rief die Mutter, „das ist die Wunderblume, die nur aller fünfzig Jahre blüht! Wer sie sieht, der hat Glück. Wer sie aber pflückt, dem folgt das Unglück auf dem Fuß."

Die Eltern verschlossen abends in banger Sorge Fensterläden und Türen. Sie fanden keine Ruhe. Um Mitternacht erhob sich ums Haus ein Heulen und Brausen. Festerläden und Türen sprangen auf, und eine Grabestimme sprach: „Jetzt bist du mein!"

Die Eltern versuchten, ihr Kind festzuhalten. Vergebens. Bald war es in der Dunkelheit verschwunden. Keiner hat das Mädchen je wiedergesehen.

### 193. Schätze in der Oswaldskirche

Die Oswaldskirche, unter deren Ruine 1759 ein Topf voll Brakteaten gefunden wurde, war im Volksmund auch als Dutels- oder Dudelskirche bekannt. Der Steinbau wurde von dem Grünhainer Abt Georg Küttner und dem Elterleiner Pfarrer Wolf erbaut. Einst träumte einem Mann aus Waschleithe bei Schwarzenberg, in der Oswaldskirche läge ein Schatz. Er machte sich also auf den Weg und fand in der Kirche einen toten Schimmel. Er hackte davon ein großes Stück ab, trug es nach Hause und legte es aufs Bett seines Bruders. Als dieser erwachte, lag ein großes Stück Silber auf ihm. Ersterer ging nochmals hin, fand aber nichts mehr.

Auch verirrte sich eines Tages eine Frau aus Waschleithe mit ihrem Töchterchen in der Umgebung der verfallenen Kirche. Als es von Grünhain her Mitternacht schlug, erstrahlte plötzlich auf den Ruinen ein prächtiges, hellerleuchtetes Gotteshaus, in welches Mutter und Tochter hineingingen. Außer ihnen war niemand drin. Da erblickten sie eine Menge mit Geld gefüllter Beutel. Als die Frau im Begriff war, einen Geldbeutel zu ergreifen, ertönte der Ruf: „Vergiß die Blume nicht!" Das jagte der Frau einen solchen Schreck ein, daß sie ohne ihr Kind davonlief und die Türe hinter sich zuwarf. Als sie diese wieder öffnen wollte, um ihr Kind zu holen, ertönte eine Stimme: „Hättest du auf mein Wort geachtet, so wäre dein Kind noch bei dir!" Unter lufterschütterndem Gekrache verschwand die herrliche Kirche, und die Trümmer der Dudelskirche standen wieder vor ihr. Die Mutter raufte sich vor Verzweiflung die Haare aus und starb bald an ihrem Kummer.

### 194. Der St. Annenbrunnen in Niederzwönitz

Ännchen, das Töchterchen des Jägers von Niederzwönitz, war im fünften Jahr an den Blattern erblindet. Der Vater scheute keine Kosten, um dem Übel abzuhelfen, doch alles blieb vergeblich. Das Mägdlein betete jeden Tag zur heiligen Anna, mit der Zuversicht, daß ihr Unglück ein Ende nähme. Da erschien ihr des Nachts am St. Annentag (26. Juli) im Traum die heilige Anna, ergriff ihre Hand und führte sie hinaus in den Streitwald, wo auf moorigem Grund ein Brünnlein quoll. Sie deutete auf die blinden Augen und auf das Wasser. Darauf verschwand sie.

Als das Mädchen am Morgen von ihrem Traum erzählte, führte sie ihr Vater unverzüglich in den Streitwald zu dem Brunnen. Ännchen wusch sich die Augen mit dem Wasser der Quelle und ward wieder sehend. Darauf gelobte der Vater, als Dank an jener Stelle der heiligen Anna eine Kapelle zu errichten. Noch im selben Jahr erfüllte er das Gelübde. Dieses begab sich im Jahre 1498. Die Kapelle scheint bald verfallen zu sein, der St. Annenbrunnen oder Brunnen zu den drei Tannen, wie er auch wegen dreier in seiner Nähe stehender Tannen genannt wird, blieb bestehen.

Noch andere Wunderdinge zu späterer Zeit sind von dem Brunnen bekannt. Im Jahre 1608 bekam eine Bäuerin aus Kühnheide durch einen Traum Kunde von dem Brunnen. Vierzehn Jahre litt sie an einem bösen Schaden am Schenkel und hatte daran viel Schmerzen ausstehen müssen. Sie machte sich auf den Weg, konnte aber den Brunnen nicht finden. Ein Hundertjähriger führte sie endlich zu dem Ort. Nach Gebrauch des Brunnenwassers war sie von ihrer Krankheit befreit.

Nachdem der Brunnen in Vergessenheit geraten war, machte er 1646 erneut von sich reden. Ein Mägdlein zu Gablenz, daß an einem

Kern im Auge litt, träumte, es solle sich zu dem Tannenbrunnen führen lassen, das Wasser würde sie heilen. Der Vater brachte es daraufhin zu dem alten Brunnen. Aber das Mädchen erkannte ihn nicht für den richtigen Brunnen, sondern sagte, es wäre nach ihrem Traum ein kleines frisches Brünnlein. Darauf fand der Vater in einem zwölf Lachter höher gelegenen Morast den neuen Quell. Er nahm von dem Wasser mit und behandelte damit seine Tochter so lange, bis sie geheilt war und auf dem Auge wieder sehen konnte.

Darauf gab es einen großen Zulauf zu dem Wunderbrunnen von nah und fern, so daß an manchen Tagen sich über fünfhundert Personen an dem Quell befanden, welche das Wasser teils kalt tranken, teils gewärmt oder Suppen davon kochten. Andere wuschen sich damit oder brauchten es zum Bad. An vielen Kranken zeigte es seine wohltätige Wirkung.

### 195. Die Wünschelrute

Die Wünschelrute, durch welche Klüfte und Gänge untersucht werden, wird von allerlei Holz geschnitten, auch zu jeder Jahreszeit. Man kann auch andere Materie dazu gebrauchen wie Messing, Eisen und dergleichen. Die Rute schlägt aber außer auf Gänge und Klüfte auch auf andere Dinge. So wurde einem Hammerwerksbesitzer allerhand entwendet. Der Verdacht fiel auf dessen beide Mägde. Er schrieb daher deren Namen auf je einen Zettel und sandte diese einer Bekannten mit der Bitte, sie einem Rutengänger vorzulegen. Die Zettel wurden auf den Tisch gelegt, aber die Rute wollte sich nicht bewegen. Da schrieb die Bekannte den Namen des Burschen, der bei dem Hammerwerksbesitzer in Dienst stand, auf einen Zettel, faltete diesen zusammen und legte ihn zu den übrigen zwei. Da fing die Rute an sich zu winden und schlug auf den Zettel mit dem Namen des Burschen. Die entwendeten Sachen fanden sich tatsächlich bei dem Burschen, auf den bislang kein Verdacht gefallen war.

In einem Zechenhaus bei Johanngeorgenstadt waren einige Zentner Kobalt entwendet worden. Der Besitzer ließ sich daraufhin von einer Rute geleiten. Die Spur führte über die Wiese einen Berg hinauf in einen Busch. Unter frischer Erde fand man hier die Hälfte des gestohlenen Kobalts. Nachts lauerte man den Dieben auf, faßte sie und brachte sie nach Joachimstal.

### 196. Der Bernsbacher Heilbrunnen verliert seine Kraft

Das Geschrei vom Bernsbacher Heilbrunnen entstand 1684. Als die Kirchgänger am 7. Sonntag nach Trinitatis aus der Kirche kamen, sahen sie am Wege ein Wasser hervorquellen. Das Volk lief herbei und brauchte solchen Brunnen mehr zu seinem Schaden als zu seinem Frommen. Denn bei manchen unreinen Leibern blieb er sitzen und machte große Ungelegenheit, etliche bekamen heftigen Durchfall. Einigen machte er die blöden Augen klar, anderen aber trübe. Es verschwand indes die heilsame Wirkung des Brunnens, nach dem dabei viel Unfug getrieben worden war.

### 197. Die Perlenschoten zu Oberwiesenthal

Kurz nach dem großen Sterben im Jahre 1626 wohnte in Oberwiesenthal ein gewisser Michael Rothdörfer, ein Exulant aus dem böhmischen Luttitz, welcher mit Weib und sieben Kindern der Glaubensverfolgung glücklich entronnen war. Sein siebenjähriges Töchterchen hatte vom Schutthaufen eines ausgegrabenen Kellers etliche Kapsamenstrünklein aufgelesen und in ihres Vaters Garten gesteckt, wo sie auch gut fortgekommen sind und Früchte trugen. Als die Schötchen reif waren, pflückte sie das Mädchen und klopfte sie aus. Zu ihrer Verwunderung fanden sich weiße Körner unter den Samen. Sie zeigte sie ihrem Vater, der erkannte, daß es Perlen waren. In den Schötchen lag nach je zwei Samenkörnern eine wahrhaftige Perle.

Eine durchreisende Gräfin hat die Perlen mit Verwunderung betrachtet und ihre Echtheit bestätigt. Daher hat sie dem Vater versprochen, wenn er einwillige, dieses glückselige Kind zu sich zu nehmen und ihm alle Güte widerfahren zu lassen. Als sie hierauf einige Schötchen selbst aufgemacht, sind die darin liegenden Perlen ihr unter den Fingern geschmolzen, welches auch anderen Personen begegnet ist. Daher sie urteilte: „Ei, so ist es eine besondere Gabe von Gott, deren wir nicht würdig sind."

### 198. Die Totenhand zu Buchholz

Als im Jahre 1730 der Totengräber auf dem Kirchhofe zu Buchholz ein Grab schaufeln wollte, fand er im Sande eine noch ganz unverweste Totenhand, der aber Gold- und kleiner Finger wie abgehackt waren. Er zeigte dieselbe dem dortigen Pastor Melzer, und dieser

schlug im Kirchenbuche nach, wem dieselbe gehört haben möge, da er sich erinnerte, daß schon am 14. Juni des Jahres 1704 ihm von dem damaligen Totengräber die gleiche Meldung gemacht worden sei. Er hatte damals den Bescheid gegeben, die Hand wieder einzuscharren, weil sie wahrscheinlich an einer Wasserkluft gelegen und deshalb nicht habe verwesen können. Jetzt fand sich's, daß die Hand dem im Jahre 1669 begrabenen Sohne des Stadtrichters von Buchholz, Andreas Müller, gehörte. Dieser hatte seine alte Mutter bestohlen, und als ihn diese dabei ertappte, mißhandelte er sie und bedrohte sie mit Ermordung. Daraufhin habe die Mutter ihren Sohn verflucht. Womit bewiesen ist, daß demjenigen, der sich an seinen Eltern vergeht, die Hand aus dem Grabe wächst.

Anmerkung: Christian Mel(t)zer (1655 — 1733) gehört neben Christian Lehmann (siehe Anm. zu Sage Nr. 22) zu den bedeutendsten Chronisten des Erzgebirges. Er wurde in Wolkenstein geboren, war 48 Jahre Pfarrer in Buchholz und schrieb die Chroniken der Städte Schneeberg und Buchholz, das 1945 mit Annaberg vereinigt wurde.

## 199. Vögel als Unheilbringer

Als im Jahre 1639 ein großes Sterben war, hatten die Raben bei Tage ein greulich Geschrei angestimmt, bissen sich auch des Nachts bei Mondenschein auf den Kirchen und Häusern herum, und es war schaurig anzuhören, wenn die Eulen in den Gärten jauchzten. Man merkte auch um selbige Zeit, daß ein Haufen Elstern mit Schreien und Schnattern alle Gassen erfüllten und gleichsam die Post spielten, wenn sich räuberisches Gesindel nahte. Ehe einem Hausvater sein Weib und Kind in den Wochen starben, zogen die Schwalben, die unter dem Dache nisteten, samt ihren Jungen weg. Desgleichen geschah es in Schneeberg, daß die Störche, die lange Zeit auf dem Hause eines Bürgers ihr Nest bauten, kurz zuvor davonzogen, als dieser im Jahr 1688 starb. Auch im folgenden Jahr blieben sie aus. 1664 kamen des Nachts etliche Eulen in die Stadt Annaberg, setzten sich auf des Bürgermeisters Haus und schrien gräßlich. Am Tag darauf brach ein Feuer aus, das vierhundert Häuser in Schutt und Asche legte.

### 200. Der Fallsüchtige in der Kirche zu Annaberg

Am 26. Juli des Jahres 1519 ward die St. Annenkirche durch den Bischof von Meißen, Johann VI., eingeweiht. Dabei kam es zu einer wunderlichen Begebenheit. Auf einem wahrscheinlich von Lukas Cranach gemalten Bild, das sich am Grabmonument eines reichen Bergherrn befindet, der damals zugegen war, ist diese Begebenheit dargestellt.

Als nämlich die Prozession, an der auch Herzog Georg von Sachsen teilnahm, an der Kirchenpforte angelangt war und der Bischof sich anschickte, die Kirche zu weihen, sah er plötzlich einen zerlumpten Bettler, der sich in epileptischen Zuckungen auf der Erde

Annaberg

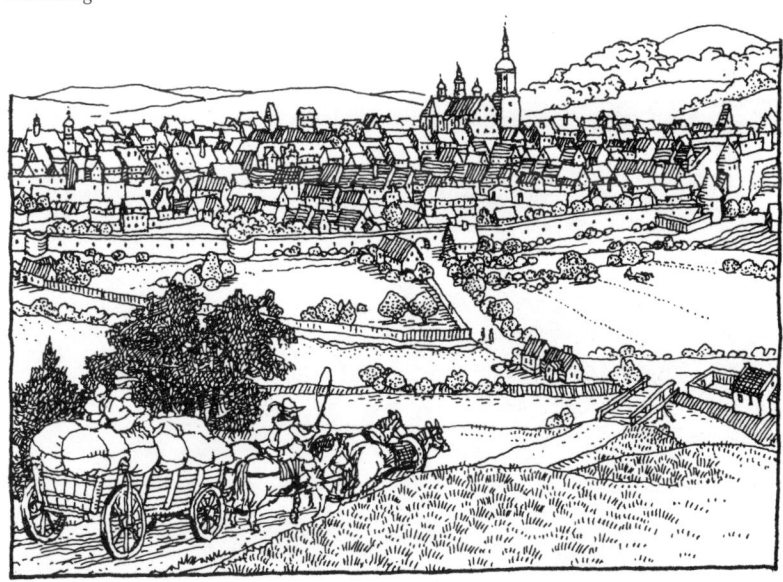

herumwälzte. Da kam dem geistlichen Herrn der Verdacht, die Krankheit dieses Elenden sei nur eine verstellte und derselbe benutze sie bloß, um bei dem heutigen hohen Feste das Mitleid der Anwesenden zu erregen. Er hob also die Rechte zur Segnung, schlug ein Kreuz über dem Bettler und sprach mit laut erhobener Stimme: „Bist du wirklich krank, so helfe dir der Herr; verstellst du dich aber, so strafe er dich!" Kaum hatte er diese Worte gesprochen, so geschah es, daß die von dem Bettler vorgegebene Krankheit zur Wirklichkeit ward. Ein fürchterliches Geheul verkündete ihr Dasein, und mehrere Männer waren jetzt kaum imstande, den Unseligen in seinen Zukkungen zu bändigen und auf die Seite zu bringen.

### 201. Das steinerne Herz im Schwarzwasser

Im Schwarzwassertale lag einst eine Zeche, Trau auf Gott genannt. Als der Besitzer derselben seinen Knappen versprach, daß derjenige von ihnen, welcher zuerst eine reiche Silberader finden und dieselbe anhauen werde, die Hälfte der Ausbeute erhalten solle, da regten sich die Hände der Bergleute mit doppeltem Eifer. Aber manche Schicht wurde verfahren, und es zeigte sich nur taubes Gestein, so daß endlich Unmut an die Stelle der Hoffnung trat. Ein Knappe war es endlich nur noch, welcher in der Grube fortarbeitete. Er gönnte sich kaum die nötige Ruhe, so daß er auch in den Nachtstunden seine Schicht verfuhr.

Da erschien ihm einmal um Mitternacht der Berggeist in hellem Lichte und zeigte ihm einen Gang, aus dem bald das reichste Erz brach. Mit Tagesbeginn eilte der Knappe zu seinem Herrn und verkündete das große Glück. Beide stiegen in den Schacht hinab, wo ihnen das Silbererz entgegenfunkelte. Als nun der Knappe den Herrn an sein Versprechen erinnerte und auf die Not der Seinen verwies, die jetzt behoben sei, stand der Eigner schweigend und überdachte, wieviel Reichtum er verschenken müsse, wenn er sein Versprechen halten wollte. Die Habsucht verhärtete sein Herz, und so beschloß er, den unbequemen Mahner aus dem Wege zu schaffen. Aus der Grube tönte ein Schrei, dann war es still. Der Knappe fuhr nicht mehr hinauf zum Tageslicht. Sein Weib und seine Kinder, da ihnen so unvermittelt der Ernäher genommen war, mußten betteln gehen. Die Grube Trau auf Gott aber blieb von Stund an verschlossen. Der Berggeist hatte wieder genommen, was er so reichlich gegeben hatte. Der Grubenherr fand die verdiente Strafe, denn er verfiel den höllischen Mächten. Sein von Reue gequältes Herz wuchs zum riesengroßen Stein, der heute noch als steinernes Herz in den Fluten des Schwarzwassers liegt.

### 202. Die Entdeckung des Heilbrunnens zu Grumbach

Der Grumbacher Bürger Daniel Nestler, ein rechtschaffener Mann, litt unter großen Leibbeschwerden. Nun träumte er im Jahre 1646 von einem Gesundquell. Er folgte darauf dem Weg, der ihm im Traum gezeigt worden war, durch die Wiesen bis nahe an den Wald und nicht weit von dem sogenannten Thumshirn-Brunnen, bis er die neue Quelle fand. Als er daraus getrunken, grimmte es ihm erstlich sehr im Leibe, doch wurde er darauf seine Beschwerden los. Das sprach sich herum, und aus dem Meißnischen wie aus Böhmen erhielt der Brunnen großen Zulauf. Das Wasser wurde zudem für warme Bäder genutzt, wobei man auch Betstunden abhielt.

Anmerkung: Der erwähnte Thumshirn-Brunnen hat nach Köhler seinen Namen von einem General, der 1548 mit einigen Regimentern auf Befehl des Kurfürsten Johann Friedrich nach Böhmen zog und an dem Brunnen lagerte. — Der Heilbrunnen zu Grumbach (über Annaberg-Buchholz) dient heute als Trinkwasserquelle.

### 203. Die Wunderblume vom Schlettenberg

Der Schladen- oder Schlettenberg bei Marienberg ist ein gefeiter Berg. Abends lassen sich auf ihm mehrere Lichtlein sehen. An einem Tage im Jahr, vermutlich am Johannistage, blüht auf ihm eine schöne Blume. Wer sie findet, pflückt und bei sich trägt, dem tut sich der Berg auf. Er gelangt dann in einen großen Saal, in dem eine goldene Braupfanne steht, und in dieser liegt ein goldenes Jüngelchen. Beide werden von einem großen Hund bewacht. Dem muß man die Blume hinhalten, dann kann man die Pfanne mit dem Kindlein nehmen. Nun muß man aber schnell damit ausreißen; ist man erst einmal über den Hammergraben, so kann einem der Hund nichts mehr anhaben, ist man aber noch nicht hinüber, bevor einen der Hund eingeholt hat, muß man Pfanne und Kind wieder hergeben, und der Hund trägt beides in den Berg zurück, worauf dieser sich wieder schließt. Später nannte man diese Stelle des Berges den Goldkindstein.

### 204. Das Wundermehl bei Freiberg

Am 20. Juli 1590 fand ein armes Hirtenmädchen, welches bei der herrschenden Dürre viel Hunger leiden mußte, zwei Meilen von Freiberg entfernt einen weißen Gang, eine gute Spanne dick. Da derselbe wie Mehl aussah, nahm das Mädchen davon mit nach Hause und buk Brot daraus. Jetzt geschah von den armen Leuten ein großer Zulauf zu dem Gang. Das weiße Mehl wurde ausgegraben und verbacken. Ein solches Brot wurde auch nach Freiberg gebracht und aufs Rathaus geliefert. Es schmeckte leicht süß und roch ein wenig nach Brot.

Ähnliches widerfuhr im gleichen Jahr und ebenfalls in der Umgebung von Freiberg einem frommen Mann in einer Lehmgrube. Er hatte eine zahlreiche hungernde Familie daheim, und die wenigen Pfennige Tagelohn würden nicht ausreichen, den schlimmsten Hunger zu stillen. Da rief er, die Augen gen Himmel gewandt: „Ach, Gott, du kannst Großes. Gib mir und den Meinen, daß wir nicht verhungern müssen!" Da brachen plötzlich große Stücke einer weißen Masse unter den Schlägen seiner Hacke aus der Lehmwand. Der gute Mann nahm ein Stück in die Hand, und wie erstaunte er, als es zu Mehl wurde, welches gutem Brotmehl an Aussehen, Gewicht und

Geschmack ganz gleich war. Er zweifelte nicht länger, daß Gott ihm durch die seltene Masse helfen wollte. Ohne Säumen lud er seinen Schubkarren voll und fuhr damit nach Hause. Ehe der Abend kam, hatte er eine ziemliche Anzahl Brote daraus gebacken, welche sehr schmackhaft waren und nach Veilchenwurzel dufteten.

Bald wurde die Mär von dem wunderbaren Mehle bekannt, und noch viele arme Leute in Freiberg und Umgebung fanden in den Lehmgruben reichlich von der weißen Masse, vorausgestzt, sie waren arm, rechtschaffen und gottesfürchtig.

### 205. Die verschwundene Glocke in Oberlungwitz

Bei Hohenstein-Ernstthal, von der Hüttenmühle bachaufwärts, soll das Dorf Kirchberg gestanden haben, dessen Bewohner ihr sündiges Wesen derart übertrieben hätten, daß Gottes Strafe über sie ergangen und der Ort versunken sei. Einst hüteten zwei Hirten ihr Vieh unweit der Stelle, wo das Dorf einst gestanden hatte. Eines Tages bemerkten sie zwei Glocken, die eine wilde Sau ausgewühlt hatte. „Diese Glocke will ich der Lungwitzer Kirche verehren", sagte der eine. „Das will ich wohl bleiben lassen", widersprach der andere. „Ich will meine Glocke zu Gelde machen und es mir wohlsein lassen." Nach diesen Worten versank dessen Glocke wieder in der Erde. Der andere Viehhirt aber ließ seine Glocke nach Oberlungwitz bringen, wo sie in der Kirche aufgehängt wurde. Wenn man sie läutete, war zu vernehmen:

> Baum maum Kirchberg,
> Kirchberg ist mein Vaterland,
> Da mich die wilde Sau umwandt.

## 206. Die Glocke von Jahnsgrün

Da, wo jetzt, von Wald umgeben, der kleine Weiler Jahnsgrün bei Bärenwalde liegt, hat einst ein größeres Dorf gleichen Namens gelegen. Auf welche Weise es untergegangen ist, weiß man nicht. Es ist von ihm nichts weiter gefunden worden als eine Glocke, welche eine wilde Sau aus dem moorigen Boden gewühlt hatte. Diese Glocke wurde im Kirchturm von Bärenwalde aufgehängt. Über jene Begebenheit berichtet folgendes Volkslied:

> Gahnsgri is uner goange,
> Ghansgri is verschwunden,
> Ä wilde Sau hot ä Glock' ausgrob'n,
> Ä Bettelma hot s' gefunden.

## 207. Die große Glocke in Geyer

Auf dem Berge Geyer, an dessen Fuß das Bergstädtchen gleichen Namens liegt, hat einst eine Sau mehrere Ellen tief eine Glocke aus dem Erdreich herausgewühlt. Die Bürger freuten sich über diesen Fund und hängten die Glocke in dem viereckigen Turm an der Bergmannskapelle auf. Die Glocke gab aber erst einen vollen reinen Klang, als ein Priester sie zu ihrer heiligen Bestimmung geweiht hatte. Als 1455 wegen des Prinzenraubes ein Sturm durchs ganze Land ging, zersprang die Glocke. Allein Kurfürst Friedrich II. ließ sie umgießen und auf der einen Seite die beiden Prinzen, auf der anderen den Kunz, wie er auf der Erde liegt und sein Pferd am Zügel hält, und daneben Prinz Albrecht und den Köhler, der ihn errettet, abbilden.

Anmerkung: Die Sage ordnet sich ein in den an späterer Stelle ausführlich erwähnten Prinzenraub zu Altenburg. Zum Zeitpunkt des Ereignisses hatte Geyer noch kein Stadtrecht, welches ihm erst 1467 verliehen wurde. Der Turm an der Bergmannskapelle war 1395 als Wachturm vorgesehen. Die Prinzenglocke ist 1539 ein weiteres Mal zersprungen und mußte erneut umgegossen werden. 1942 fiel sie dem zweiten Weltkrieg zum Opfer.

## 208. Wie die Glocke zu Geyer gegossen wurde

Da zu Geyer reichlich Erz gefördert wurde und solches preiswert zu haben war, hatte sich ein dortiger Handwerker aufs Glockengießen verlegt. Als er den Auftrag zur Verfertigung einer größeren Glocke erhalten hatte und die Masse bereits bis zum Gusse geschmolzen war, zögerte er infolge des bedeutenden Wertes des Metalles an der Vollendung des Werkes. Obwohl die Masse gußgerecht war, begab er sich noch einmal in seine Wohnung, um sich für die ihn erwartende Arbeit zu stärken. Dem Lehrling dauerte das Ausbleiben des Meisters zu lange, und er machte sich unterdessen ans Werk. Als der Meister zurückkam, erblickte er zu seinem Erstaunen den fertigen Guß. Da wallte der Zorn in ihm auf, und er erschlug den armen Knaben. Nach dieser Mordtat machte er sich ans Ausgraben des fertigen Gusses. Als er die Glocke von ihrer Hülle befreit hatte, prüfte er sie und war überrascht von ihrem wunderschönen Klang. Da jammerte ihn die gegen seinen Lehrling verübte Schreckenstat. Er grub ein Loch, bettete den Erschlagenen hinein und bedeckte ihn mit der von ihm gegossenen Glocke. Darauf scharrte er das Loch wieder zu, und niemand wußte, wo die Stelle war und was er darin vergraben hatte. Auch als er sich dem Gerichte stellte, weil ihm sein Gewissen keine Ruhe ließ, verbarg er sein Geheimnis. Der Richter sprach ihn schuldig, und wenige Tage später wurde ihm mit dem Schwerte das Haupt vom Rumpfe getrennt.

Darüber waren viele Jahre verflossen, als eines Tages eine Sau die am Geyersberge vergrabene Glocke freiwühlte. Der Hirte meldete den Fund sogleich der Bürgerschaft, welche die Glocke erfreut zutage förderte. Die leiblichen Überreste des Lehrlings wurden ebenfalls gefunden und nach dem erstmaligen Läuten der Glocke zu Grabe getragen.

### 209. Die Räuberhöhle am Schafteiche zu Glauchau

In der Nähe von Glauchau befindet sich der sogenannte Schafteich, der fast eine halbe Stunde Umfang hat und beinahe den ganzen ebenen Raum zwischen dem Scheerberge, der Mulde und der Lungwitz einnimmt. Nahe bei diesem Teiche befindet sich eine Art Stolln, der weit in die Erde hineinreicht und den man gewöhnlich die Räuberhöhle nennt. In derselben ist es nicht geheuer.

Einst spielte ein Hirtenknabe vor jener Höhle. Er hätte gar zu gern gewußt, was in der Höhle drin war, traute sich aber nicht hineinzukriechen. Er fürchtete, den Weg nicht mehr zurückzufinden. Da sah er eines Tages am Eingang der Höhle eine schwarze, goldgesprenkelte Henne. Sie gackerte, als wolle sie ein Ei legen. In der

Hoffnung, ihr Nest zu finden, folgte ihr der Junge in die Höhle. Allein, bald wurde es ihm zu unheimlich, und er kehrte um. Auch an den folgenden Tagen erschien die Henne und verschwand jedesmal in der Höhle. Da dachte der Junge darüber nach, wie ihm die Henne den Weg in die Höhle zeigen könne. Er nahm ein Garnknäuel und band den Faden der Henne ans Bein. Gerade als habe sie seine Absicht erraten, zog sie ihn hinter sich her in die Höhle.

Als das Garn fast ganz abgeweift war, da sah der Knabe zwei Lichter. Doch wie erschrak er, als er erkannte, daß die Lichter von den Augen eines schwarzen, zottigen Hundes mit furchtbarem Rachen und scharfen Klauen herrührten. Neben dem Hund stand ein Männlein in einem grauen Mäntelchen, das hielt einen großen Sack Geld

und rief ihm zu, er möge nur näher kommen. Hierauf reichte es ihm eine Handvoll Taler und sagte, er könne so oft kommen, als er wolle, jedesmal bekäme er die gleiche Summe. Er dürfe nur niemandem erzählen, woher er das Geld habe, sonst sei er verloren.

Der Knabe hatte nun keine Mühe, den Rückweg zu finden. Allein, da er niemandem, auch seinen Eltern nicht, sein Glück mitteilen durfte, blieb ihm nichts anderes übrig, als das Geld für Naschwerk auszugeben. Dies tat er nach und nach. Als die Taler zu Ende waren, begab er sich wieder in die Höhle und bekam die gleiche Summe. Da der Knabe gar zu oft beim Kaufmann erschien und stets mit blanken Talern bezahlte, schöpfte dieser Verdacht und teilte diesen dem Vater des Knaben mit. Da dieser nun recht gut wußte, daß sein Sohn nicht Pfennige, geschweige denn Taler haben könne, so suchte er durch Drohungen herauszubringen, wo das Geld her sei. Als der Knabe es nicht gestehen wollte, prügelte er ihn so lange aufs unbarmherzigste, bis derselbe alles gestand, und gleich hinzufügte, daß ihm jetzt gewiß sein Brot gebacken sei, weil er das graue Männchen verraten habe. Und so geschah es auch. Als der Hirt am anderen Morgen seinen Sohn wecken wollte, der ihm zu lange zu schlafen schien, war er tot. Der Böse hatte ihm den Hals umgedreht.

## 210. Die Braupfanne auf dem roten Berge bei Werdau

In den Jahren der Hussitenkriege vergrub einer aus der berühmten und reichen Familie derer von Römer in dem roten Berge, welcher sich nahe bei der Stadt Werdau erhebt, eine Braupfanne voll Silbergeld, um dasselbe vor den Feinden zu verbergen. Dies geschah unweit der Steinpleiser Grenze, wo sich eine Vertiefung quer durch den Berg zieht, die im Volksmund immer noch die Braupfanne heißt. Als dann jener Römer starb, hinterließ er den Schatz demjenigen, der nur mit einem Auge zur Welt kommen würde. Von da an sah man lange Zeit hindurch alle Nächte von elf bis 12 Uhr Mitternacht auf dem Berge ein Licht, gerade über der Stelle, an welchem der Schatz verborgen lag. Auch befand sich eine kleine Höhle am Anfang des Ganges, der zu der Braupfanne führte.

Da nun kein einäugiger Römer geboren wurde, so beschlossen zwölf Männer, unter ihnen der Pfarrer, den Schatz zu heben. Ehe sie aber ans Werk gingen, segnete der Priester sich selbst und die anderen elf Männer in der Kirche ein. Dann wurde ein aus Wachs geformtes einäugiges Kind bei Kerzenlicht feierlich auf den Namen Römer getauft. Mit dieser Wachsfigur und mit brennenden Kerzen zogen die Männer in der Mitternachtsstunde nach dem Ort, an welchem der Schatz verborgen war. Unter Furcht und Zittern gelangte man vor die Höhle, und unter Gebeten bereitete man sich darauf vor, die Höhle zu betreten. Da auf einmal tat sich unter furchtbarem Getöse der Berg auf, und ein feuriger Hund kam, wie ein Löwe brüllend, auf sie zu und rief: „Welchen nehmen wir zuerst?" Eine Stimme aus der Tiefe antwortete: „Den mit dem roten Tuch!" Wie die Männer das hörten, flohen sie entsetzt, froh, dem Ungetüm entkommen zu sein. Sie hatten tatsächlich für einen Augenblick die große, mit Silbergeld gefüllte Braupfanne sehen könne, doch da sie bald darauf, einer nach dem anderen, starben, so ist niemandem die Lust angekommen, den Schatz zu heben.

Anmerkung: Zu Martin Römer siehe Sage Nr. 313.

## 211. Der Schatz im Kiefrig bei Haßlau

Eine halbe Stunde von Haßlau entfernt liegt ein Wald, den man nach dem Kiefernbestande das Kiefrig nennt. Hier befindet sich ein Felsen, auf welchem einst ein Raubschloß gestanden haben soll und der deswegen das Raubschloß heißt. Unter diesem Felsen liegt ein großer Schatz. Da man in dieser Gegend glaubt, daß am Heiligabend Schätze gehoben werden können, ging einst ein Haßlauer Bergarbeiter an diesem Tage zum Raubschloß hinaus, um daselbst den Schatz zu heben. Als er die üblichen Zeichen gemacht und zu graben begonnen hatte, stand plötzlich eine Gestalt, zart wie Spinnweben, vor ihm. Ehe er sich's versah, sprang das Gespenst auf seinen Rücken und klammerte sich an seinem Hals fest. Wie er das Gespenst wieder los wurde, ist nicht bekannt, wohl aber, daß sich der Bergmann, als er glücklich nach Hause gekommen war, krank niederlegte und nicht wieder aufstand. Nach einem Jahre ist er gestorben.

## 212. Der Schatz in der Loh bei Schönau

Auf der sogenannten Loh, einem stellenweise sumpfigen Gelände nahe dem Dorfe Schönau bei Wildenfels, stand einst ein Raubschloß, von dem nichts mehr übriggeblieben ist. An der Stelle, wo es gestanden hat, sah man des Nachts um die zwölfte Stunde häufig ein kleines Licht. Als man daselbst nachgrub, fand man einen großen Schatz, welcher in einer kupfernen Pfanne lag.

## 213. Die goldene Kette vom weißen Fels im Hartensteiner Walde

Zwischen Hartenstein und Schlema erhebt sich am rechten Muldenufer ein weißer Stein. In gewissen Nächten steigt aus der Tiefe eine goldene Kette. Sie liegt dann sichtbar auf dem Felsen. Einst träumte einem Manne in Lößnitz, daß an dem weißen Felsen sein Glück auf ihn warte. Er solle sich nur in der Mitternachtsstunde auf den Weg machen. Als er an den Felsen kam, lag da eine riesengroße goldene

Kette. Beherzt ergriff er sie. Da sie aber zum Tragen zu schwer war, faßte er sie beim ersten Glied und zog sie hinter sich her. Auf dem Rückweg bemerkte er neben sich allerhand Spuk, auch hörte er dicht hinter sich einen greulichen Lärm. Doch ließ er sich davon nicht stören, sah sich auch nicht um, sondern zog die Kette mit sich fort bis zu seiner Behausung. Wie er die Haustür öffnen wollte, wurde der Lärm noch größer, und es klang, als ob alle bösen höllischen Geister ihm dicht auf den Fersen wären. Mit seiner Beherrschung war es nun vorbei, und er wandte sich nach dem Spuk um. Plötzlich war alles still, die goldene Kette aber war verschwunden. Nur das erste Glied hielt er noch in der Hand. Dieses reichte jedoch aus, ihn zum vermögenden Mann zu machen.

### 214. Das Fräulein auf der Mulde bei Aue

Auf dem Rittergute Klösterlein Zelle bei Aue starb einst ein Fräulein, das nach ihrem Tode auf der Mulde dahinschwebte. Einst kamen zwei Bergleute in einer schönen Sommernacht auf den Gedanken, ihr ein Ständchen zu bringen. Sie hatten in Zelle sonntags Musik gemacht, und ihr Heimweg führte sie über die Ochsenwiese und den

Klostersteg. Hier hielten sie an und begannen zu blasen. Als sie eine Weile musiziert hatten, näherte sich ihnen das Fräulein, in einen Schleier gehüllt, und warf jedem ein Sträußchen in den Schoß. Der eine von ihnen steckte das Sträußchen in die Kitteltasche, der andere warf es weg. Als ersterer am nächsten Morgen seinen Kittel überzog, kam ihm dieser seltsam schwer vor. Er faßte in die Tasche und holte das Sträußchen hervor. Da sah er, daß es sich in pures Gold verwandelt hatte.

Voll Freude teilte er das seinem Kameraden mit. Der lief nun eilends nach der Ochsenwiese, um sein Sträußchen zu suchen, konnte es aber nirgends finden. Unverrichteter Dinge kehrte er nach Hause zurück.

### 215. Ein Berggeist betrügt einen Schatzgräber

Im Jahre 1679 erschien einem Schüler im sogenannten Knappschaftshaus zu Schneeberg, welches dem Bergmeister Nikolaus Hakker gehörte, ein Gespenst in Gestalt eines graubärtigen kleinen Mannes. Da ihn das Gespenst von da an öfters besuchte und mit ihm redete, verlor er seine anfängliche Furcht vor ihm. Als das Männlein ihn aufforderte, nach einem Schatz zu graben, machte er sich sogleich an die Arbeit, stieß auch bald auf ein Gewölbe, in dem sich ein Schatz, bestehend aus goldenen Ketten und Silbergeschirr, befand. Doch als er den Schatz heben wollte, kamen ihm zwei Männer zuvor. Sie breiteten die Kostbarkeiten auf einem Tisch aus. Das alte Männlein forderte ihn nun auf zuzugreifen. Aber ein dritter anwesender Mann, den der Schüler jetzt erst auf einem Sessel neben dem

Tisch erblickte, fuhr ihn an, wie er sich erkühnen könne, nach einem Schatz zu trachten, der ihm allein als dem Herrn der Welt zustehe. Ob dieser Worte erschrak der Schüler und lief eiligst davon. In höchster Angst verbrachte er die Stunden bis nachmittags 4 Uhr, denn bis dahin mußte der Schatz gehoben sein. Als der Seiger das vierte mal geschlagen hatte, begann ein Sturm zu wüten, der im Garten einen Baum brechen ließ. Die drei Männer aber waren samt Schatz verschwunden.

## 216. Die unterbrochene Schatzsuche zu Schneeberg

In Schneeberg hatte einst ein Einwohner, Bauer-Schnurr genannt, sich mit etlichen Schatzgräbern zusammengetan. Auf seinem Malzhausboden beschworen sie die Geister, um zu erfahren, wo und wie man Schätze graben und finden könnte. Als die Obrigkeit von diesem Treiben Kenntnis erhielt, sandte sie Gerichtsdiener aus, diese Bösewichter festzunehmen. Drei von ihnen, ein Schmiedeknecht, ein Ingenieur aus Eisenach und ein Müller aus Wildenfels wurden inhaftiert. Ein gewisser Tietze aus Sangershausen sowie Bauer-Schnurr vermochten zu fliehen.

Auf dem Malzboden hatten die Schätzgräber folgende Zeichnungen hinterlassen: ein großer Kreis, 34 Ellen in der Runde, mit Kreide dreimal hintereinander gezeichnet; in dem ersten standen viele Kreuze, in den anderen waren geistliche Sprüche geschrieben und in dem dritten befanden sich unterschiedliche Kreuze. In der Mitte eines der Kreise stand ein Tisch, mit einem weißen Tuch bedeckt, das mit Blut besprengt war. An der Decke über Kreis und Tisch waren allerhand Himmelszeichen und Sterne gemalt. An der Wand hingen Papierbögen mit etlichen Sprüchen. In der Mitte der Decke war, ebenfalls auf Papier gemalt, das Leiden Christi dargestellt, dazu Sprüche auf Hebräisch geschrieben. Neben dem Tisch stand eine Räucherpfanne mit Kohlen. Auf dem Tisch lagen die Bibel, der Psalter und ein Evangeliumbuch sowie ein hölzernes Kruzifix. In dem Kreis, auf dem der Tisch stand, war eine Öffnung gelassen. Dort waren die Evangelisten und Apostel abgezeichnet, woneben wieder eine Bibel lag.

Ob nun die Schatzgräber wirklich etwas herausgefunden haben, desgleichen was aus ihnen geworden, darüber verlautete nichts.

### 217. Der goldene Hirsch auf dem Kuhberge

Auf dem Kuhberge bei Stützengrün, links vom Fahrwege, welcher auf den Berg führt, liegt ein goldener Hirsch begraben. Die Stelle ist mit Heidekraut überwachsen. Wenn der Hirsch gefunden wird, was bestimmt einmal geschehen wird, entsteht auf dem Kuhberge eine Stadt, die heißt dann Goldbrunnen.

### 218. Schätze in der Steinwand bei Blauenthal

An der Pläuerleite zwischen Blauenthal und dem Zimmersacher steht ein zerklüfteter Granitfelsen, den man die Steinwand genannt hat. Weiter oben nach dem Zimmersacher zu quillt der Goldbrunnen, aus welchem man einst Gold gewaschen hat. Einst öffnete sich an einem Karfreitage, als in Eibenstock die „lateinische Litanei" gesungen wurde, in der Steinwand eine Höhle. Wäre nun jemand durch das Höhlentor gegangen, hätte er große Schätze gefunden.

### 219. Kutter verwandeln sich in Geld

Einst ging eine Frau aus Bermsgrün in den Wald und fand dort wohlgeordnete Häufchen von rundlichen, abgesprungenen Fichtenrindenstücken, welche man Kutter nennt. Da sagte sie für sich: „Wer mag nur damit gespielt haben?" und nahm von den Häufchen einige Kutter mit nach Hause, damit ihre Kinder auch etwas zum Spielen hätten. Als sie aber zu Hause ankam und den Korb aufdeckte, um die aufgesammelten Kutter ihren Kindern zu geben, fand sie statt dessen darin lauter Geldstücke. Schnell ging sie in den Wald zurück, um auch die restlichen Kutter zu holen. Allein sie konnte sie nicht mehr finden.

### 220. Der Schatz in der Klosterkirche zu Grünhain

Im März des Jahres 1657 hat der Schäfer zu Grünhain, Eucharius Böhmely, nach einem Schatz graben lassen, der sich unter der dortigen Klosterkirche befinden sollte. Sechs Tage und Nächte ließ er graben. Als in der sechsten Nacht Mitternacht vorbei war, meinte ein Bergmann, daß nur noch eine Querhand tief Erde auf dem Schatz liegen könne. Als er auf einen Stein stieß, wollte er diesen mit der Keilhaue bewegen, doch der Stein wer so schwer, daß er es auf-

geben mußte, vielmehr sank dieser eine Viertelelle tiefer. Ein Wün-
schelrutengänger, Tippmann geheißen, fand heraus, daß der Schatz
sich inzwischen um 18 Ellen fortbewegt habe und sich jetzt unter
dem aufgeworfenen Schutt befand. Zwei Burschen hatten ein Rufen
vernommen, und Hans Humann zu Behrfeldt hatte beim Fortrücken
des Schatzes ein lautes Geräusch durch das Gestein gehört.

Wie der Abt zu Ebersbach einst dem Siegmund Siegeln in Franken
anvertraut hatte, muß es sich um einen großen, reichen Schatz ge-
handelt haben, der aber sehr flüchtig war. Darum ist es auch mißlun-
gen, ihn zu heben.

### 221. Der Schatz im Vorwerk zu Elterlein

Bei Christoph Müller, Besitzer eines Vorwerks zu Elterlein, diente
im Jahre 1702 eine gewisse Magdalena Gräßler. Sie war zu jener Zeit
achtzehn Jahre alt. Dieser erschien vierzehn Tage vor Johannis ein
Männlein mit einem grauen Kopfe und Bart, mit einem alten grauen
Röckchen bekleidet, und eröffnete ihr, daß bei dem Backofen ein
Kästchen mit Geld, welches eine alte Frau in Kriegszeiten vergraben,
sich befinde und 500 Taler enthalte. Der Geist forderte sie auf, ihn
zu begleiten, um den Schatz zu heben, mit der Bemerkung, sie solle

von dem Gelde 50 Taler der Kirche zu Elterlein, 50 Taler ihrem Dienstherrn geben, die übrigen 400 Taler aber für sich behalten, aber nicht an Hoffart verschwenden, sondern ihren alten Vater damit erhalten. Das Mädchen verkroch sich vor Angst in ihr Bett. Der Geist ließ sich aber nicht abschrecken, sondern kam in den folgenden Nächten immer wieder. Auch forderte er sie dringend auf, den Schatz zu heben, bis sie am Abend vor Johannis ihm versprach, sie wolle am nächsten Tag zu Mittag, aber nicht in der Gespensterstunde, nach dem Schatze suchen.

Sie entdeckte sich nun ihrer Dienstherrin, und am Mittag begannen beide zu graben. Jene überließ jedoch bald die beschwerliche Arbeit ihrer Magd. Nach längerem Graben stieß Magdalena Gräßler mit dem Spaten auf einen breiten Stein, der bei dem Berühren mit dem Eisen wie Kettengeklirr tönte. Das Mädchen hob den Stein und erblickte darunter ein Kästchen von Eisen. Gleichzeitig aber erhielt sie von ihrer Dienstherrin einen Schlag aufs Kreuz, so daß sie sich umsah. In diesem Augenblick entstand ein heftiges Gepolter, das Kästchen aber war verschwunden.

In der folgenden Nacht erschien der Geist dem Mädchen wieder und sagte: „Du bist gestört worden, allein du kriegst es noch. In sieben Jahren komme ich wieder, es ist niemandem als dir beschert, bete fleißig!" Mit diesen Worten nahm das Männchen Abschied. Das Mädchen hatte sich inzwischen auf ein anderes Vorwerk verdingt. Ende Juli 1705 hörte es abermals die Stimme des Geistes, welche sprach: „Ich bin vor drei Jahren bei dir gewesen. Inzwischen hat dein gewesener Herr das Geld gefunden und ausgegraben, das melde ich dir hiermit." Die Magdalena Gräßler verlangte auch das Geld von diesem, und zwar auf gütlichem Wege, allein Müller leugnete alles und gab nichts heraus.

### 222. Der Schatzkeller am Bärenstein

Es ist die alte Richterin zu Königswalde nebst zweien ihrer Nachbarn am Bärenstein im Mai Gras und Kräuter holen gegangen, und als sie an den Berg gekommen sind, so hat sich's am Berge aufgetan wie ein großes Scheunentor, daß man hineinsah wie in eitel Silber und Gold, und als sie die anderen beiden gerufen, daß sie es auch sehen sollten, so ist es wieder verschwunden.

### 223. Der Schatzkeller am Scheibengeberg

Im Jahre 1605 bekam Laurentius Schwabe, Pfarrer in Scheibenberg, etliche Gäste aus Annaberg. Seine Ehefrau führte einige der Gäste zum Scheibenberg, ihnen den Berg und seine Umgebung zu zeigen. Sie entdeckten dabei ein Loch, in das drei Stufen hinabführten, und drinnen lag ein glänzender Klumpen wie glühendes Gold. Darüber erschraken sie, gingen eilends in die Stadt zurück und führten den Pfarrer und die anderen Gäste nach dem Berge. Allein sie konnten das Loch nicht wiederfinden.

Im Jahre 1648 starb Hans Haß, ein alter ehrlicher Bürger zu Scheibenberg. Auf dem Siechbette erzählte er dem Pfarrer von der Armut am Anfang seines Ehestandes. Dabei teilte er ihm folgendes Vorkommnis mit: Als Wolf Köhler seine Tochter Elisabeth weggab, wären wir jungen Eheleute gern mit zur Hochzeit gezogen, aber wir hatten kein Geschenk. Als wir am Berge mähten, wurden wir eines Loches gewahr, das eine eichene Tür verschloß, zu der einige Stufen hinabführten. Auf einer Stufe lag ein Fuchs. Wir erschraken darüber, obwohl der Fuchs sich nicht rührte. Wir gaben ihm einen Stoß und befanden, daß er tot war. Ich verkaufte den abgestreiften Balg, wir erstanden dafür ein Geschenk und gingen zur Hochzeit, wo es lustig zuging. Das Loch konnte ich aber nicht wiederfinden, wie fleißig ich auch gesucht habe.

Anmerkung: Der Pfarrer, dem diese Geschichte erzählt wurde, war Christian Lehmann (siehe Anmerkung zu Sage Nr. 21, vgl. Sage Nr. 118).

### 224. Der Geldkeller in den Greifensteinen

Unter einem großen Felsen der Greifensteine, allwo der Vermutung nach das alte Schloß gestanden hat, ist ein offenes Loch zu sehen, in das eine Mannsperson gemächlich kriechen kann. Eine Magd, die dort öfters Gras holte, hörte mehrmals, wie sie beim Namen gerufen wurde. Nach abermaligem Rufen kroch sie in das Loch im Beisein einer anderen Magd, mit der sie abgesprochen hatte, daß diese ihr zu Hilfe kommen solle, wenn sie schreie. Tatsächlich stieß sie in der Höhle auf einen großen Kasten mit Gold und Geld, neben dem ein Hund lag. Auf Befehl einer Stimme füllte sie ihr Grastuch damit. Als sie zum Ausgang wollte, wurde der Gang immer schmäler, und als sie um Hilfe rief, sprang der Hund auf und scharrte alles Gold und

Geld wieder aus ihrem Tuch. Vom Schrecken wie gelähmt, mußte sie sich von der anderen Magd aus dem Spalt ziehen lassen. Am dritten Tag darauf ist sie gestorben.

Als einst zwei Frauen beim Sammeln von Heidelbeeren an die Felsen der Greifensteine gerieten, wurde eine von den beiden unvermutet mit ihrem Namen gerufen. Diese eilte in die Richtung, aus der das Rufen kam, und plötzlich stand sie vor einer weiten Höhle, in der sich ein Goldhaufen türmte. Ein rabenschwarzer Hund bewachte den Eingang. Doch eine freundliche Stimme forderte sie auf, hereinzukommen und ihre Schürze mit Gold zu füllen. Da faßte sie sich ein Herz, packte ihre Schürze voll und wollte davoneilen. Doch mit jedem Schritt verengte sich die Kluft. Als sie den Ausgang erreicht hatte, faßte der Hund ihre Bürde und entriß sie ihr. Das geängstigte Weib starb am folgenden Tage.

Nicht ganz so schlimm erging es einem alten Mann aus Geyer, einem gewissen Christoph Hackebeil. Auf dem Wege zur Gifthütte am Fuße der Greifensteine geriet er durch sonderbaren Zufall mitten auf die Felsen, fand das oben erwähnte Loch und entschlief darin. Als er erwachte, ließ es ihn nicht wieder fort, so daß er die ganze Nacht und den darauffolgenden halben Tag in der Höhle zubringen mußte. Für die ausgestandene Angst und die versäumte Zeit erhielt er von den Berggeistern nicht einmal klingenden Lohn.

Anmerkung: Zum Greifensteingebiet mit seinen sieben freistehenden Felsen von 20 bis 30 m Höhe gehören neben Schatzsagen besonders Hinweise auf ein frühes Schloß oder eine Burg. Erst jüngst haben Keramik-, Knochen- und Metallfunde die Existenz von „sloz Gryfenstein" bestätigt. Die Anlage wurde vermutlich zwischen 1180 und 1220 erbaut, um 1350 erstmals schriftlich erwähnt. Im Berg- und Greifensteinmuseum Ehrenfriedersdorf sind alle Funde zusammengetragen, die auf eine Wohnung auf der Oberburg hinweisen. — Die erwähnte Gifthütte gehört zur Gemeinde Hormersdorf im Geyerschen Wald und ist seit 1949 Jugendherberge. Ein Kaufmann aus Nürnberg, Hieronymos Zürcher, hatte das kurfürstliche Privileg, das bei der Verhüttung anfallende giftige Arsen zu gewinnen, das beim Schmelzen von Glas, bei der Zubereitung von grüner Farbe und bei der aufkommenden Schädlingsbekämpfung verwendet wurde. Nach der Stillegung wurde eine Sprengstoff-Fabrik zur Herstellung von Dynamit errichtet. Die Bezeichnung Gifthütte behielt der Volksmund bei.

### 225. Der Schatz auf den Greifensteinen sommert sich

Eines Tages gingen zwei Mädchen durch den Wald, in welchem die Greifensteine liegen. Sie hatten Streu gesammelt und trugen diese in ihren Tragekörben nach Hause. Als sie auf einem schmalen Weg die Höhe abwärtsstiegen, sahen sie an den Zweigen der Fichten zu beiden Seiten Strohhalme hängen. Darüber wunderten sie sich, denn auf dem schmalen Weg konnten keine Wagen fahren; es sah nämlich so aus, als ob die überhängenden Fichtenzweige von einem mit Stroh beladenen Wagen Halme abgestreift hätten. Wie die Mädchen nun nach Hause gekommen sind und ihre Spreu ausschütteten, fanden sie darunter eitel goldene Ketten. Der Schatz der Greifensteine hatte sich an diesem Tag in Form von Strohhalmen gesommert, und so waren einzelne Halme in die Körbe gefallen, wo sie sich in goldene Ketten verwandelten.

Nicht anders erging es dem in Ehrenfriedersdorf angestellten Förster Töpel. Als er eines Tages an den Greifensteinen vorbeiritt, hingen so viel Gras- und Strohhalme von den Bäumen herab, daß er
kaum hindurchreiten konnte. Dabei blieben einige Halme auf seinem
Hute liegen. Als er daheim den Hut abnahm, hatte er um denselben
eine goldene Kette. Es soll noch ein Stück von dieser Kette vorhanden sein.

### 226. Die Geyerschen Stadtpfeifer erblasen sich einen Schatz

Einst hatten die Geyerschen Stadtpfeifer den Tanzenden im Thumer
Ratssaale bis tief in die Nacht hinein aufgespielt und traten, nach-
dem der Reigen geendet, den Heimweg über die Greifensteine an.
Als sie in die Nähe der alten Felsen kamen, schien es ihnen, als ob
dieselben in einem besonderen Lichte erglänzten. Ein Spielmann
machte den Vorschlag, zu Ehren der Greifensteine eine muntere
Weise zu blasen. Wie gesagt, so getan. Beim Abstieg nach Geyer sa-
hen die Stadtpfeifer im Scheine des Mondes große Zinnstufen am
Wege liegen; sie meinten, der letzte Regen habe sie ausgewaschen.
Ohne Säumen hoben sie die Steine auf und stecken sie in ihren
Rucksack. Als die Frauen und Kinder am nächsten Morgen die Ruck-
säcke nach einem Wurstzipfel oder sonst einer Gabe durchsuchten,
wurden sie die Stufen gewahr und brachten sie zum Schmelzmeister.
Der erkannte sie als reines Silber und lohnte die Frauen reichlich.
Nutzen hat die reiche Gabe des Greifensteiners den Stadtpfeifern
nicht gebracht; es ist alles wieder durch die Musikantenkehle geflos-
sen.

### 227. Der mit Mord bezahlte Silberschatz

Im Dörnthal, dort wo die Dorfstraße im spitzen Winkel auf die alte
Salzstraße von Oederan nach Sayda trifft, steht auf einer Wiese ein
grauer Stein. Er erinnert an folgende Begebenheit: Einst war ein
Waldarbeiter namens Tobias Werner auf einem Holzschlag mit dem
Roden eines Baumstumpfes beschäftigt. Trotz aller Mühe hatte er
keinen Erfolg. Der Wurzelstock saß zu fest im Erdreich. Plötzlich zu
Mittag, die Kirchturmuhr schlug 12 Uhr, fuhr der Stock wie von
selbst heraus, und zwischen den Wurzeln wurde ein Topf mit Silber-
münzen sichtbar. Schon wollte der Waldarbeiter zugreifen, da stand
plötzlich ein graues Männlein hinter ihm und sagte: „Der Schatz ist

dein, wenn du mir ein Seele dafür lieferst." Dem Tobias wirbelte es
im Kopfe. Der Schatz glitzerte in der Sonne, und die Gier nach ihm
gewann die Oberhand. Da fiel ihm ein, daß bei ihm im Hause eine
alte Frau wohnte. Er eilte heim und brachte die fast Achtzigjährige
um. Daraufhin gelang es ihm, den Schatz zu heben. Erfreuen konnte
er sich seiner nicht lange. Er wurde gefaßt und am 11. Juli 1747 mit
dem Schwerte hingerichtet.

## 228. Der Schatz im Niederfreiwald

Westlich der Straße von Berthelsdorf nach Müdisdorf, im sogenannten Niederfreiwald, befand sich einst ein Wirtschaftshof. Er soll dem
Prinzenentführer Ritter Kunz von Kaufungen gehört haben. In dessen Keller ruht, in einem weiten Gewölbe verborgen, ein reicher
Schatz von Gold und Silber. Als vor langer Zeit Schatzgräber versuchten, den Schatz zu heben, und bereits ein tiefes Loch gegraben
hatten, stießen sie auf ein Nest voller Kröten mit feurigen Augen, so
daß sie bestürzt davonliefen.

## 229. Die Schätze von Oberlauterstein bei Zöblitz

Ein Holzhauer aus Zöblitz verrichtete einst in der Nähe des Oberlautersteins sein Tagewerk. Es war Abend geworden, und er hatte seine
Arbeit beendet. Da trat aus einer verfallenen Burgmauer ein Mann
in alter Rittergestalt hervor. Hinter ihm öffnete sich eine große Höhle, in der ein helles Feuer brannte. Deutlich sah der Waldarbeiter eine Braupfanne voll rotglühendem Gold. Der Ritter winkte ihm
freundlich und reichte ihm einen gewöhnlichen Ziegelstein. Als der
Mann diesen ergriff, ertönte ein Donnerschlag; die ganze Erscheinung war im Nu verschwunden, und der Holzhauer stand im Finstern, einen Ziegelstein in der Hand. Verwundert machte er sich auf
den Weg; aber da ihm der Ziegelstein zu schwer wurde, warf er ihn
ins Gebüsch. Als er ins Haus trat, fragte ihn seine Frau: „Nun,
Mann, wie siehst du denn aus? Du glänzt ja, als wäre dein Ärmel
vergoldet!" Da sah er den reinsten Goldstaub an Händen und Kleidern. Nun erzählte er sein Erlebnis am Schloßfelsen. Am anderen
Morgen suchte er mit Frau und Kindern nach dem weggeworfenen
Ziegelstein. Allein, die Mühe war umsonst. Den edlen Ziegelstein
hat niemand je wiedergesehen.

Zu Silvester um Mitternacht, wenn die Glocken zu Zöblitz das neue Jahr verkünden, erhebt sich mit dem ersten Glockenschlage der hohe Fels des Oberlautersteins. Man kann dann vom Tale aus die Braupfanne voll Gold sehen und mittels eines wackeren Geisterbanners den Schatz heben. Mit dem letzten Glockenschlag verschließt sich die Höhle wieder, und die Braupfanne sinkt in die Tiefe.

Anmerkung: Auf einem hohen Felsen im Schwarzwassertal lag die Burg Oberlauterstein, die erstmals 1292 urkundlich erwähnt wurde und Nidberg hieß. Als Erbauer gilt ein Ritter Wernher aus dem Geschlecht derer von Erdmannsdorf.

### 230. Die Schätze der Burg Niederlauterstein bei Zöblitz

In den unterirdischen Gewölben der Ruine des Schlosses Niederlauterstein sollen drei Kessel stehen, jeder eine Elle hoch und breit, die mit lauter gemünztem Gold gefüllt sind. In einem anderen Kessel liegen Edelsteine, Kleinodien von unschätzbarem Wert und eine goldene Krone aus den Zeiten der böhmischen Lehnsherrschaft.

Vor alten Zeiten ist ein Mönchlein aus Prag gekommen, in schwarzen Kleidern, klein von Gestalt und hinkend. Dieser hat den Schatz heben wollen. Als er aber im Gewölbe war und die Schätze bereits vor sich sah, stieß er einen Schrei des Erstaunens aus. Da schlossen sich die Gewölbe, und von ihren Kleinodien sowie dem

Burg Lauterstein, um 1629

mönchischen Geisterbanner hat niemand wieder etwas bemerkt.

Einst ging eine arme Frau, welche Beeren sammelte, des Abends nach Zöblitz zu. Als sie an der Ruine Lauterstein vorbeikam, sah sie auf der Höhe eine kleine Kapelle, deren Tür offenstand. Neugierig stieß sie die Tür auf, setzte ihr Kind, das sie bei sich hatte, auf die Erde und betrat die Kapelle. Vor deren Altar erblickte sie einen Kasten voll gemünzten Goldes. Sie raffte soviel davon in die Schürze, als sie tragen konnte, und eilte, ihr Kind und die Beeren vergessend, nach Hause. Nachdem sie das Gold in Sicherheit gebracht hatte, fiel ihr ein, daß sie ihr armes Kind zurückgelassen hatte. Als sie atemlos auf der Ruine ankam, war die Kapelle verschwunden, von ihrem Kind war nichts zu sehen.

Sie verwünschte das Gold, für das sie mit ihrem Kind bezahlt hatte. Täglich ging sie zur Ruine, ihr Kind zu suchen. Jedesmal kam sie allein zurück. Inzwischen waren drei Jahre vergangen. Als sie abermals mit verweinten Augen die Mauern der Ruine anstarrte, da zeigte sich pötzlich die Kapelle wieder. Sie eilte hinein und fand ihr Kind schlafend vor dem Altar. Freudig hob sie es auf und verließ die Kapelle, ohne an den Schatz zu denken. Als sie den Berg hinunterging und nach der Ruine zurückschaute, war die Kapelle verschwunden. Sie zog nun nach Böhmen, kaufte dort eine Grafschaft, gründete ein Kloster und tat von ihren Schätzen den Armen viel Gutes.

### 231. Die Schätze des Schlosses Voigtsdorf bei Sayda

Da, wo sich noch um die Jahrhundertwende die Schäferei von Voigtsdorf bei Sayda befand, stand einst ein Schloß, das — vermutlich in einem Hussitenkriege — eingeäschert worden war. Dabei wurde ein Schloßfräulein mit all seinen Schätzen verschüttet. Vergeblich wurde an dem Platze gegraben, um der Schätze teilhaftig werden zu können, sie waren nicht zu finden.

### 232. Der Schatz in der Ruine Rechenberg

Nahe der Kirche des Dorfes Rechenberg, südlich von Frauenstein gelegen, erhebt sich auf einem Felsen die Ruine des Schlosses Rechenberg. Vermutlich war es zur Bewachung der Zollstraße nach Böhmen erbaut worden. Ein unterirdischer Gang verbindet es mit Schloß Frauenstein. In manchen Nächten ist oben in der Ruine ein Licht zu sehen. In einem der Gewölbe steht eine Braupfanne, in der ein großer Schatz liegt. Wer diesen heben will, muß seine eigene Tochter zum Opfer bringen. Dieselbe muß aber weißhaarig sein. Einmal gelang es einem Manne, ohne ein solches Opfer einen Teil des Schatzes

zu erlangen. Als nämlich ein Bierknecht des früheren Rittergutes vom Berge herabfuhr, sah er von ferne auf der Ruine ein Licht. Er hielt sein Fuhrwerk an und stieg zur Ruine hinauf. Wo sich das Licht befand, lagen dreihundert Taler. Diese steckte er ein und nahm sie mit. Nach vier Wochen war er jedoch tot.

Anmerkung: Burg Rechenberg dürfte um 1266 von einem Herrn von Riesenburg bei Osseg erbaut worden sein. Am 4. Februar 1398 erwarb Herzog Wilhelm von Meißen die Herrschaft Riesenburg käuflich. 1486 erlitt die Burg einen Großbrand.

### 233. Der Schatz auf dem Burgberge bei Mulda

Zwischen den Dörfern Lichtenberg, Burkersdorf und Mulda erhebt sich der Burgberg. Auf dessen Gipfel waren noch Überreste eines Doppelsteinwalles und eines Brunnens, der Jungfernbrunnen genannt, zu sehen. Auf dem Berge stand einst ein Schloß. Noch immer ruht in einer weiten Felsenhöhle ein großer Schatz in einer Braupfanne. Zuweilen sieht man in der Mitternachtsstunde ein Licht. Erklimmt man dann sofort den Gipfel und bringt einen weißhaarigen

Jungen mit, so kann man den Schatz heben. Viele haben es schon versucht, wurden aber auf dem Platz, wo das Schloß gestanden hat, von dem Licht oder auch einem Hahne irregeführt. Der Hahn aber ist der verzauberte Burgherr. Er wird erlöst, wenn es jemandem gelingt, den Schatz zu heben.

Der Eintritt in den Keller und ebenso der Austritt müssen stillschweigend geschehen. Einst kam ein Schatzsucher in die Höhle und erblickte viel Gold und Edelsteine, von denen er eine große Menge mitzunehmen gedachte. Als er aber am Ausgang einen Ausruf der Freude von sich gab, schloß sich hinter ihm die Pforte, und die Schätze, die er bei sich trug, waren wie im Traum verschwunden.

Einmal lebte im Dorfe Lichtenberg ein Junge, den man ob seiner Verwegenheit den Waldteufel nannte. Er kletterte eines Tages mit zwei anderen Jungen an der Felswand, die nördlich von den Wällen steil abfällt. Da kamen sie an eine tiefe Felsenkluft, über die zwei Felszinken ragten. Indem sich der Waldteufel an einem der Zinken festhielt, gelang es ihm, sich etwas in den Spalt hinabzulassen. Da sah er in der Tiefe einen großen Haufen Knochen, so daß den beherzten Jungen gruselte und er schnell wieder hinaufstieg. Von einem Schatz hat er nichts bemerkt.

Auf dem Berge ist schon mancher, auch bei Tage, so betört worden, daß er lange Zeit in die Irre ging.

Als der Jungfernbrunnen noch Wasser hatte, versuchte man vergeblich, daraus zu schöpfen. Es gelang nicht.

Anmerkung: Nach der Chronik von Christian August Bahner, 1748, waren auf dem Burgberg Überreste einer Burg vorhanden. — Vgl. Sage Nr. 349.

### 234. Der Schatz im Klosterbrunnen bei Marbach

In den Jahren 1141 bis 1146 gründete Tammo von Strehla ein Kloster nahe dem Dorfe Marbach, welches aber später einging und dessen Gebäude abgetragen wurden. In dem einstigen Klosterbrunnen hatten die Mönche eine Glocke und viel Gold- und Silbergerät geworfen und dann den 95 Klafter tiefen Brunnen zugeschüttet. Diese Schätze harren noch der Ausgrabung. Bewacht werden sie von einem Pudel mit feurigen Augen, der schon manchen Wanderer des Nachts im Zellwald belästigt hat.

Anmerkung: Vor der Gründung des Zisterzienserklosters Altzella 1162 bestand bei Nossen bereits ein Benediktinerkloster, gegründet zwischen 1141 und 1145 auf bischöflischem Gebiet von einem Tammo von Strehla. Aufgelöst oder gar zerstört wurde das Kloster vor 1170, vielleicht im Zusammenhang mit Auseinandersetzungen zwischen kaiserlicher und päpstlicher Gewalt. Das Kloster lag sicher nicht im Zellwald, wie die Sage angibt.

### 235. Der Schatz im Zeisigwald bei Chemnitz

Von dem ehemaligen Schulrektor in Chemnitz, Paulus Niavis, ist überliefert worden, daß bei dem Bürgerwald, das ist der jetzige Zeisigwald, ein kleiner Hügel bei des Bürgermeisters Arnold Feld wäre, da habe unten an dem Fuße des Hügels eine große ausgebreitete Fichte gestanden, und daselbst wäre eine Höhle, von außen mit Dornen und Brombeersträuchern verwachsen. Von dieser wird erzählt, daß in ihr ein großer Schatz von Golde verborgen liege, dieweil die Leute in dem Hussitenkriege ihr Vermögen darin verstecket. Solcher Schatz aber wäre besessen. Es hätten einige Schatzgräber denselbigen heben wollen, aber nichts ausgerichtet.

Anmerkung: Paulus Niavis (1460 — 1517), eigentlich Paul Schneevogel, verfaßte 1485 das „Judicium Jovis" (Das Gericht Jupiters), eines der frühesten Bücher über den Bergbau.

### 236. Der Schatz im Schlosse Rabenstein

Ein ehemaliger Besitzer des Schlosses Rabenstein bei Chemnitz, ein Herr von Carlowitz, der sehr mißgestaltet war, hat im Schlosse an einem unbekanntem Ort eine Pfanne voll Geld vergraben mit dem Bannspruch, daß ein Besitzer des Schlosses aus seiner Familie, der ebenso bucklig sei wie er, den Schatz finden und heben soll.

### 237. Der Schatz im Taurastein

Einst befand sich auf dem Taurastein bei Burgstädt ein heidnischer Altar der Wenden. Wenn sie ihr Priester rief, versammelten sie sich im Hahnebusch und zogen dann gemeinsam auf den Felsen, um dort ihr Opfer darzubringen. Die Wenden und ihre Priester wurden vertrieben, aber noch lassen sich auf dem Platze gespenstige Männchen sehen, welche den verborgenen Schatz hüten.

Einst wanderte ein Burgstädter zum Taurastein. Von der Hitze ermattet, legte er sich im Waldesgrün nieder und fiel bald in einen tiefen Schlaf. Da vernahm er eine Stimme: „Steh auf, denn ich führe dich zu deinem Glück!"

Als der Wanderer die Augen aufschlug, war es Nacht. Vor ihm stand ein graues Männchen. Mit unsichtbarer Macht zog es ihn, dem Männchen zu folgen. Bald stand er vor einer offenen Pforte, die in

eine Höhle führte. Im Inneren der Höhle lagen Haufen von helleuchtendem Golde. Da sagte das Männchen: „Jetzt sind wir am rechten Ort. Alles, was du hier siehst, soll dein sein, und du bist alle deine Sorgen los. Nur eine Kleinigkeit wünsche ich dafür von dir. Dein Weib hat dir soeben einen Knaben geboren. Den sollst du mir schenken, daß er mir mit Leib und Seele gehöre." — Da zog der fromme Burgstädter ein Kreuz hervor, das er stets bei sich trug, und hielt es dem Männchen entgegen. Plötzlich stürzten die Felswände der Höhle krachend ein, und das Gold sank in die Tiefe hinab. Der Arme aber fiel wie leblos mit bleichem Gesicht zwischen den Steinen nieder. Als er am Morgen erwachte, wurde in der nahen Stadt das Pfingstfest eingeläutet. Zu Hause angekommen, fand er sein Weib im Wochenbett. Es hatte ihm in der Nacht ein Söhnlein geboren.

Als sich in der Stadt die Kunde von dem Schatz verbreitete, eilte jung und alt nach dem Taurastein, um zu sehen, ob von dem Golde noch etwas zu sehen sei. Doch jede Spur von der reichen Schatzkammer war verschwunden.

## DRITTER TEIL

# Historische Sagen

### 238. Der Ottenstein bei Schwarzenberg

Ungefähr eine halbe Stunde östlich von Schwarzenberg, zwischen Schwarzwasser und Pöhl, liegt der Ottenstein, welcher angeblich seinen Namen von einem der Kaiser namens Otto führen soll, der einmal hier übernachtete. Doch die Sage weiß es besser.

Einst herrschte auf der Feste Schwarzenberg ein Ritter, der ein schönes Mündel besaß. Um dieses freite ein aus dem Rheinland stammender Graf Otto von Siebeneichen. Weil der Vormund aber sein Mündel selbst ehelichen wollte, wies er den Antrag des Ritters barsch zurück. Dieser beschloß daher, das geliebte Mädchen zu entführen.

Schwarzenberg war seinerzeit von einem See umgeben, der sich bis nach Untersachsenfeld hinzog. Der Ritter richtete sich in einer Fischerhütte ein, von wo aus er seiner Liebsten Nachricht zu geben gedachte, wann er sie mit einem Kahn abholen wollte.

Als er eines Tages auf dem See ruderte, stieg ein wunderschönes Frauenbild aus dem Wasser, setzt sich zu ihm und suchte ihn durch Liebkosungen dazu zu verleiten, ihr in ihren Kristallpalast unter den Wellen zu folgen. Der Ritter stieß die Nixe zurück und sagte, er habe bereits sein Herz einem Mädchen geschenkt und könne daher keine andere lieben. Traurig verließ ihn die schöne Nixe.

Er ließ sich von da an nicht mehr auf dem See blicken. Bis zu dem Tag, an dem er seine Geliebte holen wollte. Der Vollmond ließ das Wasser erglänzen. Glücklich erreichte er das andere Ufer, wo seine Braut in das Boot stieg. Auf der Rückfahrt schien der See plötzlich zu kochen. Der Kahn schwankte und war nicht mehr im Gleichgewicht zu halten, so daß ihn eine Welle umwarf. Zwar ergriff der Graf seine Geliebte, doch unsichtbare Hände entrissen sie ihm. Ihn aber trugen die Wellen nach der Fischerhütte zurück.

Der Graf verließ die Gegend nicht wieder. Er baute sich im Walde eine Hütte, in der er als Einsiedler lebte und seine Tage am Ufer des Sees verbrachte, der ihm sein Teuerstes geraubt hatte. Einst fanden ihn Fischer tot auf dem See schwimmend. Wie er dahin gekommen war, wußte niemand zu sagen. Man begrub ihn am Ufer und setzte

Burg Schwarzenberg

ihm ein Kreuzlein mit seinem Namen. Längst ist das Kreuz verschwunden. Der See hat seinen Abzug ins Tal gefunden. Der Berg
aber, wo einst die Klause stand, heißt heute noch der Ottenstein.

### 239. Der Brudermord im Zschopautal

Am rechten Ufer der Zschopau, in unmittelbarer Nähe des Dorfes
Sachsenburg, liegt der Treppenhauer, ein Berg, auf welchem in alten
Zeiten eine Burg gestanden haben soll. Von ihr zeugen noch einige
wenige von Moos, Sträuchern und Schlingpflanzen überwachsene
Mauerreste. Der alte Burgherr, so erzählt die Überlieferung, hatte
zwei Söhne, ehrenhafte und mutige Ritter, die ganze Freude und der
Stolz ihres Vaters. Einst kam eine Nichte des Burgherrn zu Besuch,
ein anmutiges Fräulein, ausgestattet mit allen Reizen der Jugend und
liebevoll im Umgang. Die Brüder wetteiferten, ihre Gunst zu erwer-
ben. Es schien, als ob die Jungfrau den jüngeren bevorzuge. Damit
war die Eintracht zwischen den Brüdern zerstört, denn dem Ver-

209

schmähten fraß sich die Eifersucht ins Herz. Mit Mühe gelang es
dem Burggrafen, seine Söhne zu bewegen, sich die Hand zu reichen.
Die alten schönen Zeiten schienen wiederzukehren.

Eines Tages schlug der Ältere ein Jagdreiten vor. Alle Jagdgenos-
sen, unter ihnen der jüngere Bruder und das Fräulein, waren fröh-
lichster Laune. Nur der ältere Bruder ritt ernst und schweigsam
dahin und wurde immer finsterer und verschlossener, je lauter sich
die Lustigkeit der anderen äußerte. Die Eifersucht wühlte in ihm,
und böse Gedanken erfüllten sein Herz. Als er gewahrte, wie das
Fräulein seinem Bruder freundlich zulächelte, ritt er heran und ver-
bot dem Bruder alles Schöntun mit dem Mädchen, da er Anspruch
auf sie erhebe. Bestürzt mahnte das Fräulein zur Ruhe — umsonst,
die Schwerter flogen aus der Scheide, und der erbittertste Kampf begann. Endlich schlug der ältere Bruder den jüngeren mit einem
wuchtigen Schlage zu Boden, daß er verblutete. Der Mörder entfloh,

entsetzt über seine unheilvolle Tat. Den alten Vater aber rührte bei
der Nachricht vom Tod seines Sohnes der Schlag. Nachdem die beiden Toten bestattet worden waren, ging das Fräulein ins Kloster.

Den Brudermörder trieb es rastlos in der Welt umher, nirgends
fand er Ruhe. Als er nach langer Wanderung nach Rom kam, bat er
den Heiligen Vater um Vergebung für seine Freveltat. Der Papst gewährte seine Bitte unter der Bedingung, daß er seinen Besitz der
Kirche übergebe, ein Mönch werde und an der Stelle, wo der Brudermord geschehen sei, jeden Morgen eine Seelenmesse lese, bis deren tausend voll seien. Der Brudermörder starb indes, ehe die tau-

send Frühmessen gelesen waren, so daß die Buße unvollständig blieb. Mit ihm erlosch das ruhmreiche Geschlecht. Bis heutigentags fand er keine Ruhe im Grabe, weil er die Buße nicht vollbracht hat. Nachts wandelt er, im Priestergewand und mit einem Buch unter dem Arm, auf der Straße am Fuße des Treppenhauers, verzweiflungsvoll zum Himmel blickend.

Der Platz, wo der Brudermord geschehen sein soll, liegt ungefähr 15 Minuten von der Stadt Frankenberg und heißt die Frühmesse.

### 240. Das Schloßfräulein von den Greifensteinen

Die Felsengruppe der Greifensteine bei Thum zeigt an vielen Stellen Spuren von Mauerwerk, und da man auch innerhalb desselben wie auch in seiner Nähe Pfeile, Eisenwerk und dergleichen gefunden hat, so scheint die Vermutung nicht unwahrscheinlich, daß dort einst ein Raubschloß gestanden hat, über dessen Untergang eine schauerliche Geschichte umgeht.

Im 11. Jahrhundert soll ein Ritter, Odo von Greifen, am Hof des Herzogs Wratislaw von Böhmen gelebt haben. Von dort entführte er ein Fräulein und zog mit diesem in den fast nur von wilden Tieren bewohnten Freiwald bei Thum, wo er sich die Greifenburg erbaute. Hier lebten beide ganz der Erziehung ihres einzigen Sohnes.

Eines Tages brachte der Ritter von einem Jagdzug ein kleines Mädchen von ohngefähr zwei Jahren mit, das er im Dickicht schlafend gefunden hatte. Das Kind ward zusammen mit dem jungen Ritterssohne erzogen, beide liebten sich wie Geschwister. Als sie herangewachsen waren, wurde aus der geschwisterlichen Zuneigung ein weniger unschuldiges Verhältnis. In einer unbewachten Stunde vergaßen sich die Liebenden, und nach einigen Monaten fühlte sich das Mädchen Mutter werden.

Als der Waffenbruder seines Vaters, Bruno von Scharfenstein, mit einem Raubritter namens Rekko von Rauenstein in Fehde geriet, zog der Junker aus, ersterem beizustehen. Der Raubritter hatte vor 18 Jahren seine schwangere Gattin geraubt und belagerte jetzt abermals sein Schloß. In der Abwesenheit ihres Sohnes entdeckten die Eltern die Schwangerschaft ihrer Pflegetochter. In ihrem Adelsstolz war ihnen eine Verbindung zwischen den Liebenden unvorstellbar. Sie behandelten das unglückliche Mädchen wie eine Buhldirne und ließen sie unter schweren Mißhandlungen ins tiefste Burgverlies werfen. Hier gebar sie ein Knäblein, und da sie sich von Gott und den Menschen verlassen fühlte, schleuderte sie das Neugeborene an die Kerkermauer. Da stand plötzlich eine weiße Gestalt vor ihr, welche zu ihr sprach: „Ich war seit undenklichen Zeiten wegen einer ähnlichen Handlung zum ruhelosen Umherirren verurteilt gewesen, jetzt aber bin ich durch dich erlöst worden. Du wirst nun meine Stelle einnehmen, bis einst ein keusches Weib, welches niemals einen unkeuschen Gedanken in ihrer Seele gehegt, in stiller Mitternacht deinen Namen dreimal ohne Furcht ruft." — Die Unglückliche sank tödlich erschrocken zu Boden und erwachte nicht wieder. Ihr Geist aber war dem hartherzigen Pflegevater erschienen und hatte seinem Hause Verderben angekündigt. Reuig eilte der Ritter in ihren Kerker hinab, fand aber nur ihren Leichnam und den des Neugeborenen. Er ließ beiden ein prächtiges Begräbnis ausrichten. Eben als man sie beisetzte, kehrte der Junker als Sieger von seiner ersten Waffentat zurück. Voller Freude eilte er der väterlichen Burg entgegen, denn er hatte aus dem Munde des gefangenen Raubritters erfahren, daß seine Geliebte das von letzterem im Freiwalde ausgesetzte Töchterchen der entführten Gemahlin des Ritters von Scharfenstein sei. Nun war er sich gewiß, daß seine Eltern ihrer Verbindung die Zustimmung nicht versagen würden.

Da sah er die Trauerfahne vom Schloßturm wehen und ahnte Böses. Auf dem Schloßhof kam ihm der Leichenzug entgegen. Als er die Wahrheit erfuhr, stieß er einen furchtbaren Fluch gegen seine hartherzigen Eltern aus und sank in eine tiefe Ohnmacht, aus der er nur erwachte, um für immer in geistiger Nacht zu leben.

Seine Eltern überlebten diese Katastrophe nicht lange. Ihr unglücklicher Sohn wurde auf Lebenszeit in einem Kloster untergebracht. Herzog Wratislaw übergab die Burg Greifenstein als erledigtes Lehen einem anderen böhmischen Ritter. Da dieser in ständiger Fehde mit seinen Nachbarn lebte, vereinigten sich diese gegen ihn. Die Burg wurde erobert und zerstört. Noch heute soll zwischen den Felsen der Geist jenes unglücklichen Mädchens, ihr zerschmettertes Kind im Arm, umherirren und den Wanderer durch ihr Wehgeschrei erschrecken.

Anmerkung: Zu einem Schloß auf den Greifensteinen siehe Anmerkung zu Sage Nr. 224.

### 241. Harras, der kühne Springer

Zwischen Frankenberg und Lichtenwalde an der Zschopau befindet sich ein hoher Fels, der Haustein genannt. Am 28. Mai 1499 ist der Ritter von Harras, Besitzer von Lichtenwalde — die Familie besaß dasselbe bis 1561 — in der Fehde von seinen Feinden in der Nähe des Felsens überfallen worden. Ihm blieb kein anderer Weg zur Flucht, als mit seinem Rosse von der Spitze des hohen Felsens in die unten vorbeiströmende Zschopau zu springen. Dieser kühne Sprung von einer Höhe von mehr als hundert Ellen ist ihm auch geglückt, und da an dieser Stelle das Wasser zehn Ellen tief war, haben weder der Reiter noch sein Roß Schaden gelitten, sondern beide haben glücklich das andere Ufer erreicht und dann im Schlosse zu Lichtenwalde Schutz gefunden. Der Ritter aber hat nach der Kapelle zu Ebersdorf und dem dortigen Gnadenbild eine Wallfahrt gemacht und zum Andenken daselbst ein silbernes Hufeisen hinterlassen, welches in der Kapelle aufgehängt, aber um 1529 gegen ein eisernes vertauscht worden ist.

Anmerkung: 1447 belehnte Kurfürst Friedrich der Sanftmütige den Ritter Herrmann von Harras mit der Burg Lichtenwalde. Sein Sohn Dietrich von Harras war 1486 Untermarschall und Amtmann zu Meißen und Sachsenburg. Die Geschichte rühmt ihn als „tapfer und gottesfürchtig". Für eine Fehde gibt es keine Beweise, denn die Nachbarburg war 1499 bereits kurfürstlich. Dietrich starb 1499, also im gleichen Jahr, in dem die Sage handelt. Sein Grabstein, 1502 bis 1505 von Hans Witten geschaffen, befindet sich in der Stiftskirche zu Ebersdorf. Die Grabplatte zeigt Dietrich in voller Rüstung auf einem Löwen stehend. Die Umschrift lautet: „Anno dni (domini) 1499 am Tage primi v. filiciani starb der gestrenge her Dittrich von harras Ritter dem god genade." — Das Waldhufendorf Ebersdorf, gegründet in der zweiten Hälfte des 12. Jahrhunderts, gehörte erst zum markgräflichen Burgbezirk Rochlitz und später zur Herrschaft von Lichtenwalde. Es ist inzwischen in Chemnitz eingemeindet worden. Die ehemalige Stiftskirche Unserer lieben Frauen wurde 1410 — 1420 erbaut. Sie war im

15. Jahrhundert ein Wallfahrtsort. Neben dem Marien-Gnadenbild und sieben Altären waren es besonders Reliquien, die vor der Reformation verehrt wurden. — Literarisch wurde die Sage durch eine Ballade Theodor Körners bekannt, der sie als Student der Bergakademie Freiberg auf einer Exkursion ins Zschopautal kennenlernte. — Seit 1801 erinnert ein Denkstein mit der Inschrift „Dem tapferen Springer, Ritter Harras" an die Sage. Den Gipfel des Berges krönt seit 1863 ein Kreuz zur Erinnerung an Theodor Körner.

### 242. Der Fall der Burg Frauenstein

Graf Heinrich von Plauen hatte leichtfertigerweise Burg Frauenstein einem Ritter Dietrich von Vitzthum anvertraut. Dieser machte mit den Raubrittern gemeinsame Sache und fügte den Kaufleuten viel Schaden zu. Kurfürst Friedrich der Sanftmütige entsandte daraufhin eine Abordnung nach Frauenstein, die Dietrich aufforderte, das Raubgesindel aus seiner Burg zu entfernen. Der Herold, der Friedrichs Befehl vor dem Burgtor kundtat, erhielt statt einer Antwort einen Armbrustpfeil entgegengesandt, der dicht an seinem Ohr vorbeisauste. Am Fenster des Torwächters erschien Ritter Dietrich und rief: „Was schiert mich der Markgraf von Meißen? Der Burggraf von Plauen ist mein Herr, dem nur stehe ich Rede und Antwort und sonst keinem!"

Der Kurfürst war über die Widersätzlichkeit Vitzthums erzürnt und bot alsbald die Bürger der benachbarten Städte zum Zuge gegen die Burg Frauenstein auf. Diese schlossen sich um so lieber dem kleinen Feldzuge an, als ihnen durch die Räuber, welche die Handelsstraße nach Böhmen beunruhigten, beträchtlicher Schaden zugefügt wurde.

Da die Aufforderung zur Übergabe ohne Antwort blieb, wurden die Donnerbüchsen auf die Umfassungsmauern der Burg gerichtet. Die Steinkugeln prasselten gegen die Mauern, doch auch die Besatzung schleuderte Wurfgeschosse gegen die Belagerer. So entbrannte ein harter Kampf, der entschieden wurde, als auf der Burg dichte Rauchwolken emporstiegen. Jetzt wurde die Burg von allen Seiten berannt und in kurzer Zeit bestiegen. Innerhalb der Burg entbrannte nun ein Kampf Mann gegen Mann, wobei Kuno von Schönberg, der Führer der kurfürstlichen Truppe, mit Dietrich von Vitzthum aufeinanderpallte. Beide fochten löwenkühn, zuletzt siegte jedoch der Schönberg. Man schleppte den verwundeten Vitzthum fort, und die Besatzung ergab sich auf Gnade und Ungnade.

Drei Tage verblieben dem Besiegten. In den ersten Tagen des De-
zembers 1438 strömten Hunderte aus der Umgebung Frauensteins
herbei, um der Hinrichtung des einst so gefürchteten Raubritters bei-
zuwohnen. Dicht gedrängt stand die Menge im Burghof. Da erklang
von der Burgkapelle das Sterbeglöckchen. Vier Knappen brachten
Dietrich von Vitzthum, der schwer verwundet und kaum bei Besin-
nung war, zur Richtstatt, worauf das Todesurteil vollstreckt wurde.

Die Burg Frauenstein wurde so weit zerstört, daß sie nicht mehr
widerstandsfähig war und keinen Schlupfwinkel für die Raubritter
bot. Der Geist des hingerichteten Raubritters soll von Zeit zu Zeit
noch immer in der Burgruine umgehen und auch in den hinteren,
nicht bewohnten Teilen des neuen Burggebäudes bemerkt worden
sein. In der Nähe des Parkschlößchens läßt sich manchmal etwas
„Graues" sehen.

### 243. Der böse Gecko von Lauenstein

Von den Hauptleuten auf der Burg Lauenstein, die raubend umher-
streiften, war Gecko der gefürchtetste. Bei einem Überfall hatte er
die Gemahlin des Burgrafen Otto von Dohna und deren Tochter in
seine Gewalt gebracht. Da Otto das Lösegeld nicht aufbringen konnte, ließ er beide in schmählicher Gefangenschaft schmachten. Erst
nachdem Otto die Burg Lauenstein belagerte, kamen sie frei. Die
Burggräfin war durch die harte Gefangenschaft so geschwächt, daß
sie bei der Begrüßung in den Armen ihrers Gemahls verschied.

215

Hauptmann Gecko fand später ein elendes Ende, das man für das Strafgericht Gottes ansah. Geckos kleiner Sohn spielte einst am Rande des Zwinggrabens und stürzte, als er nach einer Blume langte, ab. Gecko eilte herbei, um ihn zu retten, glitt indes aus, und stürzte ebenfalls in den Graben. Dabei blieb er an einem Pfahl hängen und spießte sich denselben in der Hüfte zwischen Wams und Brustschild durch den Leib, woran er elendiglich seinen Tod fand. Der Knabe aber ist unversehrt wieder herausgekommen.

### 244. Der Katharinenstein bei Lauenstein

Um das Jahr 1643 wurde Agnes Katharina von Bünau Besitzerin von Lauenstein, nachdem ihr Gemahl auf einer Reise nach Mainz plötzlich gestorben war. Drei Monate danach genas sie von einem Knaben, den sie um so lieber hatte, weil er das letzte Liebespfand des Verstorbenen war. Einst lustwandelte sie mit dem Knaben und dessen Wärterin auf einem Hügel in der Nähe des Schlosses, der jetzt der Pavillon genannt wird. Weil das Kind eingeschlafen war, befahl sie der Wärterin, es auf den Rasen zu legen und Blumen zu pflücken. Die Frauen hatten sich ein Stück von dem etwa Zweijährigen entfernt; diese Gelegenheit benutzte ein Adler, der auf Beute gespäht hatte, und stieß nach dem schlafenden Kinde, packte es mit den Fängen und entführte es in die Lüfte. Da ihn die Schwere des Kindes beim Fluge hinderte, flog er nur sehr langsam nach den jenseits des Schlosses gelegenen Felsklüften. Ein am Hofe angestellter Falkner hatte den Raub zufällig beobachtet und schickte dem Adler seinen Jagdfalken nach. Dieser bedrängte den mächtigen Räuber dermaßen, daß er das Kind fallen lassen mußte. Zum Andenken an die wunderbare Rettung, ließ die Herrin von Lauenstein auf dem Hügel, wo ihr Sohn unversehrt herabgefallen war, einen Turm erbauen und später auch eine Glocke darin aufhängen. Der Hügel heißt seitdem Katharinenhügel. Auf dem Marktplatz von Lauenstein aber erinnert der Falknerbrunnen an dieses Ereignis.

Anmerkung: Der Turm auf dem Katharinenfelsen steht nicht mehr. 1878 wurden die Reste der Ruine beseitigt. Die Figur des Falkners auf dem Lauensteiner Falknerbrunnen wurde 1912 von dem Dresdner Bildhauer Rudolph Hölbe im Auftrag des Landesvereins Sächsischer Heimatschutz errichtet. — Nach einer anderen Version der Sage wurde der Greifvogel von einem Jäger getötet.

## 245. Der Wittich-Felsen bei Glashütte

Unterhalb von Glashütte, an der Müglitzstraße, erhebt sich ein Felsen, auf dem sich in mittelalterlicher Zeit der berüchtigte Raubritter Wittich sein Raubschloß errichtet hatte. Er verunsicherte das gesamte meißnische Land. Immer wieder wußte er seine Verfolger zu täuschen, indem seine Pferde die Hufeisen bald verkehrt, bald richtig an ihren Hufen trugen. Auch hatte ihm eine Zauberhexe einen Ring geschenkt mit einem kostbaren Stein. Waren ihm die Verfolger auf Sichtweite nahe gekommen, so drehte er den Stein nach unten und war plötzlich unsichtbar. Nur die Sonne durfte nicht scheinen, denn sein Schatten blieb zu sehen. Er trieb es mit seiner Bande so arg, daß der Markgraf von Meißen dazu aufrief, ihm das Handwerk zu legen. Wer ihn tot oder lebendig überantworten könne, dem würde eine Bitte erfüllt.

Nun kam Wittich in Bedrängnis. Die meiste Gefahr schien ihm von dem Ritter Weigold III. von Bernstein zu drohen, der auf Bärenstein saß. So sann er auf eine Gelegenheit, seinen Widersacher umzubringen. Eines Tages erschien er vor Weigolds Jagdhütte in Luchau. Er lockte ihn heraus, indem er ihn um ein Gespräch bat. Doch kaum war Weigold vor das Haus getreten, als Wittich drei Armbrustschüsse auf ihn abgab. Alle drei verfehlten das Ziel. Jetzt kam es zum Zweikampf, in dem Wittich unterlag und getötet wurde. Für die Beseitigung des Raubritters erbat sich Weigold das Recht, ein Stück Wild über seinen Grundbesitz hinaus bis auf die Dresdner Brücke verfolgen zu dürfen. Daher rührt das alte Sprichwort: „Wer Wittich fängt, kann bis auf die Dresdner Brücke jagen." An der Stelle, wo Wittich den Tod fand, steht ein Steinkreuz, das sogenannte Wittich-Kreuz.

## 246. Die treue Frau zu Kriebstein

Im Zschopautal steht die Burg Kriebstein, erbaut von dem reich begüterten Edelmann Dietrich von Beerwalde. Am Fastnachtstage des Jahres 1415 gelang es dem Ritter Staupitz von Reichenstein, die Burg zu erobern. Da griff Friedrich der Streitbare ein, belagerte mit Hilfe der Freiberger Bürgerschaft die Burg und zwang Staupitz zur Übergabe. Der Ehefrau des Staupitz gewährte der Markgraf freien Abzug und erlaubte ihr, mitzunehmen, was sie tragen könne und was ihr am liebsten sei. Da ließ diese all ihr Geschmeide im Stich und trug ihren Eheherrn aus der Burg. Das bewegte den Markgrafen dazu, dem Ritter ungeachtet des bereits gefällten Todesurteils das Leben zu schenken.

Anmerkung: Burg Kriebstein wurde von Dietrich von Beerwalde errichtet und im 15. Jahrhundert durch Arnold von Westfalen (gest. 1480) befestigt. Die Staupitz-Fehde um die Burg ist historisch. Markgraf Friedrich der Streitbare (Herzog ab 1381, Kurfürst ab 1423) hat mit Unterstützung von Bürgern aus benachbarten größeren Ortschaften 1415 Kriebstein belagert und Ritter Staupitz zur Aufgabe der geraubten Burg gezwungen. Für den Landesfriedensbruch wurde Staupitz nicht mit dem Tode bestraft, sondern bis 1422 auf der Eilenburg in ritterlicher Haft gehalten. Daraus entstand die romantische Sage von der treuen Frau zu Kriebstein. Eine ähnliche Sage betrifft die Belagerung der Stadt Weinsberg 1140 durch König Konrad III. von Hohenstaufen.

## 247. Ein Ritter von Schönberg wird von den Hussiten gejagt

Als im Sommer 1427 ein starker Haufe Hussiten über Olbernhau und Sayda durch das Gebirge herunter nach Oederan zog, galt das besonders Ottomar von Schönberg, welcher den Hussiten aus der Gefangenschaft entwichen war und sich in seinem Schlosse Reinsberg aufhielt. Drei Wochen lang stürmten die Hussiten täglich gegen das Schloß. Da rettete den geängstigten Schloßherrn sein Knappe durch einen unterirdischen Gang, der sich in einem Busche vor dem Schloß öffnete. Diese Stelle ist später mit einem Gedenkstein, auf dem ein Kreuz eingehauen wurde, bezeichnet worden.

Ein bereit gehaltenes Roß trug den Ritter nachts durch den Forst auf die Straße nach Freiberg. Die Hussiten setzten dem Flüchtling nach und hatten den zu Tode Gehetzten hart vor Freiberg beinahe eingeholt. Der Turmwächter auf dem Meißner Turm gewahrte in der Morgendämmerung diese Menschenjagd. Er öffnete dem nahenden

Ritter, der ihm ein weißes Tuch entgegenschwang, einen Torflügel, den er vor den heransprengenden Hussiten schnell wieder zuschlug. Jetzt verließen den Ritter die Kräfte. Auf der Meißner Gasse stürzte er mit dem Pferde und wurde tot in das nächste Haus getragen. Auch diese Stelle wurde zum Gedenken seines Todes mit einem Stein, den man später an die Stadtmauer gelehnt hat, bezeichnet.

Anmerkung: Das Ereignis ist historisch nicht belegbar. Für das Jahr 1427 sind keine Aktivitäten der Hussiten um Freiberg bekannt, wie überhaupt Hussitenzüge über den Raum Olbernhau—Sayda nicht nachgewiesen werden können. Zum anderen ging nach historischen Quellen die Burg Reinsberg erst 1449 in den Besitz derer von Schönberg über. Im 30jährigen Krieg wurde die Burg 1632 von Kroaten gebrandschatzt.

Burg Kriebstein

219

### 248. Das Bild vom grauen Männel in der Burg Rauenstein

In den Jahren nach dem Dreißigjährigen Kriege war Wolf-Dietrich Arras Verwalter der Burg Rauenstein. Er hatte ein schweres Leben hinter sich. Der Vater war von den Schweden erschlagen worden, die Mutter hatte die Entbehrungen nicht überlebt. So war Arras die Einsamkeit der von dichten Wäldern umstandenen Burg gerade recht. Selten kam ein Mensch herauf. Wenn Arras einmal in Lengefeld erschien, in einem grauen Überhang und einen grauen Dreispitzhut auf dem Kopf, dann hieß es: „Seht, da kommt das graue Männnel von der Burg!", und mancher fürchtete sich vor dem finsteren Blick des Burgvogts.

Da Arras im Walde aufgewachsen war, kannte er sämtliche Heilkräuter, fertigte Medizin daraus und heilte manchen Kranken. Da ihm selbst sein Herz zu schaffen machte, bereitete er sich aus dem giftigen Fingerhut eine heilsame Medizin. Freilich durfte man nur einige Tropfen davon nehmen. Nahm man zuviel, war das der sichere Tod.

Eines Tages kam eine fahrende Zigeunertruppe auf die Burg. Da der erwartete Verdienst ausblieb, ließ man seinen Zorn an einem Äffchen aus, daß es laut aufschrie. Das konnte Arras nicht mit ansehen, warf Geld unter die Leute und nahm das Äffchen zu sich. Wenige Wochen später erhielt Arras den Auftrag, für den Kurfürsten eine Hetz- und Treibjagd vorzubereiten. Da Arras nicht zulassen wollte, daß auf Tiere geschossen würde, wies er den Boten ab, desgleichen einen zweiten und dritten. Der erzürnte Kurfürst beauftragte darauf den Verwalter der Augustusburg, die Jagd im Rauensteiner Wald auszurichten.

Da kam lustiges Leben in die Burg. Drei Tage dauerte die Jagd. Abends wurden im Fürstensaale rauschende Feste gefeiert. Am dritten Abend wurde nach Arras gefragt, der sich in seinem Turmzimmer verborgen hielt. Der Kurfürst ließ ihn samt dem Äffchen mit Gewalt holen, und nun wollten die Anwesenden den wunderlichen Verwalter betrunken machen. Arras bekam es in dem wüsten Treiben wieder mit dem Herzen, und auch das Äffchen mochte spüren, daß sein Herr seine Medizin brauchte. Es hüpfte daher in das Turmzimmer und holte die Arznei. Als die Anwesenden das Äffchen erblickten, johlten sie: „Ah, der Arras hat seinen eigenen Schnaps!"

und entrissen ihm die Flasche. Sie flößten Arras und dann dem Äffchen mit Gewalt von der Medizin ein, ohne in ihrer Trunkenheit zu ahnen, was sie da anrichteten. Das Äffchen kroch winselnd zu seinem Herrn und schmiegte sich an ihn. Beide lagen regungslos da. Man meinte, sie wären betrunken. Der Kurfürst, den dieser Anblick erheiterte, befahl seinem Hofmaler namens Bretschneider, Arras und das Äffchen an die Wand über dem Kamin zu malen. Der Maler machte sich ans Werk. Als er die Augen gemalt hatte, rief ein Edelfräulein erschrocken: „Was malst du da, er sieht mich so finster an, als ob er mir drohen wollte!" Andere riefen: „Er schaut aus, als ob er jeden Moment aus der Wand steigen wird!" Sie blickten vom Bild auf Arras und den Affen. Da bemerkten sie, daß beide tot waren.

In dem Augenblick bewegte sich das Bild, und Arras stieg von der Wand und jagte all die betrunkenen Gäste vor sich her. In ihrer Angst rannten sie zum Ausgang, wollten alle gleichzeitig die Treppe nehmen, stürzten hinunter und brachen sich Arme, Beine und das Genick.

So übte das graue Männel Rache. Die Besitzer der Burg versuchten immer wieder, das Bild von der Wand zu entfernen oder zu übertünchen, weil ihnen Arras darauf gar zu finster entgegenblickte. Doch es war alles vergebens. Das graue Männel stand unverändert da wie zuvor.

Wie die Lengefelder wissen, mustert das graue Männel den Betrachter scharf. Ein Jagdgehilfe, der dem Bild gegenübersaß, fragte:

„Was schaust du mich so an?" Schwupp, hatte er von unsichtbarer Hand eine Ohrfeige sitzen. Eine Dienstmagd fuhr dem grauen Männel mit dem Lappen übers Gesicht und sagte: „Schön schmutzig siehst du aus!" Die Ohrfeige, die sie da bekam, vergaß sie ihr Leben nicht. Keiner will seitdem das Bild mit dem grauem Männel saubermachen.

Anmerkung: Das Wandbild des grauen Männels und seines Äffchens ist im ehemaligen Fürstensaal des Schlosses erhalten. Die Güter Rauenstein einschließlich des Schlosses wurden seit 1596 verpachtet. 1623 ist der Oberforstmeister und Oberaufseher für die Flößerei, Wolf-Dietrich Arras, als Pächter genannt.

### 249. Die Grabplatte in der Sachsenburger Kirche

In der Turmvorhalle der Sachsenburger Kirche steht die sandsteinerne Grabplatte der Magdalene von Schönberg. Eines Tages geht eine Magd zur Kirche. Sie kommt an der Grabplatte vorbei und sieht, daß der Staub fingerdick darauf liegt, so daß das Gesicht kaum zu erkennen ist. Das Mädchen nimmt sich vor, gleich nach dem Gottesdienst den Stein zu säubern. Der Schlußvers ist verklungen. Da eilt sie nach Hause, kehrt mit einem Staubtuch zurück und reinigt das steinerne Bild. So, nun noch ein paar Striche über die Füße. Und siehe da! Ein Goldstück liegt am Boden, das die Magd freudig erschrocken aufhebt.

Als sie ihrer Freundin von dem unerwarteten Lohn erzählt, wird diese neidisch. Sie denkt, wenn die Annamarie für ein bißchen Staubwischen einen Dukaten erhalten hat, so wirst du das Reinemachen gründlicher besorgen und einen größeren Dank erhalten. Am nächsten Tag macht sie sich mit Wasser, Seife und Bürste an die Grabplatte und bearbeitet das Bild der adligen Dame aus Leibeskräften. Aber was ist der Dank? Plötzlich sitzt ihr eine kräftige Maulschelle auf der linken Backe. Ähnlich erging es einem losen Bengel. Er hielt der steinernen Frau eine Quarkschnitte vor den Mund und bekam dafür ebenfalls eine derbe Ohrfeige.

Anmerkung: Die Sachsenburger Kirche ist als Wehrkirche angelegt und älter als die auf dem Berg gelegene Sachsenburg, die um 1190 von Markgraf Otto I. zunächst als provosorisch befestigte Fluß- und Wegsperre errichtet wurde. Auf der später ausgebauten Burg saß mindestens seit 1386 das mächtige Geschlecht der Schönberge (nach Dieter Walz).

### 250. Das Panier des Ritters St. Georg zu Tharandt

Als Landgraf Ludwig von Thüringen mit Kaiser Friedrich nach Palästina zog, schickte ihm Gott vom Himmel herab das Panier des Ritters Georg seiner Mildtätigkeit und guten Werke halber, und unter diesem stritt er gegen die Ungläubigen und siegte. Dann ward das Panier gen Wartburg gebracht, danach aber gen Meißen auf Schloß Tharandt. Da brach Feuer in dem Schloß aus — man schrieb das Jahr 1190 —, und viele Leute sahen das Panier des Ritters im Feuer zum Fenster hinausfliegen, aber niemand hat erfahren, wo es seitdem geblieben ist. Dieses Wunders wegen ward hernach die St. Georgenkirche zu Eisenach gebaut.

### 251. Woher das Wappen derer von Schönberg stammt

In einem alten handschriftlichen Wappenbuch wird der Ursprung des uralten meißnischen Geschlechts der Schönberge beschrieben. Einst zog ein Ritter aus diesem Geschlecht ins gelobte Land. Auf der Jagd geriet er an einen Fluß, dessen morastiges Ufer von Schilf bewachsen war. Hier wurde er von einem Löwen angegriffen. Der tapfere Ritter setzte der Bestie so zu, daß sie verwundet und brüllend vor Schmerz in den Schilfwald flüchtete. Der von Schönberg hat aber nicht von ihr gelassen, verfolgte sie und gab ihr den Todesstoß. Als er den verendeten Löwen aus dem Morast zog, war dessen Körper zur Hälfte mit grünen Meerlinsen bedeckt. Zum Andenken an diese Begebenheit hat der Ritter in sein Wappen einen kämpfenden Löwen aufgenommen, dessen Unterleib grün, der Oberleib aber rot ist.

Anmerkung: Das Geschlecht derer von Schönberg gehört mit seinen Nebenlinien zu den bekanntesten des östlichen Erzgebirges. Es stellte über 300 Jahre die Oberberghauptleute des sächsischen Bergbaus. — Ob der in der Sage vorkommende Ritter jener Bernhard von Schönberg war, der 1476 mit Herzog Albrecht nach Jerusalem zog und auf dem Rückweg starb, ist nicht nachweisbar. An den Heimatmuseen in Hainichen und Sayda befinden sich noch die Wappen mit dem rotgrün gestreiften Löwen.

### 252. Das Wappen derer von Biberstein und von Tschammer

Die Herren von Tschammer leiten ihren Ursprung von dem Geschlechte der Herren von Biberstein ab. Diese führten im Wappen ein Hirschgeweih, dem später ein Büffelhorn hinzugefügt wurde. Als nämlich der Polenkönig Boleslav Chrobri (der Tapfere, 992—1025) nach einem Sieg über Preußen und Pommern zurückgekehrt war, führte er seinen Gästen den Bestand seines Tiergartens vor. Da wurde der Herr von Biberstein von einem Büffel angegriffen. Der aber fürchtete sich nicht, sondern trat dem Tier keck entgegen, ergriff es bei den Hörnern und brach ihm eins ab. Der König erstaunte über die Beherztheit und Körperkraft des Biberstein. Zum Gedächtnis dieser Tat erhielt sein Wappen ein Büffelhorn.

### 253. Der Wappenschild der Schönburge

In der letzten Schlacht, welche Karl der Große dem tapferen Sachsenfürsten Widukind lieferte, kam er in einem Gefecht sehr ins Gedränge. Die Ritter um ihn waren bereits gefallen. Ein Felsbrocken zerschmetterte seinen Schild, und Karl hatte nur noch sein Schwert zur Verteidigung. Da erhob sich aus dem Leichenhaufen, der rings

um ihn aufgetürmt war, einer seiner gefallenen Getreuen und reichte ihm seinen Schild. So vermochte er durchzuhalten, bis Hilfe kam und die Schlacht zugunsten der Christen endete. Karl fand unter den Sterbenden und Verwundeten seinen Retter heraus und erkannte in ihm einen Schönburg. Dieser führte einen einfachen Silberschild ohne Kleinod. Da berührte Karl mit drei Fingern seiner Rechten die Wunde des Ritters und strich mit dem Blute zweimal über den Wappenschild, so daß zwei rote Streifen entstanden, und sprach: „Schönburg, dies sei fortan dein Zeichen, dein Blut das Wappenkleinod deines Hauses!"

Anmerkung: Der ursprünglich an der Westküste Schleswig-Holsteins seßhafte Stamm der Sachsen drang zunehmend in Gebiete zwischen Rhein, Elbe, Eider und Unstrut vor. In den Sachsenkriegen unterwarf der im Jahre 800 zum deutschen Kaiser gekrönte Frankenkönig Karl der Große (768 — 814) die Sachsen der fränkischen Herrschaft. Der Sachsenherzog Widukind leistete erbitterten Widerstand gegen die Christianisierung. 785 unterwarf er sich schließlich. Das Sachsenland wurde fränkisch.

Die Schönburge waren ein altes Adelsgeschlecht in den späteren Waldenburger, Hartensteiner, Glauchauer und Vorderglauchauer Linien, wobei sein Begründer, Friedrich von Schönburg, aber erst 996 erwähnt wird. Meiche berichtet von einem Eichbaum im Walde bei Hartenstein, dessen Grünen eng mit dem Schicksal des Hauses Schönburg verflochten sein sollte. 1840 stürzte ein Sturm den Baum, worauf drei Schönburge kurz darauf starben.

### 254. Die Herren von Hartitzsch

Das Rittergut Dorfsaida bei Chemnitz soll durch die Heirat an die Familie Hartitzsch gekommen sein. Einer ihrer Vorfahren war ein Fischer. Unter Lebensgefahr hatte er den deutsche Kaiser über die angeschwollene Donau gesetzt, was kein anderer Fischer gewagt hatte. Zum Dank, daß er ihn gerettet, erhob der Kaiser ihn in den Adelsstand. Das Hartitzsche Wappen zeigt deshalb zwei Fische.

### 255. Der Riese Einheer zu Zwickau

Als Karl der Große Krieg gegen die Sorben führte, wobei ihm das Geschlecht der Schwanhildis mit seinen Schwanfeldern treulich diente, lebte zu Zwickau eine Riese namens Einheer, ein Schwabe, der aber in Thurgau in der Schweiz geboren war. Einheer brauchte keine Brücke, er watete durch alle Gewässer, so groß war er. Als er an Karls Krieg gegen die Sorben teilnahm, mähte er diese wie Gras nieder, spießte sie auf und trug sie wie Hasen und Füchse.

Als er wieder heimkam, fragte ihn sein Nachbar, wie es ihm ergangen sei. Einheer gab unmutig zur Antwort: „Was soll ich von diesen Fröschleins sagen? Ich trug ihrer sieben oder acht am Spieße über der Achsel und verstand gar nicht, was sie quakten. Es ist nicht der

Mühe wert, daß der Kaiser so viel Volk wider diese Kröten und Würmer aufgebracht hat." Es flohen ihn alle Feinde und Sorben und meinten, er sei der leibhaftige Teufel.

### 256. Das Goldschiffchen in der Kirche zu Ebersdorf

Unter den Reliquien der Kirche zu Ebersdorf befindet sich neben dem Hufeisen des Ritters Harras ein Schiffchen aus Holz, welches aus dem 14. Jahrhundert stammt. Ein gewisser Junker von Lichtenwalde war ins Gelobte Land gezogen, um gegen die Sarazenen zu kämpfen. Er hatte alle Gefahren und Anstrengungen glücklich überstanden und befand sich, mit Schätzen beladen, auf dem Rückweg ins Vaterland, wo ihn seine Braut erwartete. Da geriet das Schiff, auf dem er nach Venedig segelte, in einen furchtbaren Sturm. Weder die Geschicklichkeit des seekundigen Kapitäns noch die übermenschlichen Anstrengungen der Mannschaft vermochten, dem wütenden Andrang der Elemente zu widerstehen. Man sah dem Untergang des Schiffes entgegen. Da sank der sonst so mutige Kreuzfahrer in die Knie und gelobte der heiligen Jungfrau zu Ebersdorf, daß er ihr ein mit gutem Gold gefülltes Schiffchen als Opfer darbringen wolle, wenn sie ihn aus dieser Todesnot befreie und gesund in sein Ahnenschloß zurückkehren ließe. Augenblicklich legte sich der Sturm, die Wogen glätteten sich, und ein günstiger Wind trieb das Schiff in den Hafen.

Der Rumpf des Goldschiffchens in der Stiftskirche zu Ebersdorf

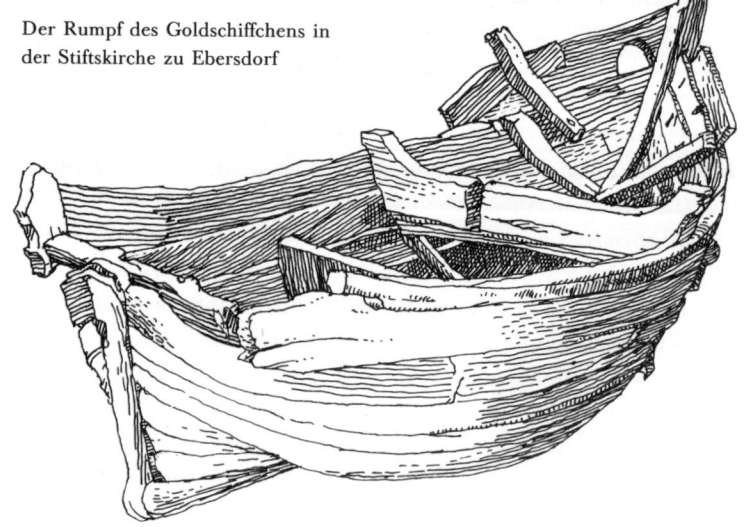

Der Ritter vergaß nach seiner Heimkehr das Gelübde nicht. Er ließ von einem geschickten Künstler ein Schiffchen anfertigen, füllte es mit Gold und hing es zum ewigen Andenken am Altar der heiligen Jungfrau auf.

Zwar hat die Lichtenwalder Gutsherrschaft nach der Reformation sowohl dieses Gold wie alle anderen Kostbarkeiten eingezogen mit der Verpflichtung, die Kirche zu erhalten und im Falle der Zerstörung wiederaufzubauen, allein das Schiffchen ist noch heute zu sehen.

Anmerkung: Der hölzerne Schiffsrumpf, etwa ein Meter lang, in Form einer damaligen Hansa-Kogge, ist in der Stiftskirche Ebersdorf (Chemnitz) noch vorhanden. Fachleute bestätigen, daß es das älteste erhaltene Schiffsmodell Europas ist. Zu Ebersdorf siehe Anmerkung zu Sage Nr. 282.

### 257. Vom flinken Knecht zu Rechenberg

Von der Burg Rechenberg zeugen Ruinen auf einem Felskegel am rechten Talhang inmitten des Dorfes Rechenberg. Auf der Burg lebte einst der Ritter Kurt von Rechenberg. Eines Tages bot ihm ein dürftig gekleideter Bursche aus fremden Landen seine Dienste an. Das treuherzige Wesen des jungen Mannes gefiel dem Ritter, und er nahm ihn in seine Mannschaft auf.

Georg, so hieß der Bursche, war ungewöhnlich flink auf den Füßen. Er flog gleichsam wie ein Pfeil, wenn ihm sein Herr einen Weg auftrug. Zudem hatte er eine geschickte Hand, der alles wohl gelang.

Georgs Verdienste um das Haus Rechenberg sollten bald eine Krönung erfahren. Flüchtlinge aus der nahen böhmischen Grenze brachten die Nachricht, daß berüchtigte böhmische Raubritter mordend und sengend durchs Land zögen und nicht mehr fern seien. Kurt von Rechenberg beschloß, einen Kundschafter auszusenden, um über die Stärke des Feindes Aufschluß zu erhalten. Niemand war für dieses Unternehmen geeigneter als sein Diener Georg. Auf schnellem Rosse jagte Georg durchs Burgtor, dem Feinde entgegen. Bereits am anderen Morgen kehrte er zurück. Zum Erstaunen der Burgbewohner brachte er zwei volle Säcke mit, einen vor sich, einen hinter sich auf dem Pferd. Auf die Frage Ritter Kurts, was in den Säcken klirre, antwortete Georg wohlgemut: „Seid getrost, Herr Ritter, alles hat gute Wege. Das sind Hufeisen, die ich den Pferden abgerissen habe, während die Feinde schliefen. Ich traf auf sie in der

Nähe des Dorfes Einsiedel. Es war finstere Nacht, und sie hatten sich sorglos dem Schlaf überlassen. Ich machte mich unverweilt an die Arbeit und glaubte, unseren Feinden einen recht üblen Gutenmorgengruß geboten zu haben, denn ohne Hufeisen sind die Spitzbuben nicht imstande, die Gebirgspfade zu bereiten, und noch weniger dürfte es gelingen, so viele Hufeisen aufzutreiben. Damit ihr aber, gestrenger Herr, die Anzahl der Feinde schätzen möget, brachte ich die Hufeisen gleich mit, da mich die Dunkelheit daran hinderte, die Feinde zu zählen." — Der Burgherr lächelte und sagte: „Du bist ein seltsamer, aber vortrefflicher Bursche!"

Zum Vogt gewendet, fügte er hinzu: „Entweder ist dieses Begebnis ein Wunder, oder der Knecht ist verwegen bis zur Tollkühnheit. Nun wollen wir die Raubgesellen gehörig empfangen!" Tatsächlich

nahten die Feinde erst, als alle Vorbereitungen zu deren Vertreibung getroffen waren.

Georgs Liebe und Treue zeigte sich noch auf eine andere Art. Sein Herr gab ihm einst ein eiliges Schreiben, welches nach dem Rittersitz Grünau, heute ein Ortsteil von Hopfgarten bei Marienberg, zu bringen war. Georg versprach, die drei Meilen bis Grünau mit der Schnelligkeit eines Vogels zurückzulegen. Doch wie erstaunte der Burgherr, als er seinen Knecht, den er auf dem Weg nach Grünau wähnte, schlafend in der Ecke des Stalles fand. Unmutig weckte er den nach seiner Meinung säumigen Knecht. Erschrocken über den Ausdruck des Zorns im Gesicht seines Herrn fuhr Georg auf. „Da, lieber Herr — zürnt mir nicht — da ist schon die Antwort!"

„Bei allen Heiligen!" rief der Ritter aus, und erbleichte, das Gegenschreiben in der Hand haltend. „Es ist die Wahrheit! Sage, Georg, wie ist das möglich? Du müßtest schneller gewesen sein als der Sturm, als der Raubvogel, um das zu vollbringen. Du warst also wirklich in Grünau?" Als Georg die Frage bejahte, verfinsterten sich die Züge des frommen Rechenbergers. Mit stillem Grausen erbrach er das Schreiben und taumelte entsetzt zurück, als er die vertrauten Schriftzüge seines Grünauer Freundes erkannte.

Nachdem er die Antwort gelesen hatte, sprach er zu Georg: „So ist es denn wahr, was ich nimmermehr für möglich gehalten hätte! Dies zu vollbringen reicht Menschenkraft nicht aus. Entweder bist du, seltsames Wesen, ein Bote Gottes oder ein Abgesandter des Satans! Die Weise deines Tuns ist unheimlich, und du scheinst mir unmöglich ein Sterblicher zu sein!"

Da verwandelte sich der rätselhafte Jüngling wie durch Zauberkraft, und eine Engelsgestalt stand vor ihm, welche sprach: „Der Herr, welcher mich gesandt, dir zu dienen, hat mir auch die Fähigkeiten verliehen, die dir so ungewöhnlich erscheinen. Sein Auge ruht schon seit längerem auf dir. Durch mich läßt der Herr dir verkünden, wie wohl es ihm gefällt, wenn Herrscher gegen ihre Untergebenen Milde und Geduld üben, wie du sie mir und den anderen Knechten erwiesen hast. Der Herr wird es dir lohnen, wenn du die Menschen wie deine Brüder liebst!" Darauf verschwand der Engel. Den Ritter aber zog es in die Burgkapelle, wo er Gott für seine Gnade dankte.

## 258. Arno von Würzburg wird bei Klaffenbach erschlagen

Nicht weit vom Flusse Chemnitz erlitt Arno, Bischof zu Würzburg, den Tod eines Blutzeugen. Er war von einem Zug gegen die Böhmen heimgekehrt und hatte seine Zelte an der Landstraße aufschlagen lassen. Während er die Messe sang, wurde er von einer feindlichen Schar eingeschlossen. Nachdem er seine Gefährten in den Märtyrertod vorausgesandt hatte, brachte er sich selbst samt den zum Preisopfer geweihten Hostien dem Herrn dar. An jener Stelle wurden noch oft brennende Lichter gesehen. Selbst die Slawen zweifelten nicht, daß dies heilige Blutzeugen des Herrn waren. Dies geschah im Jahre 892 der Fleischwerdung des Herrn, zu den Zeiten König Arnulfs.

Anmerkung: Bischof Arno begleitete den fränkischen Grenzmarkgrafen auf einer Strafexpedition gegen aufständische Sorben. Auf dem Rückmarsch über das Erzgebirge erlitt die fränkische Abteilung am 13. Juli 892 eine vernichtende Niederlage. Der Ort des Geschehens ist umstritten. Die Ableitung des Ortsnamens Erfenschlag von „Arnoschlag ist völlig haltlos. E. Trauer (1887) vermutet als Ereignisort den Chemnitzer Schloßberg, Langer (1928) den Sandberg bei Wiederau, R. Witzsch (1936) eine Wiese zwischen Hainichen und Cunnersdorf am „alten böhmischen Weg". Meiche vermutet den Ort bei Klaffenbach auf dem linken Chemnitzufer, den „ein dort stehendes Steinkreuz mit eingegrabenem Schwert" bezeichnet. Helbig (1905) deutet dagegen das Kreuz als Zeichen der kirchlichen Sprengelgrenze, Trauer als Grenzstein des Chemnitzer Klosters, Steche (1886) bringt es mit dem Tod eines Bischofs Hermann von Meißen in Verbindung. Das Kreuz soll inzwischen entwendet worden sein. — Chronist des Geschehens ist Thietmar von Merseburg (975—1018). Arnulf von Kärnten (850—899) wurde 894 als deutscher König anerkannt.

## 259. Der Taufstein bei Oberkrinitz

Auf einer Anhöhe beim Dorfe Oberkrinitz, früher von schönen Buchen bestanden, liegt ein unregelmäßig gestalteter Granitblock, welcher eine große und fünf kleinere Vertiefungen zeigt. Vier gruppieren sich um die große Vertiefung, welche die Form eines Beckens hat, während sich die fünfte auf der Rückseite des Steines befindet. Außerdem zeigt er drei Ausbuchtungen auf der Vorderseite und eine auf der Hinterseite. Man nennt diesen Stein den Taufstein und erzählt von ihm Folgendes:

Vor langer, langer Zeit konnte die christliche Religion nur im Geheimen ausgeübt werden. Deshalb suchten die wenigen Christen einsame, tief im Walde versteckte Orte auf, um die Taufe zu vollziehen. Aus Felsstücken wurden sowohl Taufbecken wie drei Sitze für die Taufpaten und einer für den Täufling ausgearbeitet.

Der Taufstein bei Oberkrinitz soll nun von unsichtbaren Mächten beschützt werden, nie war das Becken ohne Wasser. Als ein junger Bursche abends das Wasser gänzlich ausgeschöpft hatte, fand er am nächsten Morgen mehr Wasser darin als am Abend zuvor. Vergeblich hatten Steinmetzen versucht, den Stein zu zerschlagen. Aber der Uhamel (Unheimel?), mit dem in jener Gegend die Mütter ihren Kindern drohen, habe sie stets auf den Arm geschlagen, so daß sie davon ablassen mußten. Auch soll in dem Becken zuweilen Geld liegen.

## 260. Die Jungfrau vom Pöhlberge

Der Bielberg oder Pöhlberg, an dessen Fuße Annaberg liegt, hat seinen Namen von dem Grenzbache Biela, der hinter ihm vorbeiströmt. Auf dem Berg soll sich ein Wunderbrunnen befinden, der aber nicht jedermann sichtbar ist. Manch einer hat den Brunnen gefunden und einen Trunk daraus getan, doch als er wiederkam, konnte er ihn nicht mehr finden. Zuweilen soll eine schöne Jungfrau am Brunnenrand sitzen. Das ist Biela, die Jungfrau vom Bieleberg. Es soll der Geist einer Tochter des letzten heidnischen Beherrschers dieser Gegend, des Riesen Bilo, sein. Sie traf einst auf der Jagd einen Schüler des heiligen Bonifatius, namens Conrad. Sei es durch seine Worte, sei es — was wahrscheinlicher ist — durch Liebe zu dem schönen Jüngling, wurde sie zum Christentum bekehrt.

Eines Tages wurde sie von ihrer Mutter und deren heidnischem Priester Biela auf dem Fichtelberg überrascht, wie sie sich mit Conrad und seinen Schülern der frommen Andacht hingab. Beide wurden gefangengenommen und auf den Bielberg geschleppt, um da geopfert zu werden. Allein ein Blitzstrahl verlöschte den Scheiterhaufen, auf dem sie und Conrad den Flammentod sterben sollten, und schlug den Oberpriester mit seinem Götzenbild zu Boden. Alle, die das Wunder geschaut hatten, bekehrten sich und nahmen das Kreuz.

Der fromme Conrad zog zu anderen Völkern, die Fürstin Biela aber blieb zurück und widmete ihr Leben der Verbreitung des Christentums in ihrer Heimat. Als ihr letztes Stündlein geschlagen hatte, erbat sie sich von ihrer Schutzheiligen, der heiligen Anna, die Gnade, zuweilen ihrem Volke erscheinen zu dürfen, um wichtige Ereignisse anzukündigen. Diese Bitte ging in Erfüllung. Wenn sie sich gezeigt hat, begegnete der Stadt Annaberg gewöhnlich ein freudiges Ereignis.

### 261. Die drei Jungfrauen und die Schätze
### des Borberges bei Kirchberg

In der Schlacht an der Göltzsch, in der die Deutschen die Herrschaft der Sorben in den Flußgebieten der Saale, Elster und Mulde brachen, verlor auch ein adliger Sorbe sein Leben, dessen Burg auf dem Borberge lag, welcher sich hinter Kirchberg erhebt. Bevor er in den Kampf zog, hatte er seine Schätze neben dem Burgbrunnen vergraben. Seine drei Töchter aber, Mädchen von großer Schönheit, hatte er im heiligen Hain geloben lassen, dem Glauben ihrer Väter treu zu bleiben und die alten Gebräuche heilig zu halten. Als die Deutschen einrückten, brannten sie die Burg nieder, ließen aber die drei Schwestern, die sich auf ein kleines Gehöft zurückgezogen hatten, unbehelligt im Verborgenen leben. Allerdings wurden sie gezwungen, den christlichen Glauben anzunehmen und sich taufen zu lassen. Doch getreu ihrem Gelübde gingen sie heimlich mit ihrer Dienerschaft des nachts zu dem zerschlagenen Opferstein, um die heidnischen Bräuche zu üben.

Lange blieb das heidnische Treiben nicht verborgen. Als am Geyersberg ein Kirchlein erbaut wurde und die dortigen Mönche das Seelsorgeamt mit Strenge übten, wurde den Zusammenkünften am Opferstein ein Ende gesetzt. Die Mönche bezichtigten die Schwestern, der Hölle zu dienen, und sprachen den Bann über sie aus. „Freud- und friedlos sollt ihr sein", verkündeten sie, „bis es euch gelingt, ein Christenkind zu herzen und zu küssen, das man aus dem Walde herein nach St. Margarethen zur Taufe trägt!"

Jedermann vermied daraufhin den Umgang mit den Ausgestoßenen. Sie hatten weder Rast noch Ruh und mußten nachts, wenn die wilde Jagd dahinzog, als gehetztes Wild durch den finsteren Wald irren.

Vergebens suchten sie, die von den Mönchen gestellte Bedingung zu erfüllen. Wenn eine Taufgesellschaft ihrer gewahr wurde, wich man ihnen aus und verhinderte jede Annäherung. Da gewahrte einst die jüngste der Schwestern in einer Köhlerhütte noch Licht. Sie schlichen sich zum Fenster und sahen, daß des Köhlers Weib ein Kind geboren hatte. Sogleich stand ihr Entschluß fest, das Köhlerpaar um die Erlaubnis zu bitten, das Kind küssen zu dürfen, wenn es zur Taufe gebracht würde.

Es währte nicht lange, da kam der Tag der Taufe. Als die kleine Gesellschaft mit dem Neugeborenen erschien, trat die älteste Schwester hervor und sprach zu dem Köhler: „Lieber, laß mich dein Kind ansehen und herzen, du sollst dafür auch diesen schönen funkelnden Stein haben!" Doch der Angeredete sprach: „Ich begehre deinen Stein nicht. Halt mich nicht auf und laß mich weitergehen!" — Ein Stück weiter trat die zweite Schwester heran und sprach. „Lieber, dieses Goldstück soll dir gehören, wenn du mir erlaubst, dein Kind anzusehen und zu herzen." Doch der Köhler sprach: „Ich will dein Goldstück nicht. Laß mich gehen! Sieh, was für ein schweres Wetter am Himmel dräut! Ich habe es eilig." — Dann trat die Jüngste an

den Taufzug. „Ei, lieber Köhler", sprach sie, „Freya, die Liebreiche, hat dir ein Kind beschert; nimm diesen Wickel Flachs als Taufgeschenk, er soll deinem Kinde Segen bringen; doch erlaubt mir, den Kleinen einen Augenblick zu sehen." Da reichte ihr der Vater den Knaben, und sie drückte rasch einen warmen Kuß auf dessen Lippen.

Das Glöcklein mahnte zum Weitergehen. Über schwankenden Steg, der den brausenden Bach überbrückte, eilte man hinauf zur Kapelle. Die drei Schwestern aber fielen sich in die Arme. Der Bann war gebrochen.

Ein Gewitter hinderte den Köhler und die Seinen, nach der Taufe zu ihrer Hütte zurückzukehren. Mächtig toste der Donnergott. Blendende Blitze fuhren auf den Borberg nieder, bis von dort trotz des strömenden Regens dichter Rauch aufstieg. In der Luft pfiff und rollte es, als triebe der Fürst der Hölle selbst sein Unwesen, erzürnt darüber, daß drei ihm durch den Bann verfallene Seelen sich seiner Herrschaft entzogen hatten. Endlich fand die Natur zur Ruhe. Als der Köhler den Heimweg antrat, leuchteten die Sterne in reicher Fülle, und der Mond sandte sein silbernes Licht. An der Stelle, wo die jüngste Schwester sein Kind geküßt hatte, hörte er seinen Namen rufen. Auf einem Felsvorsprung erblickte er die drei Schwestern. Sie riefen ihm zu: „Lieber Köhler, hab Dank, daß du uns aus Not und Drangsal befreit hast. Komm herauf und empfange deinen Lohn!"

233

Aber dem Köhler und seinen Begleitern lief es kalt über den Rücken, sie schlugen ein Kreuz und machten, daß sie davonkamen.

Bald bereute der Köhler, daß er der Einladung der Schwestern nicht gefolgt war. Er begab sich auf deren Hof. Doch dieser war ausgebrannt. Auch im zerklüfteten Burggemäuer fand er sie nicht. Endlich gewahrte er ein graues Männlein mit langem Bart, das rief ihm zu: „Törichter, warum störst du die Ruhe der Schwestern? Du hast dein Glück verscherzt, doch deines Sohnes werden sie gedenken, sobald die Sonne achtzehnmal über die Erde gegangen ist. Wisse, die einst Vielgeplagten schlafen jetzt bei ihren Schätzen im Berg. Wenn sie erwachen, erscheinen sie am Brunnen. Begegnet ihnen dann ein Menschenkind, so versehen sie es mit reichem Gute."

An des Köhlers Kind hat sich die Verheißung erfüllt. Ebenso sind die Schwestern im Laufe der Zeiten mehreren nächtlichen Wanderern erschienen, denen sie Glück brachten. Die von ihnen gehüteten Schätze sind so groß, daß sie noch vielen davon zu spenden vermögen. Wer den Schwestern begegnen will, der gehe zur Zeit der Sommer- und Wintersonnenwende nachts auf den Borberg, vielleicht erscheinen sie ihm und lassen ihn Gnade finden vor ihren Augen.

## 262. Die Betfahrt nach Ebersdorf

Die Kapelle auf dem Ebersdorfer Kirchhof beherbergte in alter Zeit ein berühmtes Muttergottesbild. Es wurde so häufig besucht, daß neben dem Pfarrer noch sechs Kaplane angestellt werden mußten, welche in den sechs um die Kirchhofmauer herumstehenden sogenannten Pfaffenhäusern wohnten. Unzählige Wunder sollen von dem Marienbilde vollbracht worden sein. Außer dem berühmten Goldschiffchen zeigte man eine Menge Reliquien, so die Krücke eines Lahmen, welcher durch die Berührung des Marienbildes geheilt wurde. Sie ist mit der Jahreszahl 1333 gezeichnet, und folgende Worte sind eingeschnitten: „Kruck, Du bist mein Ungluck — zu meinem Ungluck hab ich ein schön Kruck."

Oft wurden die Wallfahrer Opfer der Raubritter von Schellenberg und Lichtenwalde. So ist folgende Geschichte überliefert:

Am Silvestertage des Jahres 1212 unternahmen die Mönche des Zisterzienserordens in Freiberg eine große Betfahrt nach dem Marienbilde zu Ebersdorf, um daselbst Gott für den reichen Bergsegen zu danken. Es herrschte eine strenge Kälte, der Schnee hatte die Wege zugeweht, und die Wasser waren zugefroren. Doch die Schar der Betfahrer zog unter frommen Gesängen am Schieferbache hin. Da brachen plötzlich die Räuber von Schellenberg und Lichtenwalde aus der dichten Waldung und drangen auf den Zug ein, um die kostbaren Geräte, Fahnen und Kleinode, welche bei einer Betfahrt damaliger Zeit nie fehlen durften, zu rauben. Augenblicklich geriet der Zug in wilde Verwirrung, und die Mönche flohen mit Jammern und Entsetzen.

Der Schirmvogt aber, ein tapferer Ritter, warf sich mit seinen Reisigen und Klosterknechten den Räubern entgegen. Es entbrannte ein hitziger Kampf. Die Räuber wurden geschlagen und flohen nach der zugefrorenen Flöha, hoffend, daß das Eis sie tragen werde. Doch die Eisdecke brach, und die Hälfte ertrank in den kalten Fluten. Die üb-

rigen flüchteten das Ufer entlang stromaufwärts und verkrochen sich in einer Felsschlucht. Als dies die Klosterknechte gewahrten, besetzten sie den Eingang der Schlucht. Der Schirmvogt befahl, sie sollten ihr Blut schonen und die Räuber durch Feuer verderben. Hierauf schlugen die Knechte Baumstämme, zündeten sie an und warfen sie in die Schlucht, bis diese einem brennenden Ofen glich. So wurden

die Räuber von Schellenberg und Lichterwalde vertilgt. Jene Felsenschlucht aber, worin die Räuber verbrannt wurden, heißt noch heute
der Höllengrund.

Anmerkung: Die ehemalige Stiftskirche Unserer lieben Frauen war im 15. Jahrhundert ein Wallfahrtsort (siehe Anmerkung zu Sage Nr. 282). Neben dem Marien-Gnadenbild und sieben Altären waren es besonders Reliquien, die vor der Reformation
verehrt wurden. — In Freiberg gab es Klöster der Dominikaner und Franziskaner. Zi-
sterzienser lebten im Kloster Altzella. Raubritter haben auf Lichtenwalde und dem
Schellenberg nicht gelebt.

### 263. Die Wallfahrt zur schönen Marie in Freiberg

Im Jahr 1261 sind die Geißler, so genannt nach ihren Bußübungen,
in großer Zahl ins meißnische Land gekommen. In Freiberg beteiligten sie sich an der Wallfahrt zur sogenannten schönen Marie. Paar-
weise schritten sie halb nackend und barfuß in einem offenen roten
Mantel einher. Allein obwohl sie sich geißelten und große Buße und
Frömmigkeit bezeugten, hat sie Bischof Albrecht zu Meißen nicht
leiden wollen. Bald mußten sie Freiberg verlassen.

Von jener Wallfahrt berichtet ein Mönch, der sich Conrad von
Freiberg nannte, sie sei zu einem Marienbilde gegangen, das aus
Wachs schön und zierlich geformt gewesen sei und in menschlicher
Größe in einer besonderen Kapelle gestanden habe (wahrscheinlich
im Johannishospital oder in der Frauenkirche). Dorthin wären Leute
von allen Orten, gerade wie wenn sie bezaubert gewesen, zusammen-
geströmt. Was ein jeder gerade bei der Arbeit in der Hand hielt, das
habe er mitgenommen, als ihn die Tollheit ergriff. Krumme, lahme

und breshafte Menschen hätten vor dem Bild ihr Gelübde verrichtet und seien auf der Stelle gesund geworden. Diese Wallfahrten haben lange gewährt. Doch als der Vorwurf laut wurde, daß unter dem Schein der Heiligkeit Sodomie und andere Laster und Schande getrieben würden, nahmen die Wallfahrten durch fürstliches Edikt ein Ende.

Anmerkung: Der genannte Bischof Albrecht ist Albert II., von 1258 — 1266 Bischof von Meißen. 1261 erreichten die Geißlerzüge, aus Oberitalien kommend, die Mark Meißen. Sie waren Ausdruck sozialer Unruhen. Die Übersteigerung des Bußgedankens barg Gefahren für die kirchliche wie gesellschaftliche Ordnung. Bischof Albert II. verhängte deshalb die Exkommunikation über die Geißler und vertrieb sie aus seinem Bistum.

### 264. Die Martersäule zu Höckendorf

Im Jahre 1360 ist Conrad Theler, ein Freiberger Patrizier, der Ermordung seines Schloßkaplans halber, nach Rom und dann nach Jerusalem gezogen. Als er im folgenden Jahr zurückkehrte, hat er zu Höckendorf, welches ihm zu eigen war, von der Kirche bis zum Gottesacker, auf einer Strecke, die an Länge der vom Richthause des Pilatus zu Jerusalem bis auf den Berg Golgatha entsprach, sieben steinerne Martersäulen aufrichten und an jede eine Bitte des Vaterunsers zeichnen lassen, zum Gedächtnis und zur Erinnerung des Ganges von Christus zu seiner Kreuzigung. Von diesen sieben Säulen stehen noch zwei, die restlichen sind verschwunden.

### 265. Das Kreuz und der Kelch bei Wolkenstein

In der Mitte einer hohen steilen Felswand, die sich an der Zschopau erhebt und Schloß Wolkenstein trägt, waren früher ein Kreuz und ein Kelch eingehauen. Diese Zeichen sollten an einen papistischen Wolkensteiner Priester erinnern. Die Hussiten hatten ihn 1428 nicht von seinem Glauben abbringen können, obwohl sie ihn mit dem Tode bedrohten. Da schleppten die wilden Gesellen den glaubensfesten, papsttreuen Mann an den Rand der steilen Felswand und stießen ihn hinab. An den vorragenden Felszacken zerschmettert, versank sein Leichnam in den Fluten der Zschopau.

Anmerkung: Eine Belagerung bzw. Besetzung Wolkensteins durch die Hussiten ist nicht bezeugt. Die Burg Wolkenstein ist bereits um 1200 entstanden und seit 1241 als markmeißnisches Lehen bekannt. Wolkenstein wird erst 1434 als Stadt erwähnt.

## 266. Das Paradies zu Zwickau

Jenseits der Mulde, an der Straße von Zwickau nach Chemnitz, befand sich der Gasthof Zum Paradies, der ehedem das Ochsenhaus oder der Ratsweinkeller hieß und seinen späteren Namen wegen seiner schönen Lage und den drei Linden, die in seiner Nähe stehen, erhalten haben soll. Die Sage gibt einen anderen Grund an.

Luther predigte einst in Zwickau. Das Volk war davon so beeindruckt, daß es das Kloster stürmte. Daraufhin lockten die Mönche den Reformator in eine entlegene Straße zu einem angeblich Kranken, um ihn zu ermorden. Luther gelang es, sich ihren Händen zu entreißen und in ein Haus zu flüchten. Zu dessen Besitzer sagte er, dies Haus sei für ihn ein wahres Paradies geworden. Davon hat das Gebäude und spätere Gasthaus seinen Namen.

## 267. Martin Luther vergilt einem Bergmann zu Altenberg Böses mit Gutem

Im Jahre 1522 haben Altenberger Bürger eine Holzfigur angefertigt und diese wie Luther angekleidet. Ein aus vorgetäuschten Richtern und Schöppen gebildetes Gericht verklagte und verurteilte dieses Lutherbild wegen Ketzerei und führte es mit großem Geschrei auf den Geising. Dort war ein aus 25 Fudern Holz bestehender Scheiterhaufen errichtet worden. Ein Bergmann brach den Stab und sprach das Urteil. Dann wurde das Lutherbild auf dem Scheiterhaufen verbrannt.

Zwanzig Jahre danach erschienen zwei Altenberger bei Luther in Wittenberg und brachten ihm einen schönen Handstein von rotgüldenem Erz. Nachdem sie Luther zu Tisch geladen hatte, sagte der eine, sein Kamerad habe sich einst schwer an ihm versündigt, indem er sein Bild zum Feuer verdammt hätte. Inzwischen habe er aber die Wahrheit seiner Lehre erkannt und bitte nun um Verzeihung ob seines törichten Unverstandes.

Luther gefiel die Rede, und er meinte, weil dieses Feuer ihm und seiner Lehre nichts geschadet habe, soll es im Namen des Herrn vergeben und vergessen sein. Wie nun dieser Handel ein gutes Gelächter ergab, sprach der Absolvierte: „O Herr Doktor, ich danke ihm; aber ich hab noch eine große Schuld auf mir und bitte Euch, mich

auch davon zu absolvieren, denn ich habe mich bei der Zeche ver-
pufft (vertan) und bin an die fünfhundert Gulden schuldig."

Luther antwortete: „Ihr Bergleute, wenn ihr am ärmsten seid,
blüht euer Glück. Die Not lehrt euch beten, zur Kirche gehen und
nüchtern und mäßig zu sein; darum wisset Ihr selber nicht, wie reich
Ihr seid. Ziehet heim und arbeitet treulich und handelt redlich und
glaubt an den Allmächtigen. Er läßt immer Erz wachsen und gibt's
zur rechten Zeit denen, die in ihren Zechen anhalten und bei ihm im
Gebet aushalten. Gott wird mit Euch sein, auf seinen reichen Segen
und milde Hand absolviere ich Euch von Eurer Schuld."

Noch ehe der Bergmann zu Hause ankommt, erreicht ihn unterwegs die Botschaft, daß man in seiner Zeche auf dem seligen Asar
gut Erz angetroffen habe. Da löste er Geld, gab Ausbeute und zahlte
alles ab und behielt noch Überschuß.

### 268. Die Lutherlinde in Ringethal

Auf dem Kirchhof in Ringethal standen vier ungeheure Linden. Die
größte maß elf Ellen Umfang und hieß die Lutherlinde. Luther habe
auf dieser Linde gepredigt, entweder weil ihm der dortige Priester
die Kirche verschloß oder weil diese die Menge der Zuhörer nicht
fassen konnte. In einer Gedächtnispredigt wird jährlich zu Fastnacht
daran erinnert.

Anmerkung: Ein Beispiel typischer Wandersagen. Luther predigte auf der Rückreise
vom Reichstag zu Worms unter der Dorflinde auf dem Dorfplatz zu Möhra, dem Ge-
burtsort seines Vaters. Es ist unwahrscheinlich, daß er auch in Ringethal war, das zum
Herzogtum Sachsen gehörte, wo der streng katholische Georg der Bärtige regierte.
Erst nach dem Regierungsantritt seines Bruders Heinrich des Frommen 1539 wurde
im Herzogtum Sachsen die Reformation eingeführt. Die altersschwache Sommerlinde
auf dem Friedhof zu Ringethal wurde erst um die Jahreswende 1993 vom Sturm gefällt.

### 269. Der Pfaffenstein bei Lauenhain

Unterhalb von Lauenhain bei Mittweida steigt der Pfaffenstein
schroff aus der Zschopau empor. Durch Luthers Predigt in Ringethal
sei das Volk so erregt worden, daß es dem einheimischen katholischen Dorfpriester ans Leben wollte. Auf der Flucht sei dieser auf
den Felskegel geraten, von dem er sich vor seinen Verfolgern in den
Fluß stürzte. Der Fels erhielt den Namen Pfaffenstein.

## 270. Das Mönchskalb zu Freiberg

Den 29. Juni 1523 ist zu Freiberg im öffentlichen Kuttelhofe in einer geschlachteten Kuh, die einem Bauern aus Kleinwaltersdorf gehörte, das sogenannte Mönchskalb gefunden worden. Das Kalb hatte einen runden, ungestalten Kopf mit einer Platte wie ein Pfaffe samt zwei großen Warzen wie kleine Hörner. Mit dem Untermaule glich es einem Menschen, mit dem oberen und der Nase einem Kalb. Die Zunge war lang aus dem Maule herausgestreckt. Die Haut an Hals und Rücken sah wie eine gewundene Mönchskutte aus, an den Seiten und Beinen war sie voller Ritze und Schnitte, als wenn die Kutte zerhauen und zerschnitten worden wäre. Solches Ungeheuer ist von Luther in seinen Schriften als Exempel für den Mönchsstand gedeutet und neben dem Papstesel abgebildet worden.

Dieses Mönchskalb hat dem Ansehen der Geistlichen, die dem Papst anhingen, sehr geschadet. Die Bergleute dichteten ein Schimpflied, den Mönchen und Pfaffen zu Spott und Hohn, darin der Fleischer das Fleisch der Kuh, in welcher das Mönchskalb gefunden wurde, den Canonicis, Mönchen und anderen Geistlichen überlassen hat, die es nichtsahnend verzehrten.

Anmerkung: Die Geschichte vom Freiberger Mönchskalb gehört zu den Ereignissen, wie sie damals die meist abergläubischen Menschen erregte. — Während das ernestinisch-kurfürstliche Sachsen in Wittenberg Träger der Reformation war, blieb das albertinisch-herzogliche Sachsen, zu dem auch Freiberg gehörte, bis zum Tod Georg des Bärtigen 1539 katholisch. Zunächst deuteten die dem Hof Georgs nahestehenden Hieronymus Emser und Johannes Kochläus das Kalb als den Mönch Luther. Dieser hörte davon und zog einen Vergleich mit dem Mönchsstand und dessen unheilvollem Wesen. Parallel zu Luthers Schrift „Deutung der zwo greulichen Figuren, Papstesels zu Rom, Mönchskalb zu Freiberg 1523" erschien darüber auch ein Flugblatt, gedruckt bei Michael Buchführer in Erfurt.

### 271. Der Bergsturz zu Freiberg

Seit 1295 hatte der deutsche König Adolf von Nassau den meißnischen Markgrafen Friedrich den Freidigen und dessen Bruder Diezmann in einen langjährigen Krieg verwickelt. Als er 1296 mit großem Kriegsheer in die Mark Meißen kam, zog er an Zwickau und Chemnitz vorüber nach Freiberg, sich der Stadt wegen ihres Bergreichtums zu bemächtigen, sie aber auch wegen ihrer Treue zu Markgraf Friedrich zu bestrafen. Um die Stadt überschauen zu können und die Befestigungsanlagen zu erkunden, ließ ein Oberst sein Regiment auf einer hohen Halde lagern. Weil aber die Halde, genannt der dürre Schönberg, von Bergleuten durchfahren worden und voller heimlicher Schächte war, ist sie mit großem Krach und Prasseln eingestürzt, wobei der Oberst neben vielen seiner Soldaten elendiglich umgekommen ist.

### 272. Die drei Kreuze bei Brand

Vor dem Bergstädtchen Brand stehen seit uralten Zeiten drei Kreuze. Am 2. Mai des Jahres 1574 wurden die morschen Holzkreuze auf Kosten der Knappschaft und Berggewerke durch steinerne mit Gehäuse und Schieferdach ersetzt. Diese warf am 10. November 1582 ein heftiger Sturmwind um. Dabei wurde ein Magd, die aus Freiberg

Semmeln geholt hatte und bei den Kreuzen rastete, erschlagen. Am 29. Juli 1608 wurden die Kreuze abermals erneuert, bis der Sturm am 10. November 1800 wieder zwei von ihnen umstürzte. Jetzt stehen drei hölzerne Kreuze, jedes gegen neun Ellen hoch.

Mit den Kreuzen hat es aber folgende Bewandtnis. Als Freiberg von Adolf von Nassau belagert wurde, sollte die Stadt eine große Summe aufbringen, um der angedrohten Brandschatzung zu entgehen. Da die geforderte Summe nicht sogleich aufzubringen war, stellten sich drei Ratsherren als Geiseln. Inzwischen hatten die Freiberger Verstärkung bekommen. Sie sandten daher einen geheimen Boten ins feindliche Lager, der die Ratsherren davon unterrichtete und ihnen mitteilte, daß die Stadt nicht gewillt sei, das Lösegeld zu zahlen. Den Ratsherren wurde geraten, in der kommenden Nacht zu fliehen. Es gelang ihnen auch, aus der Haft zu entkommen, sie wurden aber eingeholt und am anderen Morgen ob des Wortbruches durch das Schwert hingerichtet. Nachher hat dann die Stadt zum Andenken an ihre unglücklichen Ratsherren an der Stelle, wo sie hatten sterben müsse, die drei Kreuze errichten lassen.

Anmerkung: Die drei Kreuze, urkundlich 1564 „bey den heiligen drey Creutzen nachm Brantt" erwähnt, liegen an einem alten Häuersteig und deuten auf eine früher hier befindliche bergmännische Andachtsstätte aus vorreformatorischer Zeit. Für die Unterhaltung war die Bergknappschaft verantwortlich. — In dieser Version taucht die Sage schriftlich erstmals bei Widar Ziehnert 1839 im III. Band seiner Volkssagen auf. Spätere Autoren haben das Ereignis in die Zeit der Erstürmung Freibergs durch Adolf von Nassau eingeordnet.

### 273. Der Verrat Freibergs

Adolf von Nassau versprach der Stadt Freiberg volle Reichsfreiheit, wenn sie den Widerstand aufgäbe und ihm die Tore öffne. Aber die Stadt kapitulierte nicht. Nach einem Jahr und vier Monaten standen die Truppen noch immer vergeblich vor ihren Mauern. Da gelang eines Tages den Belagerern die Gefangennahme eines jungen Burschen, der unbemerkt die Stadt verlassen hatte. Es war Hans Lobetanz, der Sohn einer angesehenen Familie. Dieser verriet eine nicht genug gesicherte Stelle im Bereich der heutigen Hornstraße und Wasserturmstraße, denn hier floß der Münzbach unter der Stadtmauer hindurch. Er führte dreißig Kriegsknechte an diese Stelle, denen das Heer folgte. Nun mußten die Verteidiger trotz tapferer Gegenwehr weichen und sich auf die Mauern und in die Burg zurückziehen. Erst als sie von der Lebensmittelzufuhr abgeschnitten waren und vom Landesherrn den Befehl erhalten hatten, sich zu ergeben, verhandelten sie mit Philipp von Nassau, der ihnen in Adolfs Namen freien Abzug zusagte. Doch der Feldherr hielt nicht Wort und ließ 60 Freiberger Bürger auf dem Marktplatz enthaupten.

### 274. Ein Freiberger rettet Friedrich den Freidigen

Als König Adolf von Nassau 1296 in der Stadt Altenburg weilte, sandte er einen Brief an den Markgrafen Friedrich, in dem er ihn bei freiem Geleit aufforderte, vor ihm zu erscheinen. Im Vertrauen auf dieses Geleit erschien der Markgraf nur mit wenigen Getreuen in Altenburg. Aber sobald bekannt wurde, daß Friedrich angekommen und in der Herberge sei, eilten die Schwaben herbei, um ihn zu töten. Da war der Freiberger Bürger Johannes Lotze, der mit dem Markgrafen angekommen war, zur Stelle. Rasch entschlossen warf er sich zwischen den Markgrafen und das gezückte Schwert seines Mörders und erlitt so für seinen Herrn den Tod. Der Markgraf aber entkam in die oberen Gemächer des Hauses und flüchtete unter dem Schutze der Nacht.

Anmerkung: Der landarme Adolf von Nassau, seit 1291 deutscher König, strebte danach, sich die wettinischen Territorien anzueignen und stieß dabei auf den erbitterten Widerstand Friedrichs I., des Freidigen (auch des Gebissenen, 1257 — 1323, regierte ab 1291 als Landgraf von Thüringen, seit 1307 als Markgraf von Meißen). — Vgl. Anm. zu Sage Nr. 277.

## 275. Friedrich der Freidige und der Hirt

Als König Adolf von Nassau nach langwieriger Belagerung endlich die den Wettinern treue Stadt Freiberg im Frühjahr 1297 durch Verrat eingenommen und an den tapferen Bürgern unedle Vergeltung geübt hatte, mußte Markgraf Friedrich von Meißen sein Erbe räumen und zog, anfangs von einem einzigen Diener begleitet, später allein und seinen Unterhalt erbettelnd, flüchtig im Lande umher.

Einst trieb er bitteren Spott mit seiner Hilfsbedürftigkeit. Er traf auf einen Hirten, der auf einsamem Felde seine Herde weidete, und sprach zu ihm: „Ich bitte dich, strecke deine Hand aus und fange mich!" Der Hirt tat, worum ihn der Fremde gebeten hatte, ergriff einen Zipfel seines Kleides und hielt ihn, wie man einen Gefangengen zu halten pflegt. Da sagte der Markgraf: „Jetzt erzähle allen, daß du den Markgrafen von Meißen als Gefangenen gehalten hast." Darob erschrak der Hirte und ließ ihn unter Entschuldigungen wieder frei, erzählte dann aber allen, was ihm mit seinem Landesherrn begegnet war.

## 276. Der treue Haberberger aus Freiberg

Als Friedrich der Freidige, von König Adolf besiegt, elend im Lande umherzog, kam er unerkannt in eine Schmelzhütte, in welcher ein Freiberger, namens Haberberger, einen starken Blick Silber abtrieb. Nachdem er sich zu erkennen gegeben hatte, bot ihm Haberberger dieses und noch mehr Silber an. Der Markgraf nahm es mit Dank entgegen, und da ihm in der Folge noch andere reiche Bürger heimlich von ihrer Ausbeute zuschickten, warb er neues Kriegsvolk an, mit dem es ihm gelang, in seinem Land wieder festen Fuß zu fassen. Er konnte sich um so mehr darin behaupten, als der König bald darauf abgesetzt wurde und in der Schlacht mit seinem Gegenkönig sein Leben einbüßte. Haberberger aber wurde reichlich beschenkt und erhielt manche Freiheiten.

## 277. Die Schlacht bei Lucka

Als die deutschen Könige Adolf und nach ihm Albrecht den Wettinern ihr Land zu entreißen strebten, verübte ihr Kriegsvolk, namentlich die Schwaben, furchtbare Greuel. An jene Zeiten erinnert noch nach Jahrhunderten das Sprichwort: „Schwaben und Schaben verderben Land und Gewand." — Wie nun aber endlich im Jahre 1307 die wettinischen Fürsten Friedrich und Diezmann die plündernden Scharen bei Lucka, nördlich von Altenburg, vornehmlich mit Hilfe der Bürger und Bauern aufs Haupt schlugen, da kam im Land das Wort auf: „Es wird dir glucken wie den Schwaben bei Lukken." Vor der Schlacht aber soll Friedrich der Freidige auf dem Marktplatz zu Leipzig eine ermutigende Ansprache an die Bürger gehalten und dann zu seinem Leibdiener, der ihm den Harnisch anschnallte, gesagt haben: „Binde heut drei Land auf oder gar keins!" Ein alter Vers davon lautet:

> Heute binde ich auf Meißen,
> Düringen und Pleißen,
> Und alles, was meiner Eltern je gewart.
> Gott helfe mir auf dieser Fahrt:
> Als wir für Gott recht haben,
> Also reit ich wider die Schwaben
> Und will sie übern Haufen schlagen
> und aus dem Lande Meißen jagen.

Anmerkung: Der Sagenkomplex um die Belagerung und Eroberung Freibergs durch Adolf von Nassau ist in der Vergangenheit offensichtlich zugunsten der Territorialherren, der Wettiner, auch in der Literatur manipuliert worden. Die Auseinandersetzungen des deutschen Königs mit dem Markgrafen Friedrich dem Freidigen waren ein letzter Versuch der Zentralgewalt, die Macht der Territorialherren einzuschränken. Nach den historischen Quellen wurde Freiberg nach kurzer Belagerung durch Verrat eingenommen. Nur die Burg leistete noch einige Zeit Widerstand. Nach ihrer Einnahme wurde sie zerstört, 60 Mann der Besatzung niedergemacht (vgl. Sage Nr. 273). — Nach dem Tode Adolf von Nassaus verblieb Freiberg bei der Reichsgewalt, bis es nach der Schlacht bei Lucka im Mai 1307 wieder in die Hände Friedrichs gelangte.


### 278. Der treue Rat von Freiberg

Die Söhne Friedrichs des Streitbaren, Kurfürst Friedrich und Herzog Wilhelm, hatten über ihre Länder einen Teilungsvertrag geschlossen, nach welchem die Stadt Freiberg beiden zugleich angehörte. Als nun zwischen den beiden Brüdern der Krieg ausbrach, welcher gegen sechs Jahre währte, da war die arme Stadt oft in großer Kümmernis; denn zwei Herren, die einander befehden, durch Treuschwur zugleich untertan sein, das ist gar ein schlimmes Ding.

Im Jahr 1446 kam Kurfürst Friedrich, vielleicht nur um die Treue der Bürger zu erproben, mit starker Heeresmacht nach Freiberg, hielt auf dem Markte Lager mit seiner Ritterschaft und ließ durch einen Herold ausrufen, daß der Rat und die Bürgerschaft bei Verlust Gutes und Lebens ihm allein huldigen, seinen Bruder abschwören und wider demselben ihm zu Hilfe sein sollten. — Da traten die Herren des Rates zusammen und hielten voller Angst einen Rat, was zu beginnen sei, und konnten nichts Erfreuliches ersinnen, denn entweder mußten sie den Treueschwur an Herzog Wilhelm brechen oder die Stadt dem Zorn des Kurfürsten Friedrich ausliefern. Also waren sie in großen Nöten, wählten aber dennoch das beste Teil.

Nach dem dritten Ausruf des Herolds gingen sie barhäuptig, je zwei und zwei, vom Rathaus auf den Markt, jeder seinen Sterbekittel überm Arm tragend, und traten vor den Kurfürsten, um den seine Ritter einen Kreis geschlossen hatten. Nikol Weller von Molsdorf, der Bürgermeister, nahm das Wort und sprach: „Wir und die ganze Stadt sind so bereitwillig als schuldig, Euch, unserem gnädigsten Herrn, untertänigst zu gehorchen, dabei ist uns die gegenwärtige Trennung unserer beiden Fürsten ein herzliches Leidwesen; aber weil wir dem Herzog Wilhelm, Eurem Bruder, mit gleichen Pflichten verhaftet und solcher von ihm noch nicht entlassen sind, so bitten wir um Gottes willen, Ihr wollet uns doch dabei lassen und zu keinem Widrigen zwingen. Wenn es nicht gegen den Bruder ginge, so wollten wir gern Leid, Ehre und Gut für Euch einsetzen; aber sofern Ihr, was Gott verhüte, in uns dringen wollt, so gedenken wir lieber zu sterben, als uns in solche Seelengefahr zu stürzen, und ich will

Freiberg

auch gern der erste sein und mir meinen alten, grauen Kopf abhauen lassen!"

Durch diese Rede erweicht, warf der Kurfürst sein Roß herum, ritt zu Wellern, klopfte ihm auf die Schulter und sagte: „Nicht Kopf ab, Alter! Nicht Kopf ab! Wir bedürfen solcher ehrlichen Leute noch länger, die Eid und Pflicht also in acht nehmen!" Hierauf lobte er die Treue der Stadt und ermahnte die Ratsherren und Bürger, darinnen zu verharren und furchtlos zu sein, denn er stehe gern ab von seinem harten Begehren.

Anmerkung: 1445 wurden die Wettinischen Lande unter den Söhnen des ersten wettinischen Kurfürsten, Friedrich des Streitbaren (1370 — 1428), zwischen dem Kurfürsten Friedrich dem Sanftmütigen (1412 — 1464) und Herzog Wilhelm III. dem Tapferen (1425 — 1482) geteilt. Freiberg verblieb mit seinen Bergwerken in gemeinschaftlichem Besitz. Der Teilung folgten kriegerische Streitigkeiten, in deren Folge der Kurfürst 1446 die Stadt mit der Burg einnahm, seine Wagenburg am Obermarkt aufbaute und vom Rat unter Bürgermeister Nikol Weller die alleinige Huldigung verlangte. Als diese nicht gewährt wurde, die Freiberger erklärten: „sie wolden lieber den todt leiden", „ist der fuerst selbst zu ihnen auffs rathauß gegangen" und erreichte die Huldigung unter Zwang. — Im Gegensatz zum zeitgenössischen Chronisten Fleischer wurde das Ereignis 1590 durch Spangenberg in einer Schrift über die Familie Weller von Molsdorf ausgeschmückt und frei behandelt.


### 279. Wunderzeichen und Traumgesichte vor dem Prinzenraub

Viel Zeichen schienen den Prinzenraub anzudeuten:
Des Nachts hörte man von selbst die Glocken läuten;
Ein fürchterlich Geheul erschallte hier und dar;
Das Schloßtor ging selbst auf, das doch verschlossen war.
Man hört im Schlosse was mit schwerer Rüstung gehen,
Dies blieb nun insgemein am Prinzenzimmer stehen.
Auch um das Schloß herum ward öfters bei der Nacht
Von Waffen, Roß und Macht ein leer Geräusch gemacht.
Zwei Pferde, welche sonst die Prinzen tragen müssen,
Die hatten sich von selbst im Stalle losgerissen
Und liefen atemlos mit Schnauben hin und her,
Als ob sie etwas trieb, was ihnen schreckbar wär.
Besonders war der Fall beachtenswert zu schätzen:
Die Fürstin hielt sich zwei Vögel zum Ergetzen.
Sie hüpften frei umher und jeder war so zahm,

Daß er aus ihrer Hand das Futter willig nahm.
Einst kommt in schnellem Flug ein Habicht hergefahren,
Dringt durch die Fenster ein, die eben offen waren,
Und stößet ungescheut auf beide Vögel los;
Die aber suchen Schutz in ihrer Fürstin Schoß.
Allein sie können sich daselbst nicht sicher schauen,
Der Räuber reißet sie doch mit den scharfen Klauen
Von dieser Freistatt weg und führt sie durch die Luft,
Wie sehr man auf ihn stürmt, wie stark man schreit und ruft.
Man jagt ihm endlich nach und schießet ihn darnieder,
Bekommt die Vögel auch, zwar schwach, doch lebend wieder.
Die Fürstin ist zum Teil bestürzet, teils erfreut,
Der Vögel Wiederkunft vermindert zwar ihr Leid;
Allein die freche Tat des Habichts macht ihr Sorgen,
Doch bleibet ihr davon die Deutung noch verborgen.
Sie zweifelt, hofft und zagt; denkt aber doch dabei,
Daß ihr nicht ungefähr das widerfahren sei.

Außer dieser Begebenheit wurde die Kurfürstin Margaretha von Träumen geängstigt. In der Nacht vor dem Prinzenraub hat ihr geträumt, es wäre ein Schwein in einen Garten eingebrochen und habe neben den Reben und Gewächsen die junge, schöne, aufwachsende Raute verdorben. Niemand habe ihm Einhalt geboten, bis ein Bär erschien und das Schwein mit seinen Tatzen vertrieb. Die Fürstin habe darauf ihren Gemahl gebeten, seine Reise nach Leipzig zu verschieben. Dieser hat aber geantwortet: ,,Träume sind Schäume! Wer auf Träume achtet, greift nach den Schatten."

Nach einer anderen Überlieferung soll ein Eber in dem unterhalb des Schlosses gelegenen Wäldchen, die Leiste genannt, da, wo die Fürstin häufig lustwandelte, zwei junge Eichen, die sie liebgewonnen, auszuwühlen gedroht haben. Die Bäume führen seit jener Zeit den Namen Prinzeneichen.

Anmerkung: Um den sächsischen Prinzenraub ranken sich mehrere Sagen. Der Ritter Kunz von Kaufungen, Burgvogt und Amtmann beim sächsischen Kurfürsten Friedrich II. dem Sanftmütigen, hatte am Krieg gegen des Kurfürsten Bruder teilgenommen (vgl. Anmerkung zu Sage Nr. 284). Ihm waren dafür das Rittergut Schweikershain und die Burg Kriebstein versprochen worden. — Nach Beendigung dieses Bruderkrieges ging Kunz von Kaufungen leer aus. Indem er sein Versprechen nicht einhielt, bestrafte der Kurfürst eigenmächtige Handlungen und Raubzüge des Ritters. Weil Kunz seine Rechte vor Gericht nicht durchsetzen konnte, sollte die Faust Recht sprechen. In der Nacht vom 7. zum 8. Juni 1455 raubte Kaufungen mit Hilfe eines Küchenjungen und anderer Helfer aus dem niederen Adel die beiden sächsischen Prinzen Ernst und Albrecht aus dem Altenburger Schloß. Er wollte sie als Geiseln nach Böhmen bringen, wurde aber mit dem Prinzen Albrecht in den Grünhainer Wäldern von dem Köhler Georg Schmidt und seinen Gesellen überwältigt. — Seine Komplizen, die den Prinzen Ernst mit sich führten, verbargen sich in einer Höhle unweit Hartenstein. Die Entführer gaben nach zwei Tagen auf, nachdem ihnen freier Abzug zugesichert worden war. — Kunz von Kaufungen wurde am 14. Juni 1455 auf dem Freiberger Obermarkt enthauptet. Sein Vetter Dietrich starb im Gefängnis, der Knappe Schweinitz wurde gehenkt und Hans Schwalbe, der verräterische Küchenjunge vom Altenberger Schloß, am 28. Juli in Zwickau geviertelt. 24 Geschworene des Freiberger Bergschöppenstuhles hatten sie zum Tode verurteilt. — Ein schwarzer Stein auf dem Obermarkt zeigt heute noch die Hinrichtungsstelle an. Darauf blickt der Gaffkopf am Rathauserker, allgemein als Kunz von Kaufungen bezeichnet.

### 280. Die Eichen bei Callenberg

In Callenberg bei Lichtenstein, wo Kunz von Kaufungen die ledernen Leitern mit Holzsprossen für den Prinzenraub gefertigt hatte — der Ort gehörte seinem Vetter Dietrich — , standen noch ungefähr

200

Schritte vom Rittergut an der Straße von Waldenburg nach Lichtenstein zwei sehr alte, jedoch nicht schön gewachsene Eichen, von denen man sagte, daß sie zum Andenken an den Prinzenraub gepflanzt worden seien. Die Scheune, in welchen jene Leitern gefertigt worden sind, ist längst zerstört, der Platz aber mit einer Denktafel bezeichnet, deren Schrift mit der Zeit unleserlich geworden ist. Diesem Mangel half ein vogtländischer Schulmeister, der hier Verwandte besuchte, ab und dichtete folgende Inschrift:

Hier knüpfte Leitern der Teufelskerl
Kunz Kaufung, zu rauben des Landes Perl.
Hans Schwalbe war dazu bereit,
Gelobt sei Gott in Ewigkeit.

## 281. Die Prinzenkleider in der Kirche zu Ebersdorf

Nachdem die beiden Prinzen Ernst und Albrecht ihrem Räuber, dem Ritter Kunz von Kaufungen, glücklich entronnen waren, machte der ganze Hof eine Wallfahrt nach der Ebersdorfer Kirche. Der Kurfürst ließ daselbst die Kleider der beiden jungen Herren, die sie bei ihrer Entführung angehabt, wie auch die des Köhlers Schmidt, der sie errettet hatte, Kittel und Kappe, aufhängen. Neben den Kleidern wurden folgende Verse angeschrieben:

Kuntz Kauffung der viel wilde Mann,
Im Meißnerland ist kommen an,
Wohl auf das Schloß zu Altenborg,
Sehr frech und kühn ohn alle Sorg,
Dem Fürsten allda seine Kind,
Entführet hat listig und geschwind,
Der Kleider noch hie hängen seht,
Ein jeder der füruber geht,
Die dazumahl bald nach der That,
Der Vater hergehänget hat.

Anmerkung: Die Stiftskirche Ebersdorf bei Chemnitz wurde 1410/20 erbaut. Sie war eine Wallfahrtskirche. An die Wallfahrten erinnern Votivgaben wie u. a. die Kleider der Prinzen und des Köhlers.

### 282. Der Kretscham und Fürstenbrunnen
### bei Neudorf an der Sehma

Neudorfs oberes Ende stößt an den Kretscham, welchen Namen der tiefere Teil des angrenzenden Ortes Rothensehma führt. An sich ist Kretscham die Bezeichnung für den Dorfgasthof, der mit manchen Rechten ausgestattet war. Nach einer Volkssage soll hier, und nicht am Fürstenberge bei Grünhain, Prinz Albrecht aus den Händen Kunzens von Kaufungen gerettet worden sein. Noch zeigt man im Westen, diesseits eines alten Marmorbruchs, den Fürstenbrunnen, und im Süden die Stätte Kohlkrams, wo der mutige Köhler Schmidt sich aufhielt, welcher später die Erlaubnis bekam, hier an der böhmischen Straße den Kretscham zu errichten. Weil er die Prinzenräuber mutig zusammengehauen hatte, also ordentlich „vertrillerte", erhielt er vom Kurfürsten den Ehrennamen Triller verliehen.

### 283. Hoher Besuch auf dem Katzenstein

Bei Pobershau, am linken Ufer der Schwarzen Pockau, erhebt sich der wildromantische Katzenstein. Obenauf findet man einen großen länglichrunden Stein, darin etliche unbekannte Charaktere gehauen sind. Einstmals soll ein Kurfürst zu Sachsen auf diesem Stein gefrühstückt haben. Neben unleserlichen Inschriften sollen auf dem Steine auch verwitterte Figuren von Tellern, Messern und Gabeln zu sehen gewesen sein. Man will auch das Wort Georg auf dem Steine erkannt haben.

### 284. Der krumme Schuß in Zwickau

Als Ferdinand, König von Böhmen, und Herzog Moritz von Sachsen 1542 Zwickau belagerten, ist aus der Stadt mit einem Feldstein durch beide Kirchentüren geschossen worden. Die Kirche liegt in der Stadt fast zwischen Morgen und Mittag, die eine Tür geht aber gegen Mittag und die andere gegen Mitternacht. Vor der gegen Mittag liegt ein Berg, und die gegen Mitternacht sieht von der Stadt weg. Darum meinte man, daß diesen Schuß ein Zauberer getan habe, welcher wußte, daß eben zu selbiger Zeit sich in der Kirche viele vornehme Herren aufhielten. Man ließ deshalb auch keine neuen Türen anfertigen, sondern nagelte nur Brettlein vor die Öffnungen.

Anmerkung: Im Schmalkaldischen Krieg 1546/47 zog der albertinische Herzog Moritz gegen seinen Vetter, den ernstinischen Kurfürsten Johann Friedrich, ins Feld. Der Feldzug führte u. a. von Freiberg aus über Böhmen nach Plauen, Zwickau, Glauchau nach Mühlberg. Nach der Schlacht bei Mühlberg am 24. April 1547 erhielt Moritz vom Kaiser Karl V. die Kurwürde.

## 285. Der Brunnenbau auf der Augustusburg

Als die alte Burg auf dem Schellenberg abgebrannt war, ließ Kurfürst August, vom Volk Vater August genannt, ein neues Schloß bauen, daß er mit seinem Namen beehrte und Augustusburg nannte. Da er darin auch frisches Wasser brauchte, fragte er bei dem Freiberger Bergmann Hans Planer an, ob er ihm einen Brunnen bauen könne. Planer sagte zu, aber das Werk war nicht leicht; denn je weiter man grub, desto härter wurde das Gestein. Planer ließ es mit siedendem Essig begießen und hoffte, es damit weicher zu machen, aber umsonst. Ertappte Wildschützen und Sträflinge mußten den Bau vorantreiben. Man gelangte schließlich zu einer Tiefe von 102 Metern. Aber noch immer fand sich kein Wasser. Der Kurfürst verlor schließlich die Geduld und wollte keinen Pfennig mehr zahlen. Da baute Planer auf eigene Kosten weiter. Und seine Hoffnung ward nicht betrogen. Als der Brunnen 129 Meter tief war, schoß auf einmal ein starker Wasserstrahl aus der Erde, daß sich die Arbeiter geschwind in die Höhe ziehen lassen mußten, wollten sie nicht ertrinken. Planer stieg selbst hinunter und prüfte das Wasser. Es war frisch wie Eis und rein wie Kristall. Voll Freude füllte er einen Krug, fuhr sogleich nach Dresden und ließ sich beim Kurfürsten melden. Der aber weigerte sich, Planer vorzulassen, dachte er doch, der Brunnenbauer wolle wieder Geld von ihm haben. Da ließ Planer den Kurfürsten bitten, er möge ihm nur drei Worte gestatten. Daraufhin durfte er eintreten. Er sprach nichts als die drei Worte: „Hans bringt Wasser" und hielt dem Landesherrn den Krug entgegen. Da freute sich der Kurfürst und antwortete: „Hans kriegt Geld."

Anmerkung: Kurfürst August von Sachsen (1526—1586, regierte ab 1553) ließ Schloß Augustusburg 1567—1572 anstelle der durch Blitzschläge 1528 und 1547 zerstörten Burg Schellenberg errichten. Der Brunnenbauer hieß nicht Hans, sondern Martin Planer (1510—1582) und war als Oberbergmeister für den erzgebirgischen Bergbau verantwortlich. — Der Brunnenbau erfolgte 1568—1572. Planer baute auch die Brunnen der Festung Königstein und der Burg Stolpen.

## 286. Der Traum auf der Augustusburg

Kurfürst August hatte in seinem Schlafgemach auf der Augustusburg zwei Betten stehen, das eine für ihn selbst, das andere für seinen Kanzler, einen Edlen von Pflug. Neben seinem Bett lag auf einem Tisch stets eine aufgeschlagene Bibel. Vor dem Schlafengehen pflegte der fromme Kurfürst ein Kapitel daraus zu lesen.

Eines Nachts hatte er folgenden Traum: Ein Mönch und eine Nonne traten ein und schritten zu dem Tisch, auf dem die Bibel lag und eine brennende Kerze stand. Der Mönch nahm die Bibel, las darin, legte sie aber verdrießlich wieder weg. Er wollte das Licht ausblasen, was ihm aber trotz aller Anstrengung nicht gelang. Hierauf versuchte es die Nonne, mit mehr Erfolg, wie es schien. Doch kaum hatte sie mit dem Mönch den Raum verlassen, da entzündete sich die Kerze wieder und brannte mit heller Flamme.

In der fünften Stunde erwachte der Kurfürst und erinnerte sich des seltsamen Traumes. Merkwürdiges war auch dem Kanzler widerfahren. Er hatte zwar nicht geträumt, aber während er bis nach Mitternacht wach gelegen hatte, waren ihm eigenartige Gesichte erschienen. Der Kurfürst schlug vor, unverzüglich das Gesehene aufzuschreiben. Als sie damit fertig waren, tauschten sie das Geschriebene aus. Wunderbar genug hatte der Kanzler genau dasselbe mit wachen Augen gesehen, was der Kurfürst geträumt hatte, und noch wunderbarer war es, daß die Aufzeichnungen Wort für Wort übereinstimmten. Der Kanzler wußte nicht, was er davon halten sollte. Der Kurfürst aber sprach: „Es wird dermaleinst nach meinem Tode auch ein Augustus in diesem Lande regieren, der wird die evangelische Lehre unterdrücken wollen, aber nicht können, denn Gottes Wort und Luthers Lehre vergehen nun und nimmermehr!"

Der Kurfürst soll auch eine harte Verwünschung desjenigen unter seinen Nachkommen, der die Lutherlehre anfeinden würde, in der Bibel aufgezeichnet haben.

Anmerkung: Der in der Sage genannte Cäsar von Pflug war Berater Herzog Georgs (1471—1539, regierte ab 1500). — Die Anspielung, daß einst ein Augustus die evangelische Lehre unterdrücken werde, bezieht der Sagenerzähler sicher auf August den Starken, dessen Übertritt zum Katholizismus 1697 erforderlich wurde, damit dem sächsischen Kurfürsten die polnische Königskrone angetragen werden konnte.

### 287. Die Entdeckung der Freiberger Silbererze

Es ist das Bergwerk zu Freiberg auf solche Weise an Tag gekommen und gefunden worden: Auf eine Zeit ist ein Goslarischer, oder wie etliche bloß setzen, ein sächsischer Fuhrmann zu Halle durchgefahren und hat Salz ins Land zu Böhmen führen wollen, weil dasselbe Land auf den heutigen Tag aller Ding die Fülle, allein kein Salz hat. Dieser Salzführer, als er fast an die Grenzen des böhmischen Gebirges, gleich um die Gegend, da jetzo Freiberg stehet, kommen, hat er ohngefähr ein Geschiebe von einem gediegenen Glanz oder Bleierz in seinem Wagengleis gefunden, dasselbe, weil es schön gleißende und schwer gewesen, auf den Wagen geworfen und im Wiederkehren mit sich gen Goslar bracht. Nachdem es von den Bergleuten probiert und im Silber viel reicher als das Goslarische Glanz und Bleischweif befunden worden, haben sich diese zum Teil alsbald aufgemacht, sind dahin auf Nachrichtung des Fuhrmannes gezogen, da er das Geschiebe gefunden hatte, haben Gänge ausgerichtet, eingeschlagen und geschürft, und da es ein gut Ansehen genommen, folgend getrost Kübel und Seil eingeworfen, in Eil etliche Röschen getrieben, damit sie die Gebirge etwas verstollet, und das Wasser verschroten, auf daß sie ohne Hindernis bauen mögen, und haben in Summa das Bergwerk im Lande zu Meißen, wie das spätere Sachsen damals noch genannt wurde, erst rechtschaffen rege gemacht.

### 288. Wo in Freiberg das erste Bergwerk fündig wurde

Wo das Rathaus in Freiberg steht, soll der erste Silberfund geschehen sein; und in einem Kreuze, welches in einer Ecke desselben eingemauert ist, soll man noch heute die erste Art Freiberger Erze sehen. Gegenüber an der Ecke der Petersstraße, da, wo das Bild des Bergmanns an dem Hause steht, soll sich die erste Zeche befunden haben. Die bedeutenden älteren Gruben waren im alten Loßnitz- oder Münzbachtale. In Christiansdorf, welches seinen Anfang vom Vorwerk Langerinne nahm und sich bis an die Loßnitz erstreckte,

war eine sehr alte Grube, der Stubenberg, von dem erzählt wird, daß eine Köchin aus dem Kloster Zelle das erste Grubengelände hier gebaut und sehr reich davon geworden sei.

### 289. Der Anfang der Stadt Freiberg

Um 1169 hat der Bergmeister mit seinen Bergleuten auf dem Bergrevier Clausthal-Zellerfeld im Harz verschiedener Unbilligkeiten wegen, die ihnen widerfahren, einen Aufstand gemacht und hat sich dann mit seinen Bergleuten nach Meißen zum neuen Bergwerk, welches bereits in hohen Ruf gekommen war, begeben. Zwei Jahre darauf aber haben die eingewanderten Sachsen das Dorf Christiansdorf an der jetzigen Münzbach im Bau verbessert und also zugerichtet, daß es einer neuen Stadt glich, die hernach die Sachsenstadt genannt wurde. Etliche rechnen deshalb den Anfang der Stadt Freiberg vom Jahre 1171 an.

Über den Grund für die Unbilligkeiten, deretwegen die Bergleute weggezogen sind, gibt eine andere Sage Auskunft:

Zu eben dieser Zeit regierte in Harzburg Kaiser Heinrich. Ein Berghauptmann hatte eine wunderschöne Frau, die der Kaiser, als ihr Mann abwesend war, zu seinem Willen zwang. Als nun der Berghauptmann wieder nach Hause kam und seine Frau ihm ihr bitteres Leid klagte, ging er in seinem Zorn in die Residenz nach Goslar, den Kaiser zum Zweikampf herauszufordern. Der Kaiser aber jagte ihn schimpflich fort. Da kehrte der doppelt Beleidigte nach Hause zurück, wiegelte seine ihm unterstellten Bergleute auf und zog mit ihnen in die Markgrafschaft Meißen, wo sie in Freiberg die ersten Bergwerke gründeten.

Anmerkung: Diese Sagen, die in fast allen schriftlichen sächsischen Überlieferungen zu finden sind, gehen auf die „Meißnische Land und Bergchronik" von Petrus Albinus zurück, die 1590 erschien. — Innerhalb der Waldhufenflur von Christiansdorf wurde durch Fuhrleute 1168 Silbererz entdeckt. Die alte Straße nach Böhmen kreuzte hier den mächtigen Freiberger Erzgang, den Hauptstollngang. Der Darstellung in der Chronik kann deshalb eine wahre Begebenheit zugrunde liegen. — Bald darauf erfolgte die Zuwanderung von Bergleuten aus dem Harz an den freien Berg, die von dem nahe der Erdoberfläche lagernden Erz angelockt wurden. Das veranlaßte Markgraf Otto den Reichen, den Grund und Boden von dem von ihm 1162 gestifteten Kloster Marien-Zella zurückzufordern. In rund 20 Jahren erweiterte sich Christiansdorf zur Sächsstadt, die 1210 — 1220 eine Anlage der Oberstadt erhielt und mit den ebenfalls bestehenden Stadtteilen um die Nikolaikirche und die Burg Freudenstein sich zur Stadt zusammenschloß. Friberch, 1223 Vriberc genannt, bedeutet die Stadt am freien Berge.

## 290. Die Mordgrube zu Freiberg

Als um die Mitte des 14. Jahrhunderts das Bergwerk zu Freiberg in höchster Blüte stand, wurden an Feiertagen Lustbarkeiten und Tänze bei Zechenhäusern abgehalten, so auch 1360 in einer sehr berühmten Bergzeche zwischen Berthelsdorf und Erbisdorf ein öffentlicher Reigentanz. Da kam ein katholischer Priester mit einer Monstranz vorüber, um einem Kranken die Beichte abzunehmen. Der Glöckner gab zwar das übliche Zeichen mit dem Glöcklein, allein keiner der Tanzenden achtete darauf, mit Ausnahme des Fiedlers, der zum Tanze aufspielte. Er ließ sich auf die Knie nieder, um dem heiligen Sakrament die Ehre zu erweisen. Da tat sich die Erde auf und verschlang die ganze Gesellschaft mit Ausnahme des Fiedlers, der sich auf einem Hügel hielt, bis man ihm zu Hilfe kam. Dann sank auch dieser ein.

Von den Tänzern und Tänzerinnen wurde niemand wiedergesehen. Vergebens wurde nach den Verschütteten und ihrem Schmuck und Geschmeide gegraben. Was am Tage aufgegraben wurde, fiel des nachts wieder ein. Die Zeche hat daher den Namen Mordgrube erhalten. Das Vorkommnis ist von einem Maler in der Kirche zu Erbisdorf festgehalten worden. Noch 1490 hat man an jener Stelle ein gewaltiges rundes Loch, so groß wie der halbe Markt zu Freiberg, sehen können.

Anmerkung: Die Mordgrube lag in einem Gebiet mächtiger Erzadern. Möller erklärt den Vorgang richtig, wenn er schreibt, „ob nun solches die eigentliche Ursache dieses Erdfalls, wie von Mönchen fir gegeben worden, oder ob der Ort sonst unterfahren gewesen und durch das hefftige Springen erschüttern einen Druck bekommen und eingegangen, lasse ich andere urtheilen. Gewiß ist es, das ein großer erdfall geschehn.“

### 291. Bergleute bezahlen den Freiberger Donatsturm

Als Freiberg wegen seines Reichtums mancherlei Angriffe zu erdulden hatte, beschlossen die Bürger, die Stadt mit hohen Mauern und einem tiefen Graben zu umwehren. Lange wurde gebaut, und die Freiberger ließen es sich ein ganz schönes Stück Geld kosten. An den Toren erhoben sich stattliche Türme. Nur am Donatstor war kein Turm vorgesehen. Da traten die Bergleute zusammen und zahlten von ihrem Solde täglich einen Pfennig. Von diesem Geld haben sie den runden und sehr starken Donatsturm erbauen lassen.

Der Donatsturm    zu Freiberg

## 292. Der Ursprung der Bergwerke bei Nossen

Es wird erzählt, daß die Bergwerke an der Mulde gegen Nossen lange vor den Freiberger Silbergruben gangbar gewesen seien. Das Bergwerk zu Gersdorf soll das älteste und bei folgender Gelegenheit aufgekommen sein:

Im Jahre 733 suchte ein Mönch, genannt der Kappenmönch, einen auf der Wunderburg bei Roßwein gesessenen Räuber namens Martin Griechen auf. Beim Abschied habe dieser den Mönch zusammen mit seiner Buhlerin Gertraude ein Stück Weges begleitet. Unterwegs entdeckten sie reiche Erze. Der Mönch legte darauf seine Kutte für immer ab und Martin Griechen ließ von seinem Räuberhandwerk. Sie legten ein Bergwerk an und gründeten einen Flecken, den sie nach des Räubers Buhlerin Gersdorf nannten. Das Bergwerk wurde bis 887 betrieben, blieb dann aber wegen eines Raubüberfalls zwei Jahre liegen. Das gleiche Schicksal erlitt ein anderes Bergwerk, der Goppisch. Drei Jahre darauf wurde in Etzdorf ein neues Bergwerk errichtet. Aus Ermanglung von Bergleuten mußte jeder Bauer zwei Mann stellen. Das Bergamt soll auf dem späteren Schafhofe gelegen haben.

Anmerkung: Daß der Freiberger Bergbau der älteste in der Markgrafschaft Meißen war, geht aus seiner rechtlichen Stellung, dem Umfang der Schenkung kurz zuvor gerodeter Flächen 1162 an das zu gründende spätere Kloster Marien-Zella und die Rücknahme einiger Dörfer aus dieser Schenkung nach Auffindung der Freiberger Silbererze hervor. Die in dieser Sage genannten Daten sind auch siedlungsgeschichtlich undenkbar und gehen auf Autoren des 16. Jahrhunderts zurück.


## 293. Ein Pferd entdeckt die Silbererze des St. Georg in Schneeberg

Als der Schneeberg noch mit Wald bedeckt war, befand sich dort eine Försterei. Hier wurde den Umwohnenden, besonders in den Mühlen gegen Griesbach sowie den Hammerleuten in Schlema, Holz angewiesen. Dabei soll ein Pferd, welches an einen Baum gebunden war, gescharrt und in der Dammerde eine Gilbe entblößt haben. Das war der Anfang zum Fündigwerden des St. Georg, an dessen Zechenhaus sich zur Erinnerung ein Hufeisen befand.

Anmerkung: Der Schneeberger Bergbau begann im Bereich des ca. 5 km entfernten Hohen Forstes bereits um 1316. Um 1315 wird der Zinnbergbau im Bereich von Neustädtel betrieben. — 1446 ist dann der erste Silberbergbau auf der Grube Silberwaage in Niederschlema nachgewiesen, während der Bergbau im Hohen Forst um 1420 ein

Ende fand. 1453 wird man auf dem Schneeberg in der Alten Fundgrube fündig. 1467 erfolgt eine erste Verleihung an den reichen Zwickauer Bürger Martin Römer (siehe Anmerkung zu Sage Nr. 3 13). — Mit dem Erreichen der unteren Kante der erzhaltigen Zone begann der Niedergang des Silberbergbaus. Jetzt wurde die Gewinnung und Verarbeitung von Kobalt wichtig. Es enstanden die Blaufarbenwerke in Oberschlema u.a.

## 294. Die Grundsteinlegung der St. Wolfgangskirche in Schneeberg

Die St. Wolfgangskirche sollte an dem Platz erbaut werden, wo jetzt die Schule steht. Man legte den Grundstein. Doch der verschwand zweimal nacheinander. Da erschien einem Bergmanne im Traum ein Grubenmännchen, welches ihm die Stelle zeigte, auf welcher die Kirche erbaut werden sollte. Dort blieb der Grundstein auch liegen. Darauf führte das Männchen den Bergmann in die Tiefe und zeigte ihm unter dem ursprünglich vorgesehenen Platz reiche Silbererze.

## 295. Das verschworene Bergwerk zu Schneeberg

Als 1478 im Mühlberg etliche Fundgruben aufgenommen, ein Stolln darin getrieben und sehr reiches Erz angetroffen wurde, da tauchte Sebastian Römer mit seinem Haufen auf, beanspruchte die Zeche für sich und nannte sie die Römerzeche. Damals galt in dieser Zeche ein Kux an die 1200 — 1400 Gulden. Als der Lehnträger Römer fälschlich geschworen hatte, daß dieser Gang ihm gehöre, sei das Erz auf dieser Zechen zu Kohle geworden, und sowohl hier als auf zwölf anderen Zechen dieses Berges sei nichts mehr erbrochen worden. Gleich beim Schwur aber vor dem Obergericht in Zwickau ist das Gewölbe von selbst aufgerissen, und das Glöcklein, womit man die Diener herbeizurufen pflegt, habe von selbst geklungen. Daher pflegte Herzog Georg zu sagen: „Der Klößberg ein tauber Berg, der Mühlberg ein verschworener Berg, sehet mir auf den Schickenberg!"

Anmerkung: Zu Römer siehe Anmerkung zu Sage Nr. 313.

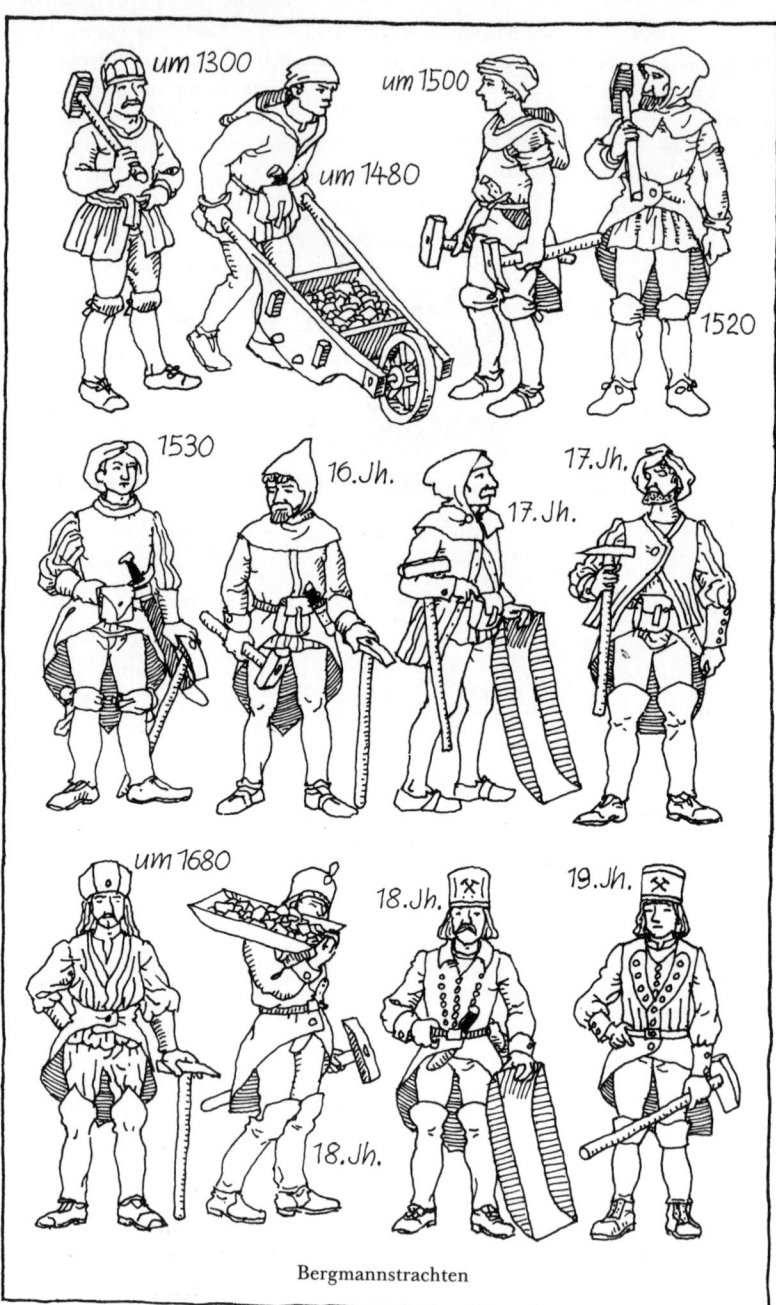

um 1300

um 1500

um 1480

1520

1530

16.Jh.

17.Jh.

17.Jh.

um 1680

18.Jh.

19.Jh.

18.Jh.

Bergmannstrachten

### 296. Glockengeläut verkündet neue Anbrüche

Im Jahre 1713 soll in der Nähe von Johanngeorgenstadt bei einem Vogelherde drei Tage nacheinander von früh bis Mittag Geläute gehört worden sein. Einige Zeugen bekräftigten das an Eides Statt. Da die Gründung von Johanngeorgenstadt ebenfalls durch Glockengeläut angekündigt worden war, so deutete man auch jenes Läuten als Anzeichen für die Erweiterung des Bergbaus.

### 297. Das Goldlager bei Seiffen

Einst ging ein blutarmer Holzfäller in den dichten Hochwald bei Seiffen, um Holz zu fällen. Da vernahm er im Gebüsch ein ungewöhnliches Geräusch. Er ging darauf zu und sah durch das Moos reines Gold schimmern. Dem Holzfäller klopfte das Herz vor Freude über den unerwarteten Fund. Er lief über Stock und Stein nach Hause, um Spitzhacke und Schaufel zu holen. Als er an die Stelle zurückkam, fand er weder den Busch noch schimmerte ihm Gold entgegen. Alles war verschwunden. So blieb er ein armer Holzfäller bis an sein Lebensende.

Aber einmal wird eine ganz schwarze Kuh über dieses reiche Goldlager gehen und es aufwühlen. Dann wird aus dem ärmlichen Ort Seiffen eine blühende Bergstadt, die nach dem neben ihr aufragenden Berg Heldenberg heißen wird.

### 298. Die Tellerhäuser bei Oberwiesenthal

Um das Jahr 1570 lebte zu Oberwiesenthal ein blutarmer Bergmann namens Teller, der in einer Grube beschäftigt war, die keine Ausbeute mehr brachte und deshalb von ihrem Besitzer, einem reichen Geizhals, geschlossen wurde. Vergebens forderte der Bergmann seinen rückständigen Lohn, fand auch keine neue Arbeit. Er hatte eine kranke Frau und drei Söhne zu Hause, aber kein Brot mehr für sie. So mußte er nach und nach seine Habe verkaufen. Als der Ostermorgen herankam, hatte er alles, was zu Geld gemacht werden konnte, weggegeben. Siehe, da zog es ihn zur Kirche. Als er das Gotteshaus betrat, kam es ihm vor, als sähe er sich im Festtagsgewand an der Kanzel stehen, eine Stufe Silber auf der Schulter. Er rieb sich die Augen, wandte sich ab, aber sobald er wieder zur Kanzel blickte, stand dort sein Doppelgänger.

Auf dem Heimweg begegnete ihm ein vornehm gekleideter Unbekannter, der, als er von Tellers Not hörte, ihm ein großes Stück Silber schenkte.

Von da an fand der Bergmann keine Ruhe mehr. Ihm war, als ziehe ihn sein Doppelgänger zu der aufgegebenen Grube. Er erkaufte sich daher von dem übriggebliebenen Geld vom Bergmeister die Erlaubnis, in der auflässigen Grube zu bauen. Eifrig schlug er auf das Gestein ein. Doch der Tag verfloß, ohne daß er auf edles Metall gestoßen wäre. Schon war der zweite Tag halb vorüber, und er machte eben Anstalt, sein letztes Stück Brot zu essen, als eine Maus hervorkroch und die heruntergefallenen Brotkrumen auflas. Teller ließ sie gewähren. Doch als sie sich anschickte, sein Grubenlicht anzuknab-

bern, warf er sein Feustel nach ihr. Statt die Maus zu treffen, sprengte der Feustel einen Gesteinsbrocken los, und siehe, hinter diesem lag ein reicher Gang gediegenen Silbers zutage. So ward aus einem armen Häuer ein reicher Bergwerksbesitzer.

Allein er vergaß seine frühere Not nicht und blieb fromm und mildtätig. Seinen Söhnen erbaute er zwischen Oberwiesenthal und Rittersgrün drei Häuser, die die Tellerhäuser genannt werden. Er ließ sich im Sonntagsputz des Häuers, so wie er sich an jenem Ostermorgen in der Kirche gesehen hatte, in Holz hauen und ließ das Bild zum Andenken in der Kirche aufstellen.

Amnerkung: Ein Tellerhaus ist bereits 1609 auf der Karte von Oeder eingezeichnet. Im 30jährigen Krieg wurde 1647 „das Berghäusel des Andreas Teller" geplündert. Die lebensgroße holzgeschnitzte Figur eines Bergmanns stand in der Kirche zu Oberwiesenthal. Auch ein kanzeltragender Bergmann war ein Abbild Tellers. Beides wurde Opfer des Kirchenbrandes 1862.

### 299. Der reiche Fund oder die Kutte bei Elterlein

Einst zog ein Pater aus Grünhain zu der Kapelle am Walde, um die später der Ort Elterlein entstand, um dort seines Amtes mit Messelesen und dergleichen zu walten. Da es sehr heiß war, ließ er sich im Walde nieder. Aber beim Niedersetzen berührte ihn etwas von hinten sehr schmerzhaft. Er untersuchte den Boden und fand einen starken Zacken Silber, der drei Zoll aus der Erde hervorstand. Um die Stelle wiederzufinden, legte er seine Kutte darüber, dann eilte er nach Grünhain zurück, um dem Abt seinen Fund anzuzeigen. Bald entstand dort, wo seine Kutte gelegen hatte, ein Bergwerk, das lange Zeit gute Ausbeute gab und die Kutte heißt.

### 300. Ein Bauer aus Geyer findet reiche Erzgänge

Früher ist an dem hinteren Teil der Kirche zu Geyer auf der Südseite ein gemaltes Fenster zu sehen gewesen, das einen Bauern von einer halben Elle Höhe mit zwei Dreschflegeln darstellte. Dieser Bauer hatte den hinteren Teil der Kirche auf seine Kosten erbauen lassen. Unter dem Fenster war ein Gemälde, auf dem ein Bauer in größerer Figur abgebildet war, der mit einer langgespitzten Keilhaue einschlug. Zu seinen Füßen stand ein Leichenstein.

Jener Bauer suchte auf dem Weg von Geyer nach Geyersdorf Zuflucht auf einem Baum. Dort träumte ihm, unter diesem Baum seien Erzgänge. Er fand auch so reiche Erze, daß er in kurzem zum reichen Manne wurde. Aus Dankbarkeit erbaute er den hinteren Teil der Kirche.

### 301. Die Kapelle zu Frohnau

Im Jahr 1502 kam ein angesehener Mann namens Lorenz Pflock in Annaberg an. Als ihm seine Gemahlin kurz danach in einem Wagen folgte, kam es ihm ein Stück hinter Frohnau vor, als wenn die Erde hier erschüttert würde. Nicht lange darauf legte ihr Mann an diesem Ort ein Bergwerk an, daß ihm reiche Ausbeute gab. Als Dank ließ er mitten im Dorf Frohnau eine Kirche mit einem kostbaren Altar bauen.

### 302. Der Anfang des Bergwerks am Schreckenberg bei Annaberg

In dem Dorfe Frohnau wohnte ein Bergmann, welchen die alte geschriebene Stadtchronik von Annaberg Kaspar Nietzel oder Nitzelt
nennt. Dieser schürfte an dem Schreckenberge und entdeckte daselbst den 27. Oktober 1492 in der Dammerde einen lettigen Gang,
welcher im Zentner 2 Lot Silber enthielt. Dieser Bergmann nahm
den Letten, trug denselben am Abende Simonis Judä nach Geyer zu
einem Schmelzer, welcher Martin Pflugk oder Pfennig geheißen, und
ließ es probieren. Als aber der Schmelzer diesem Nietzel es nicht
glauben wollte, daß er zu Tage einen solchen herrlichen Gang gefunden, so gab er ihm etliche verständige Bergleute mit, welche die Sache sollten in Augenschein nehmen, und diese, als sie den Gang
wirklich so gefunden, hatten auch dem Nietzel hernach geraten, daß
er solchen Gang von Herrn Johann Fischer, Bergmeister zu Freiberg,
aufnehmen sollte. Das allerälteste geschriebene Chronikon aber, welches noch vorhanden ist, sagt, daß Hans Heintze und Martin Pflugk,
der Schmelzer in Geyer, das Lehngeld geleget und solchen Gang bei
Hans Fischern, Bergmeister in Freiberg, aufnehmen lassen. Als sich
nun beim Abteufen der Gang veredelt, der Gehalt gebessert und das
Geschrei nach Freiberg geschollen, so hat der Bergmeister daselbst
etliche abgeordnet, das neue Gebäude zu befahren und an dem nahe
dabeiliegenden Schottenberge einen Stolln zu treiben anfangen lassen. Dies ist also anno 1492 geschehen, als in welchem Jahr dieser
wüste und wilde Ort das Glück hatte, daß er bekannt geworden. Von
diesem Jahr an rechnen nun etliche den Anfang der Stadt St. Annaberg.

### 303. Der Traum Daniel Knappes

Als noch dicke Waldung den Pöhlberg und seine Nachbarn deckte,
lebte im Dorf Frohnau der Bergmann Daniel Knappe, fromm und
brav, aber blutarm, denn er hatte sieben Kinder und ein krankes
Weib in seiner Hütte. Er wußte seiner Not kein Ende und war nahe
daran zu verzweifeln. Da erschien ihm im Traum ein Engel und
sprach zu ihm: „Gehe morgen in den Wald am Fuße des Schreckenberges. Dort ragt eine Tanne hoch über die Bäume des Waldes. In
ihren Zweigen wirst du ein Nest mit goldenen Eiern finden. Dies ist
dein, brauche es wohl!"

Am anderen Morgen ging Knappe in den Wald, das Nest mit den goldenen Eiern auszunehmen. Bald hatte er die Tanne in der Nähe der Wolfshöhle gefunden und kletterte in ihren Ästen bis zum Wipfel hinauf, fand aber nichts. Enttäuscht ließ er sich auf die Wurzeln der Tanne nieder. Da kam ihm der Gedanke, daß mit den Zweigen auch die Wurzeln der Tanne gemeint sein könnten. Er holte das Gezäh und begann mit dem Schurf. Kaum hatte er die Dammerde durchbrochen, als ihm mächtige, nach allen Seiten streichende Silbergänge entgegenblinkten.

Bald war die Kunde von dem neuentdeckten Bergreichtum in allen Landen verbreitet. Tausende zogen herbei, um sich in der wilden Gegend anzusiedeln. Das veranlaßte Herzog Georg den Bärtigen, eine neue Bergstadt zu gründen. Am 21. September 1496 wurde der Grundstein für das erste Haus gelegt und damit für die Stadt Neustadt am Berge, die später Annaberg genannt wurde.

Zum Andenken an Daniel Knappe heißen noch heute die Bergleute Knappen und ihre Gemeinschaft die Knappschaft. Die Geschichte des Silberfundes ist in der Hauptkirche zu Annaberg an dem hinteren Teil des kleinen Altars, den die Knappschaft 1521 erbauen ließ, abgebildet. Auch liegt in der alten Sakristei der Hauptkirche ein großer runder Stein, auf welchem dieselbe Geschichte ausgehauen steht.

Einen anderen Hergang überlieferte der Leipziger Professor Dr. Barth. Einem Bergmann mit Namen Daniel habe geträumt, daß ihn ein Unbekannter aufforderte, in den Wald zu gehen. Da würde ein Feuer vom Himmel fallen, und wo es niedergehe, würde er einen großen Schatz finden. Am nächsten Morgen machte sich der Bergmann auf den Weg, suchte den ganzen Wald ab, fand aber kein Feuer. Plötzlich kam ein Gewitter auf, und der Blitz schlug in den Wald ein. An dieser Stelle habe der Bergmann die Wünschelrute fest in die Höhe gehalten, habe sie aber nur mit Mühe bändigen können, so

265

heftig habe sie ausgeschlagen. Als er nachgrub, stieß er auf einen reichen Gang mit Silbererz.

Da sich die Nachricht von diesem Fund allenthalben ausbreitete, kamen von allen Orten und Enden Fremde herbei. Sie entdeckten hernach unten gegen Abend, wo der Berg abfällt, noch viele andere reiche Gänge durch die Rutengänger. Auf diese Weise entstand hier der Bergbau und schließlich die Stadt Annaberg.

Nach einer dritten Version träumte Daniel Knapp, einem alten, schlichten Bergmann, wie ihm die heilige Anna erschien und ihm eine Stelle zeigte, wo er einschlagen sollte. Verwundert über diesen Traum, wanderte Daniel Knapp nach Wittenberg und berichtete dem Kurfürsten davon. Dieser folgte ihm mit seinem Kanzler, begleitet von Rittern und anderen Herren. Am Fuße des Schreckenberges, an der Stelle, welche ihm im Traum offenbart worden war, schlug nun der Bergmann kräftig ein, und bald strahlte dem Kurfürsten heller Silberglanz entgegen. Darauf ließ der Kurfürst zur Erinnerung an den wunderbaren Fund die sogenannten Engelsgroschen prägen. Wenige Jahre später entwickelte sich aus den Ansiedlungen, die in der Nähe des silberreichen Schreckenberges gegründet wurden, die Stadt Annaberg.

### 304. Der Fronleichnams-Stolln bei Annaberg

Dieser Stolln hat sich einst einem Fischer entblößt. Als dieser unter Buchholz fischte und mit dem Stirrln am Ufer das Wasser trüb machen wollte, brach ein Stück vom Ufer ein und entblößte eine Bergart, die von grünlicher Farbe, dem Gänsekot gleich, war. Solches geschah am heiligen Abend des Fronleichnamstages 1495.

Dem Fischer fiel diese Bergart auf. Er nahm etwas davon in die Hand, und da er bemerkte, daß sie schwerer als anderes Erdreich war, trug er eine Probe mit nach Hause und ließ sie in Geyer probieren. Dort fand man, daß diese Gangart zwei Lot Silber enthielt. Nun mutete der Finder den Gang und gab ihm den Namen Fronleichnams-Stolln. Dieser lieferte bis zu seinem Erliegen die große Summe von 400 000 Güldengroschen (Speziestalern) Ausbeute.

Anmerkung: Das Bauerndorf Frohnau war bereits um 1200 gegründet worden. Wenn in den Sagen Daniel Knappe und Caspar Nietzel als Bergleute bezeichnet werden, so ist das nicht abwegig, da bereits seit 1469 am Pöhlberg in der Grube Briccius Bergbau umging, wo 1471 Michel Frewel als Bergmeister eingesetzt war. — Daniel Knappe ist eine legendäre Gestalt. Die Sage selbst muß aber in dieser Zeit entstanden sein, da der Maler Hans Hesse das Motiv bereits auf seinem spätgotischen Altarbild in der Annaberger Annenkirche verarbeitete. Er nannte den Bergmann dort Knappi. Bereits 1446 taucht in einer Urkunde der Begriff Knappe auf, abgeleitet von Knabe, im Sinne der im Bergbau tätigen Jungen. — Nach Wagenbreth ist der Name Caspar Nietzel belegbar. Nietzel gelang der Silberfund am Schreckenberg nicht erst 1495, sondern bereits 1491. Beim Fronleichnamsstolln könnte es sich um den unmittelbar am heutigen technischen Museum Frohnauer Hammer gelegenen Bierschnabelstolln handeln. — 1496 erfolgte die Grundsteinlegung der von Herzog Georg gegründeten Neuen Stadt am Schreckenberge, deren Aufbau nach dem Plan des Freiberger Bürgermeisters Ulrich Rülein von Calw erfolgte. 1497 wurde die Stadt als freie Bergstadt privilegiert. 1501 bestätigte Kaiser Maximilian die Privilegien und verlieh der Stadt den Namen St. Annaberg. Die 1509 durch Herzog Georg erlassene Annaberger Bergordnung galt für den gesamten erzgebirgischen Bergbau.

## 305. Brennende Bergwitterung zeigt Erze an

Die sonderlich bei Nachtzeiten lichterloh brennende Bergwitterung, welche in Gestalt eines ausgestreuten Pulvers plötzlich lodert und verlöscht und die Ausgänge, Luftlöcher und Klüfte der Metalladern zeigt, ist im Erzgebirge nichts Seltenes. An Orten, wo später Bergstädte erbaut worden sind, war zuvor viel und starke Bergwitterung zu spüren. So auch geschehen im Jahre 1491, da um den Pöhlberg die Bergwitterungsflamme lichterloh ausgelauscht und die Bergleute veranlaßte, daß sie hernach die Erzgänge mit der Rute erforschten und entblößten. Dergleichen hat sich auch am Scheibenberg ergeben, wo vor Zeiten eitel rauher Wald und Morast gewesen, daß sich von ferne viel Witterungen haben sehen und vermuten lassen, es müsse daselbst reiches Erz liegen. Daher hat auch Kaspar Klinger von Elterlein im Jahre 1515 zuerst daselbst eingeschlagen und die erste Fundgrube gemutet.

## 306. Die Dreibrüderhöhe bei Marienberg

An der Straße von Marienberg nach Wolkenstein erhebt sich die Dreibrüderhöhe, welche jetzt mit dem Prinzeß-Marienturm geschmückt ist. Seinen Namen erhielt der Berg durch folgende Begebenheit: Einst fuhren drei Brüder in den Wald, Holz zu holen. Da fanden sie einen zutage gehenden Silbergang. Sie bauten denselben alsbald ab und legten ein Bergwerk an, mit dem sie großen Reichtum gewannen. So entstand zuerst die Grube Alte Brüder und später, als auch weiter abwärts Silbererze gefunden wurden, die Zeche Neue Brüder. Die Anhöhe aber wurde zur Erinnerung an jene Brüder die Dreibrüderhöhe genannt.

Anmerkung: Erzbergbau wurde in Marienberg von 1519 bis 1904 betrieben. Besonders ertragreich waren jedoch nur die Jahrzehnte bis 1565. Bergmeister Paul Rölligk erwähnte die Fundgrube Drei Brüder 1575 in einem Bericht. Einer Fundgrube entsprach ein Grubenfeld von 42 Lachter Länge und 7 Lachter Breite (etwa 84 x 42 m).

### 307. Die Sage von der Dreibrüderhöhe

Die Kunde vom Bergreichtum des Erzgebirges war bis nach Italien gedrungen. So machten sich von da drei Brüder auf den Weg und ließen sich nahe der jetzigen Dreibrüderhöhe nieder, um nach Erz zu graben. Sie waren dabei so erfolgreich, daß sie zu Wohlstand kamen und sich ein stattliches Haus erbauten. Bald machten sich jedoch Neid und Mißgunst unter ihnen breit, und bei einem Zwist erschlug einer seine beiden Brüder.

Da öffnete sich plötzlich die Erde. Der Berggeist erschien, in Feuer und Schwefel gehüllt, und stieß einen gräßlichen Fluch aus. Es folgte ein heftiges Donnergrollen, und im nächsten Augenblick sank das Haus mit all seinen Schätzen und Reichtümern in die Erde. Noch heute wandelt der unruhvolle Geist des Brudermörders an jener Stelle. Der Berg, wo dies geschehen ist, erhielt den Namen Dreibrüderhöhe.

### 308. Das verschwundene Bergwerk im Theesenwalde

Im Jahre 1728 hatten Rutengänger Risse zu Erzgängen in dem Theesenwälder Gebirge, das zwischen Zöblitz und Olbernhau liegt, angegeben. Es wurden einige hundert Gulden aufgewendet, diese Züge schürfen zu lassen, es fand sich aber kein Gewerke, welches diese Arbeit fortsetzen wollte.

Nun hatte man einen Hufschmied zu Neudörfl, das zwischen Ansprung und Olbernhau liegt, im Verdacht, daß er gegossene Arbeit von einem Metall anfertige, das dem Silber gleichkomme. Er leugnete dies aber und bestritt, die Herkunft des Metalles zu kennen, das in seiner Fabrik verarbeitet werde.

Da führte der Zufall den Richter von Ansprung zu der Zeit in das Haus des Hufschmieds, als dieser gerade mit Schmelzen beschäftigt war. Auf die Frage, was er schmelze, gabe er zu, Stücke von dem im

Theesenwalde am Weg stehenden Felsen geschlagen und in den Tiegel geworfen zu haben, um zu sehen, was daraus werde. Nun bestimmte der Richter den Hufschmied, den Felsen zu zeigen. Augenblicklich wurde von dem Wunderstein etwas abgeschlagen, vor die Schmiedeesse in das Feuer gebracht und zu einem Produkt geschmolzen, das wie Speise aussah. In der Probe, die auf der Saigerhütte gemacht wurde, enthielt das Produkt 128 Lot Silber und 60 Pfund Garkupfer.

Tags darauf mutete der Richter unverzüglich, und zwar gleich geviert Feld. In wenig Tagen wurde auf 20 Mutungen beim Bergamt eingelegt, in vier Wochen stieg die Zahl auf 80, und 60 Lehnträger suchten ihr Glück, und fast alle auf geviert Feld. Wenn man die Rute nach Silber und Kupfer schlagen ließ, war sie merkwürdigerweise fast gar nicht in die Höhe zu bringen, man mochte auf dem Gebirge hingehen, wohin man wollte. Was war also sicherer, als daß das ganze Gebirge Kupfer und Silber sein mußte?

Alles lief nun nach dem Theesenwalde, und es wimmelte von Leuten, die Erz in Haufen zusammenbrachten. Aber die Proben erbrachten unverständlicherweise nur kleinen, einige gar keinen Gehalt, andere nur wenige Spuren von Kupfer. Und daran änderte sich auch nichts, trotz mehrfacher Schmelzversuche.

So blieb es unentschieden, ob der Hufschmied durch sein Geständnis nur die ganze Umgegend äffen wollte, was kaum glaubhaft ist, oder ob die geheimnisvolle Macht der Berggeister edles Gestein in unedles verwandelt hatte, weil ihr Schützling sein Geheimnis ausgeplaudert hatte. Dies ist wohl am wahrscheinlichsten.

Anmerkung: Im 18. Jahrhundert wurde über Jahrzehnte hinweg auf Silber und Kupfer im Theesenwald geschürft. Bergmeister Heinrich von Trebra schrieb dazu: „Viele haben während der Jahre 1728 — 1752 ihre Barschaft in die Anlegung von Stolln im Theesenwald gesteckt. Der Erfolg war dürftig. So endete dies Abenteuer mit bitteren Enttäuschungen." Der obere Theesenwald ist im Rungstocktal zu finden.

### 309. Die Entstehung von Altenberg

Die Bergstadt Altenberg verdankt ihren Ursprung folgender Begebenheit: Einst, man schrieb das Jahr 1458, errichtete ein Köhler im Wald des Herrn Waltzig von Bärenstein einen Meiler Holz auf einem mächtigen flachen Gange, der später die alte Fundgrube oder Rothe Kluft genannt wurde. Beim Ausstoßen traf er auf berglauteres

Zinn, wodurch der berühmte Zwitterstock zu Altenberg unvermutet fündig geworden ist. Nachdem die Kunde von diesem reichen Zinnbergwerk durch die Lande geschollen war, siedelten sich viel in- und ausländische Bergleute hier an und brachten das Bergwerk zur Blüte.

### 310. Der große Bergsturz zu Altenberg

Nachdem sich bereits am 10. März und 1. Dezember 1619 zwei große Einbrüche im Altenberger Bergwerk ereignet hatten, kam es am 24. Januar 1617 zum folgenschwersten. Vier Zechen nebst einem Schachte und dem Haus des Bergschmieds Dietze versanken. Obwohl die Stadt durch den Erdbruch heftig erschüttert wurde, ist sie doch durch Gottes Gnade erhalten geblieben. Auch konnten die verschütteten Bergleute auf wunderbare Weise gerettet werden. Bis auf einen, David Eichler, ein Bergmann von 79 Jahren. Er galt als ein gottloser Mensch und war an dem Unglückstage ohne Gebet eingefahren. Warnungen zum Trotz hatte er alle Bergfesten nach und nach weggehauen, so daß der Bau keine Stützen mehr hatte. Darauf zielt folgender Vers:

> Ich, Georg Fröhlich, der Alte,
> Ich wollt überm Bergwerk halte,
> Es wollt aber gar nicht sein,
> Sondern die Gottlosen fuhren hinein,
> Und rissen die Bergvesten ein.
> Das ist bewußt der ganzen Gemein.

Gleichwohl hat es nicht an Warnung vor diesem Unglück von oben gefehlt. Einige Zeit davor hatten Bergleute, als sie auf das Frühgebet warteten, ein weißes Pferd gesehen, das in vollem Lauf in die Pinge sprang und dann verschwand. Diese Erscheinung ist auch als Warnung gedeutet worden, weil viele Bergleute in die Grube fuhren, ohne das morgendliche Gebet abzuwarten. Diesen wurden zwei Groschen von ihrem Lohn für arme Leute abgezogen, wovon das sogenannte Aufrufen gekommen ist.

1729 versuchte man, das damals Eingestürzte wieder aufzuarbeiten, was aber nicht gelang. Man fand dabei eine alte Bergmütze aus Filz, die man für die Fahrmütze jenes David Eichler hielt.

Anmerkung: Der Bergbau im Gebiet um Altenberg hat wesentlich früher begonnen. Nachgewiesen ist die Zinngewinnung durch Seifenbetrieb bei Graupa in Böhmen um 1230. 1378 gab es bereits erste Zinnfunde bei Böhmisch-Zinnwald. 1405 erfolgten erste Verleihungen von Zinnseifen und Zinngruben in Graupa und auf sächsischem Gebiet. 1436/40 begann der Bergbau im Gebiet des späteren Altenberg. — 1445 wurde bereits die erste Bergmannsbruderschaft der Heiligen Dreifaltigkeit gegründet. — 1449 erwarb Kurfürst Friedrich V. der Sanftmütige die Herrschaft Lauenstein mit einem Achtel der Altenberger Roten Grube. 1450 erhielt die in planloser Bebauung entstandene bergmännische Siedlung der Zinner uffm Geussingberg Stadtrecht, in dem Festlegungen für den Bergbaubetrieb enthalten sind. — Einbrüche im Altenberger Revier erfolgten 1545, 1578 und besonders 1620, als die große Pinge entstand.

### 311. Der Ursprung des Bergstädtchens Brand-Erbisdorf

In dem Wald, wo jetzt das Städtchen Brand-Erbisdorf liegt, wohnte einst mit seiner Tochter Margaretha der Köhler Klaus. Er hatte einen jungen Mann aus Thüringen in seine Hütte aufgenommen, der ihm als Gehilfe diente. Dieser bemühte sich offenkundig um die Gunst der Tochter des Hauses.

Da erschien eines Tages ein junger Bergmann in der Hütte, der in eine Wolfsgrube gestürzt war und sich so verletzt hatte, daß er nicht weiterkonnte. Wie sich herausstellte, stammte er aus Freiberg. Bald stand er in der Gunst des Köhlers wie auch dessen Tochter, und nicht lange, so wurde die Hochzeit festgesetzt.

Der Gehilfe, der seine Hoffnungen durchkreuzt sah, sann nun auf Rache. In der Hochzeitsnacht wälzte sich eine Feuerwolke auf die Köhlerhütte zu, wo man in friedlichem Schlummer lag. Nur mit knapper Not entgingen die Neuvermählten dem Tod, der alte Köhler

indes kam in dem Flammenmeer um. Das Feuer wütete den folgenden Tag und die Nacht hindurch, Wald und Häuser standen in Flammen, bis ein gewaltiger Gewitterregen die Feuersbrunst löschte.

Das junge Paar flüchtete mit Leidensgefährten nach Freiberg, wo die Glocken stürmten und ihnen ein Rettungstrupp entgegeneilte. Als man sich erholt hatte, beschloß man, „auf den Brand zu gehen", um das Ausmaß der Zerstörung zu erkunden. Von der Köhlerhütte und den umliegenden Häusern war nichts geblieben. Wo man Menschengebeine fand, wurden diese auf den Kirchhof nach Erbisdorf gebracht.

Als man an der Brandstätte Baugruben aushob, um neue Häuser zu bauen, fand der Knappe eine Stufe rotgültigen Erzes. Daraufhin legte er die erste Grube auf dem „Brand" an, welche man später zum Gedenken des göttlichen Segens den Segensfürsten nannte. 1515 wurden die Berghütten, Wald- und Zechenhäuser auf dem Brand unter Herzog Georg dem Bärtigen zu einer Gemeinde vereinigt. Der Ort erhielt den Namen Bergstadt Brand.

Anmerkung: Das Waldhufendorf Erbisdorf entstand um 1150, der Ortskern Brand jedoch als bergmännische Streusiedlung auf Erbisdorfer Flur erst um 1515. 1555 nannte man Brand das Flecklein, 1590 Städtlein. Seit 1912 Brand-Erbisdorf.


### 312. Die lange Schicht zu Ehrenfriedersdorf

Der Bergmann Michael Barthel stand bei seinem Vorgesetzten, dem reichen Obersteiger Baumwald, in so hoher Achtung, daß der seine einzige Tochter dessen Sohn Oswald verlobte.

Einst sollte Oswald Barthel im tiefen Stolln Gutes Glück im Sauberg anfahren, um einen Durchschlag zu machen, welches wegen des entgegenstehenden Wassers zu den gefährlichsten Arbeiten des Bergbaus gehört. Er und diejenigen seiner Kameraden, die hierzu die Reihe traf, traten nun mit dem Steiger, nachdem sie zuvor gebeichtet und das heilige Abendmahl genommen, am Tage der heiligen Katharina im Jahre 1508 die Fahrt mit einem kräftigen „Glück auf!" an.

Die Arbeit wurde in sehr gebrechlicher Bergart betrieben, wobei die Firste durch Zimmerung abgestützt wurden. Die Last war groß, die auf der Zimmerung ruhte. Plötzlich war ein Krachen zu vernehmen. „Brüder, rettet euch", rief der Steiger, „es gibt einen Bruch!" Diesem Ruf folgten alle in größter Eile, nur Oswald, der jüngste und rascheste von ihnen, blieb auf eine unbegreifliche Weise zurück und wurde verschüttet. Man gab sich die größte Mühe, ihn zu retten, immer neue Bergleute lösten die ermatteten ab. Vergebens, die Erdmassen brachen nach, der Unglückliche ward nicht wiedergefunden. Als Oswalds Braut die furchtbare Kunde vernahm, fiel sie in Ohnmacht, welcher eine lange Krankheit folgte. Als sie nach ihrer Genesung wieder das Gotteshaus betrat, legte sie das Gelübde ab, ihrem Oswald treu zu bleiben und als Jungfrau zu sterben. Ihren Brautkranz hing sie zu den Totenkränzen. Von da an lebte sie in tiefer Stille, dem Wohle der Armen dienend.

Seit dem Unglückstag waren viele Jahre vergangen. Da fügte es sich, daß in Brünlers Fundgrube am Sauberge ein Stolln bewältigt wurde, und als man in die siebente Lachter im rolligen Gebirge fortgerückt war, stieß man auf einen menschlichen Körper. Mit Mühe machte man ihn von der nachdrängenden Erde frei, um ihn nach dem Tagesschacht zu bringen. Da brach der harte Leichnam mitten auseinander, sodaß man ihn nur in zwei Stücken heraufwinden konnte.

Diese Begebenheit wurde sogleich dem damaligen Bergmeister Valentin Feige gemeldet, welcher sogleich die an dem damaligen Unglück Beteiligten rufen ließ, sofern sie noch lebten. Diese Greise erkannten in dem Leichnam den damals Verschütteten. Das geschah am 20. September 1568, so daß der Verschüttete 60 Jahre, 9 Wochen und 3 Tage in der Erde gelegen hatte.

Am 26. September wurde er mit einem feierlichen Leichenbegängnis wieder zur Erde bestattet, welche ihn so lange umschlossen gehalten. Es war ein Begräbnis, wie Ehrenfriedersdorf noch keines gesehen hatte. Der Leichenzug bestand aus Tausenden. Als der Leichnam eingesenkt werden sollte, trat seine Braut hervor und sprach den Wunsch aus, ihm bald folgen zu dürfen. Nach wenigen Tagen war dieser Wunsch erfüllt.

Die Gedächtnispredigt zu Oswalds Beerdigung sprach der Ortspfarrer Georg Raute. Er begann seine Predigt mit dem Hinweis auf die wundersame Fügung, daß er, der im 31. Lebensjahr steht, einem Menschen die Gedächtnispredigt halte, welche schon dreißig Jahre vor seiner Geburt gestorben sei. — Noch heute aber heißt die Zusammenkunft der Bergknappschaft zu Ehrenfriedersdorf am Montag nach Ostern zum Andenken an dieses Ereignis „die lange Schicht".

Anmerkung: Die „lange Schicht" des Oswald Barthel von 1508 — 1568 ist eine wahre Begebenheit, die in vielen Chroniken des Erzgebirges gedruckt wurde. Zur Sage wurde sie erst mit den Veröffentlichungen von Dietrich/Textor (1822) und Ziehnert (1838), die eine noch lebende Braut Barthels hinzudichteten. Das Sterberegister von 1568 und die Leichenpredigt Pfarrer Rautes erwähnen nur das Begräbnis Barthels, nicht das seiner Braut. Die Sagenerzählungen partizipieren hier von der Geschichte eines im schwedischen Kupferbergbauort Falun verfallenen Bergmanns, dessen Braut wirklich den Toten wiedererkannte. G. H. Schubert veröffentlichte 1808 diese Geschichte, die in der Folgezeit zu mancher Nachdichtung anregte, so J. P. Hebel, F. Rückert, E. T. A. Hoffmann, F. Hebbel. R. Wagner erarbeitete dazu sogar eine Opernfassung.

### 313. Wie die Herren von Römer zu Zwickau zu ihrem Wappen gekommen sind

Mitte des 15. Jahrhunderts erhielt ein gewisser Römer, Eseltreiber an der Zwickauer Mühle, ein Kuxwerk geschenkt. Da es nichts einbrachte und nur Unkosten verursachte, wollte er es wieder loswerden. Doch gelang ihm ein großer Silberfund, so daß er noch weitere Kuxe dazukaufte und mächtig reich wurde. Bald stapelten sich die Silberkuchen in seinem Hause. Täglich wurden sie auf Schlitten nach Zwickau gebracht, so daß die Straße bis heute die Silberstraße genannt wird.

Nun hat zwar Zwickau eine Münze gehabt, in der täglich gemünzt worden ist. Allein es gab zuviel Silber. So sagte sich dieser Römer, der von Statur ein kleines Männlein gewesen: „Wohl ist ein reicher Mann auch ein armer Mann, wenn sein Silber nicht einmal gemünzt werden kann." So hat er drei Lastwagen mit Silberkuchen beladen, um sie in Nürnberg münzen zu lasen. Dort zeigte er einem Kämmerer ein Stück seines Silbers. Dieser gab zu bedenken, daß der Rat nur an dem Silber Interesse hätte, wenn es sich um eine größere Menge handle. Als ihm darauf Römer zu den drei mit Silberkuchen beladenen Wagen führte, erschrak dieser ordentlich. Der Rat lud ihn als seinen Gast ein, bewirtete ihn fürstlich und nannte ihn einen gnädigen Herrn. Für sein Silber bekam er die entsprechende Menge gemünztes Geld, mit dem er sich auf den Heimweg machte.

Die Kunde von seinem Reichtum erreichte auch Herzog Albrecht von Sachsen, der ihn sogleich um etliche tausend Gulden zur Finanzierung seiner geplanten Reise zum Heiligen Grab anging. Römer ließ zurückmelden, daß er selbst an der Reise teilnehmen möchte. Er stellte dem Herzog 150 Pferde und hielt ihn auch sonst frei. Als Dank ließ ihn der Herzog beim Heiligen Grabe zum Ritter schlagen. Seitdem führen die Römer in Zwickau eine Eselspeitsche, nach anderer Deutung einen Pilgerstab im Wappen.

Römer ließ daraufhin ein gewaltiges Haus am Markt eine Gasse lang nach der Mulde zu bauen; weiterhin das Kaufhaus am Markt und das Kornhaus am Schlosse. Ersteres schenkte er dem Rat, letzteres dem Herzog. Neben weiteren Geschenken lieh er dem Rat etliche tausend Gulden, so daß die Söhne seines Geschlechts während der Schulzeit und des Studiums von den Zinsen leben konnten, mochten sie studieren, wo sie wollten.

Anmerkung: Die hier erzählte Herkunft des Erzbauunternehmers Martin Römer (1430 — 1487) ist so nicht nachweisbar. Römer war Bürger (seit 1460) und Ratsherr der Stadt Zwickau. Sein 1479 auf dem Zwickauer Hauptmarkt erbautes Eckhaus mit gotischem Staffelgiebel ist noch heute vorhanden. 1472 beauftragte Römer die Nürnberger Techniker Hans und Niclas Staude (wohl eine damalige Art Ingenieurbüro für bergbauliche Entwässerung), die tiefsten Sohlen der alten Berggebäude im Hohen Forst wieder zu erschließen . 1793 bekam dieser Stolln die Bezeichnung Römerstolln. Römer, den man als den reichsten Mann seiner Zeit bezeichnete (nach Czok), zog zunächst seinen Gewinn aus dem Edelmetallhandel und wurde dann selbst einer der Hauptgewerken des Schneeberger Silberbergbaus. Er wurde landesherrlicher Hauptmann in Zwickau und damit auch oberster Bergbeamter auf dem Schneeberg. 1479 ließ er in Zwickau die Lateinschule errichten.

### 314. Christoph Schürer, der Erfinder des Kobaltblau

In der zweiten Hälfte des 16. Jahrhunderts ließ der Bergsegen des Obererzgebirges nach. Man sah darin das Werk böser Berggeister. Das jetzt zutage geförderte taube Erz nannte man Silberräuber oder Kobold. Zu jener Zeit kam der wegen seines evangelischen Glaubens geflüchtete Apothekerssohn Christoph Schürer nach Schneeberg. Als in Chemie und Naturlehre erfahrener junger Mann fand er Anstellung bei den Hütten. Nicht lange, so gewann er Anna Rau, die Tochter des Hüttenmeisters, zur Braut. Die Hochzeit sollte auf dem nächsten Bergfest stattfinden. Doch da drohten seine Hoffnungen zunichte zu werden.

In seiner Forscherleidenschaft verfiel Schürer auf den Gedanken, den Kobold, den Silberräuber, durch chemische Zubereitungen zu etwas Nützlichem umzugestalten. Oft machte er die ganze Nacht hindurch in einer Schmelzhütte in Oberschlema Versuche, so daß er bald in den Verdacht der Alchimisterei und Schwarzkünstlerei geriet. Als aus Platten in Böhmen, wo er sich bei einem Aufenthalt wegen seines Glaubens Feinde und wegen seines Ansehens Neider gemacht hatte, Klagen eingingen, er sei ein Zauberer, Dieb und Partierer, und seine Auslieferung gefordert wurde, gebot der Bergmeister, ihn zu verhaften. So erschien der Fron in der Schmelzhütte und legte dem Verdächtigten Handschellen an.

Schürer war zunächst fassungslos, rief dann aber: „Meint ihr, ich triebe Unfug mit der Schwarzen Kunst? Seht, dieses wollte ich gewinnen, und endlich ist es mir gelungen. Ich meine, es soll dem Land großen Nutzen bringen." Dabei wies er auf eine Mulde mit einem Pulver von schöner blauer Farbe. Die Bergherren staunten und wollten wissen, wie und woraus er diese Farbe gewonnen habe. Man nahm ihm die Handschellen wieder ab, und nun zeigte ihnen Schürer, wie er zu dem Ergebnis seiner Versuche gelangt war.

Statt angeklagt zu werden, gelangte Schürer durch die Erfindung des Kobaltblaus, das anfangs blaues Wunder, später Smalte genannt wurde, zu großen Ehren. Der Hochzeit stand nun nichts mehr im Wege.

Anmerkung: Im Mittelalter hatten die Bergleute Schwierigkeiten beim Verhütten von Kupfer-, Silber— und Zinnerzen auf den darin enthaltenen Kobaltminerialien. Sie glaubten sich von bösen Kobolden genarrt. Andererseits war Kobaltoxid als Zusatz in der Glasindustrie zur Blaufärbung seit alten Zeiten bekannt. Es ist erwiesen, daß die Italiener um 1400 Kobaltblau aus Deutschland bezogen. 1520 nutzten Peter Weidammer in Schneeberg und 1540 Christoph Schürer in Neudeck die Erfahrungen des Blaufarbenwerksbesitzers Erasmus Schindler, um mit Kobaltoxiden blaugefärbtes Glas herzustellen. Das pulverisierte Farbglas diente zur Färbung von Glasuren. Blaufarbenwerke gab es u. a. in Niederpfannenstiel, Oberschlema und Sehma.

### 315. Der Untergang der Grube zu Höckendorf

Das edle Geschlecht der Theler zu Höckendorf war so reich und übermütig geworden, das es seine Pferde mit silbernen Hufeisen beschlagen ließ. Nun war von Herzog Albert zu Sachsen bekannt, daß er am 23. April 1477 in der Georgenfundgrube bei Schneeberg mit seinen Räten an einem silbernen Tisch gespeist und dabei gesagt hatte: „Unser Kaiser ist wohl gewaltig und reich, gleichwohl weiß ich, daß er jetzt keinen so stattlichen Tisch hat." Dieses wollten die Theler am 25. August 1557 dem Herzog gleichtun . Allein so fürstlich sie das Fest begannen, so traurig war das Ende. Ein schweres Gewitter brachte plötzlich einen so heftigen Regenguß, daß die Grube ersoff und in ihr 50 Personen verunglückten.

### 316. Die wundersame Rettung eines Bergmannes

Am 19. September 1581 wurden vier Bergleute während ihrer Schicht auf dem St. Stephan Schacht bei Brand am Goldberg in ihrer Grube verschüttet. Vier Tage und Nächte arbeiteten ihre Berggenossen, sie zu befreien. Für drei Berghäuer kam die Rettung zu spät, aber der vierte, Georg Strobel, war noch am Leben. Er sagte, er habe in einem sehr schmalen Querschlage gelegen, etwa eine halbe Elle hoch, und sei von einer sich auf und nieder bewegenden Flamme erquickt worden und habe deshalb die Tag- und Nachtstunden ohne Speise und Trank und frische Luft verbringen können. Nach diesem Bergsturz hat Strobel noch viele Jahre gelebt.

### 317. Walensagen

Im ausgehenden Mittelalter und auch noch später durchzogen merkwürdige, meist italienisch sprechende Ausländer deutsche Landschaften. Sie durchstreiften die Gebirge, um „Schätze" zu sammeln. Man nannte sie Walen oder Venedigermännlein. Wale war die mittelalterliche Bezeichnung für einen Römer. Mit einem Walen wurde stets eine geheimnisvolle Schatzsuche verbunden. Georgius Agricola spricht 1556 von Italienern, die Goldflitter, edle Steine und Granaten aus Flußsand auswuschen. Lazarus Ercker konnte 1574 nachweisen, daß sie keine goldhaltigen „Körner" aufsammelten, sondern solche, die „als zu einem Zusatz, daraus schöne Farben und Schmelzglas gemacht werden". Die deutschen Gebiete waren damals wichtigste Lieferanten für Zusatzstoffe bei der Glasherstellung in Italien, besonders in Venedig, wobei Manganerz besondere Bedeutung zukam.

Um das Auftreten dieser Oberitaliener entstanden Erzählungen und Sagen, in denen es um geheimnisvolle Schätze ging. Auf ihrer Wandertätigkeit und Schatzsuche benutzen sie die sogenannten Walenbücher, kleine, handgeschriebene Hefte mit genauen Wegangaben und einem Gemenge von wahren und sagenhaften Mitteilungen. Es folgen einige Auszüge aus Walenbüchern:

Hanichen, ein Städtlein 2 Meilen von Freiberg, darbei liegt ein Dorff, heist Machern; alldar ist ein Waschwerck von guten Körnern und Gold; liegt nicht weit von Ottendorff an der Waldeck, da man durch den Wald gehet.

Bey der Zella in dem Wald bey Sibeln (Siebenlehn) und Nossen an der Mulda gelegen, da liegt gut Erttz und ein guter blauer Schiefer.

Bey Marienberg zwischen dem Olbernhause und Kattenberg (Olbernhau und Katharinenberg) bricht ein spißigher Marcasith in einem schwartzen Schiefer.

Bey Zwickau liegt ein Dorff, heist Rotenbach, daselbst soll ein Bach seyn, welcher Gold und Silber-Granatenstein führet. — Item bey einem andern Dorff, so eine Meile von Zwickau lieget, Nahmens Hartmanns Grüen, findet man auch Körner, die sich fletschen lassen. — Item zur Neumarck anderthalb Meilenweges von Zwickau ist ein gut Gold-Seiffen, und bricht auch Silber und Antimonium daherum.

Wenn du kommst gegen Dürresbach oder Auerbach, frage nach dem Fluß-Maul oder Fletschmaul, darnach Eibenstock, allda frage nach dem Gold-Brunnen, drinnen sichere und suche, so findest Du schwartze Körner, deren 1 Pfund 14 biß 18 fl. gilt. Diese Gelegenheit ist eine Meile vom Schneeberg, und kannst Du in einem Tage 1 biß 2 Pfund waschen.

Wenn Du gehest von dem Schneeberg nach einem Schloß, heißt Wiesenburg, da fleußt ein Wässerlein an demselben Berge und das Wässerlein fällt in die Mulde. Von der Mulde gehe demselben Wässerlein nach aufwärts des Berges, daß Dir das Wässerlein entgegenfleußt, biß Du den Schafstall gleichkommest, da ist an den Fluß gebauet ein Teich, in demselben Teich in dem Wässerlein da findest Du schöne große Körner, ein Gang, daß es Dir Deine Mühe und Arbeit wird wohl belohnen.

Ein Dorf bei Hermannsgrün, eine Viertelmeile von Zwickau, unter dem Dorf da liegt viel Guthes von Körnern, die lassen sich pfletzschen.

Ein Fluß ist gelegen an Wolkenstein, da frage nach St. Annaberg. Wenn Du mitten in das Dorf kömmst, so gehe hernach eine Höhe auf die linke Hand auf einem guten Wege, so wirst Du sehen vor Dir ein schwarz Holz, da verlaß den Weg und gehe gleich nach dem Holze, so findest Du vor dem Holze stehen eine Tannen allein bei einem Haselstrauche, so gehe der Tannen gleich wohl eine Viertel Weges, so kömmst Du an einen guten Fluß, der trägt gute Granaden und Amethisten und gleichwohl auch Körner wie ein Eisenstein, dieselben Körner halten Rheinisch Gold. Bei der Haarwiesen daselbst findet man auch Goldkörner, die sich pfletzschen lassen und sehr gut sind.

Ein Fluß, gelegen eine Meile von Freiberg bei einer Mark, der Frauenstein, zwei Meilen von Soda, beyde bey einem Gericht, da findest Du 2 Wege, einen auf der rechten, den anderen auf der linken Hand, folge dem auf der rechten Hand, so kömmst Du fort auf einen Rasenweg, derselbe trägt Dich an einen Steg, folge dem nach, kommest Du an ein Wasser, genannt die Grimnitz, gehe daran wohl hinauf, ... so kömmst Du an einen alten Graben, als vor Jahren eine Mühle ist gewesen, folge demselben abermals nach, so wirst Du kommen an den Fluß, darinnen sind rothe Fische, derselbe Fluß trägt Körner, die seyn horngrau, da hab ich Marcus rein wohl neulich Gold gewaschen, in 3 Tagen vor 4 R., und die Körner seyn schier eitel Gold, ihm geht wenig ab und sind die Körner zum Theil schwärzlich zu erkennen. Darnach folge der Grimnitz hinabwärts, bis Du kömmst zu einem Steige, gehe nicht unter denselben, sondern den Steig, der da gehet in das Holz herab, gehe wieder zurück an einen Fluß, folge demselben nach, so kömmst Du an ein Bächlein, daselbst wasche, da findest Du schwarze Körner, die auch nicht böse seyn, und kann mich noch nicht genugsam verloben, daß sie soviel Nutzen in sich haben. Von diesen beiden Körnern habe ich Jeremias und Marcus beyde Wahlen soviel gen Venedig getragen, daß wir daselbst Haus und Hoff aus dem Wassergrund erbauet.

Darnach, so magst Du zurückgehen, über die Grimnitz, auf eine guthe halbe Meile, da wirst Du finden einen Berg auf der rechten Hand, der Berg ist groß, nahe bei einem Dorffe, das heißt Lichtenberg, da findest Du gegen dem Berge und Dorffe weißem Letten, der ist gut abzutreiben und hält viel Gold.

Bey dem Kohlstein bei Zwickau da liegt ein groß Ertz von Kieß und Glanz, dahinter bey der Gabel ist ein Hammerschmied, heißt Morgenstern, der weiß guth Erz, und einen guthen Stolln, darinnen die Wahlen gebaut haben, sind gelbe Zäpfe, darinnen als halbe Lingen, inwendig hohl, die lassen sich pfletzschen und ist der Gang eines Tisches breit.

Bei dem Borstenstein ist ein Wasser hinaufwärts nach der Mohlen, da ist ein Stolln, darinnen ein Kieß, den haben die Wahlen gehohlet und soll ein guter Marcasit seyn.

Lengefeld bei dem Stahler, da gehe in den Bach, da findest Du Goldkörner, die lassen sich pfletzschen, da findet man auch Flamen Gold in etlichen Brunnen, daselbst räume weg. Merk der Teichmeister zu Lengefeld weiß Granaten, 3 Meilen von Schöneck, der Edelmann heißt Metzsch.

Bey Dippoldiswalda ist ein Dorff, das heißt Rotenbach, davon eine Meile bricht guter gelber Kieß, der ist sehr gut.

Rußpen unter der Zella, da bricht ein guter Fluß, dessen ist etlicher braun, etlicher grün-geel-weiß und etlicher schwartz, alle gut auf Ertze zu schmeltzen.

Elßdorff liegt bald bey Rußpen, da hat zwo Spitzen und am Wege, wenn man nach Ferbersdorff gehet, an dem Freybergischen Wege, wenn Du von Rußpen nach Freyberg gehen willst, so laß den Weg in dem Dorff auf die linke Hand liegen, und wenn Du zum Dorff hinauskommst, so nimm den Schlamm in dem Wege aus dem Geleise und sichere (siebe) ihn, so findest Du in der Sicherung viel Goldkörner, die sehr reich sind. Nicht weit davon ist ein Grund, heißt der Tieffenbach, darinnen findet man viel Goldkörner und Granaten. Von Tieffenbach frage auff Schmalenbach, ist ein Dorff, daselbst wohnt ein Bauer Namens Valtin Lange, durch dessen Gut fleußt ein Wasser auß dem Dorffe, zu Ende außen an der Wiesen, am Ufer auf der linken Hand findet man Goldkörner, die sind gar gut und reich, ohngefähr eines guten Steinwurffs von dem Zaune der Wiesen, der Stein-Gang der führet Kieß als ein schönes Gold, das ist Marcasith.

Ulrichsberg, ein Dorff unweit Rußpen gelegen, da fleußt nicht weit vom Steige über die Mulda ein Flüßlein in die Mulda, das führet viel Goldkörner und Granaten und unter dem Dorff ist ein Stolln, darinn bricht schöne Arth und mächtig, ich halte es für Marcasith und zu Königswalde sind gute Flüsse auff Ertze.

Zu Odern (Oederan) 2 Meilen von Freyberg bricht ein schön Silber-Ertz, so im kleinen Feuer reich ist, im großen aber nichts giebt, man findet auch gute Körner allda.

## 318. Die Goldstampe am Borlasbache

Wenn man vom Weißeritzwehr an der großen Rabenauer Mühle den Fluß aufwärts geht, gelangt man an ein Bächlein, das von Borlas herabkommt und in die Weißeritz mündet. Noch einige Schritte flußaufwärts steht ein großer Felskegel, inzwischen abgetrennt von seinem Mutterfelsen, um der Eisenbahn Durchgang zu verschaffen. Auf der Spitze des Kegels findet sich eine künstliche Vertiefung.

Vor vielen hundert Jahren kamen, wenn die Goldkörner in der Weißeritz reif geworden waren, Walen aus dem fernen Italien. Sie schafften den Sand aus dem am Fuße des Felsens befindlichen Weißeritzheger hinauf auf diesen Felsen und stampften ihn in der Vertiefung, bis die Goldkörner sich vom Sande sonderten.

So hatten die Walen nach und nach ein Loch gestampft, in dem ein Mann wohl bis an den Gürtel stehen konnte.

Auch jetzt soll die Weißeritz noch Goldkörner führen. Allein sie sind noch nicht reif.

## 319. Das goldene Lamm

In Fürstenwalde lebte vor langer Zeit ein Häusler namens Bär, bei dem seit vielen Jahren ein Fremder, angeblich ein Italiener, einkehrte. Er blieb jedesmal mehrere Wochen. Während dieser Zeit suchte er im Flußbett der Müglitz von Kratzhammer abwärts bis zum sogenannten Löwenbrückchen Goldkörner und im Schlottwitzgrunde edle Steine. Einmal kündigte er an, er wäre das letzte Mal hier gewesen und gedenke nicht wiederzukommen, lud Bär aber ein, ihn in seiner Heimat zu besuchen. Nach Jahresfrist erhielt Bär Nachricht, er solle nach Teplitz kommen und sich dort bei der Post melden. Für seine Weiterreise sei gesorgt.

Bär macht sich auf den Weg und gelangt über Teplitz zum Wohnort seines Freundes. Mit Mühe findet er dessen Wohnung, da er der Sprache nicht kundig ist. Er steht vor einem Haus, das viel größer und prächtiger ist, als er gedacht hat. Als er eintritt, wird er ob seiner geringen Kleidung für einen Bettler gehalten und vom Bediensteten hinausgewiesen. Doch da hört er eine bekannte Stimme rufen: „Vater Bär, bist du's?" und gleich darauf erscheint sein Freund. Bär kann sich in all der Pracht, die ihn umgibt, gar nicht zurechtfinden. Dann wird er in ein Kabinett geführt, das aus reinstem Gold gegos-

sene Figuren enthält. Sein Gastgeber fordert ihn auf, sich eine nach seinem Gefallen auszusuchen und als Andenken mitzunehmen, da sie aus Goldkörnern bestünden, die seiner Heimat entstammen. Bär wählt nach langem Zögern ein goldenes Lamm. Glücklich kommt er wieder zu Hause an.

Die Kunde von diesem goldenen Lamm gelangt bald zu dem Herrn von Lauenstein. Von diesem erfährt der Kurfürst davon, welcher Bär bewegt, ihm das kunstvoll gearbeitete Stück gegen eine Leibrente abzutreten, worauf es in die kurfürstliche Kunstkammer gelangte. Allein hier scheint es verlorengegangen zu sein.

### 320. Die Stiftung des Klosters Altzella

Als einst der heilige Benno über Land reiste, sah er an einem Ort viele Tauben sitzen. Da prophezeite er, es werde in kurzem daselbst ein neuer Orden kommen, durch dessen Gebete viele selig werden. Danach hat Otto, ein Markgraf zu Meißen, dem Zisterzienserorden das Kloster Marien-Zella errichten lassen.

Anmerkung: Kloster Altzella bei Nossen wurde 1162 errichtet. In der zweiten Hälfte des 16. Jahrhunderts wurde es nach der Säkularisierung abgerissen, mit Ausnahme des Konversenhauses. — 1523 wurde Benno, Bischof von Meißen (1066—1106), auf Vorschlang Georg des Bärtigen vom Papst heilig gesprochen. Ins Reich der Sage gehört wohl auch, daß er in Sachsen den Weinbau eingeführt haben soll.

### 321. Der rote Stein auf der Kirchgasse zu Annaberg

Auf der Kirchgasse in Annaberg befindet sich im Pflaster ein roter Stein, von dem Folgendes erzählt wird:

Ein Chorknabe wurde auf der Galerie des Kirchturmes von einem Windstoß erfaßt und stürzte ab. Da ihm aber sein Chormantel als Fallschirm diente, so landete er wohlbehalten auf der Erde. Das sah ein Schieferdecker. Dem verwegenen Gesellen kam die Lust an, auch solche Luftfahrt zu versuchen. Er nahm also einen Mantel, stieg auf den Turm und sprang hinab. Aber der Mantel verwickelte sich, und der tollkühne Schieferdecker stürzte kopfüber aufs Pflaster und blieb zerschmettert liegen. Wo er seinen Tod fand, setzte man zum Andenken an diese Begebenheit einen roten Stein ins Pflaster.

### 322. Die Erfindung des Spitzenklöppelns

Ein junger Mann aus der angesehenen Familie Uttmann, die durch den Bergbau zu Reichtum gekommen war, verliebte sich in ein Mädchen mit Namen Barbara Elterlein. Bald wurde die Hochzeit festgesetzt. Die Männer trugen zu jener Zeit breite gestickte Hemdkragen, und das Mädchen wollte ihren Bräutigam zur Hochzeit mit einem selbstgefertigten Spitzenkragen überraschen. Sie sann und grübelte daher über der neuen Art der Spitzenzubereitung, womit sie sich

283

schon lange beschäftigt hatte. Sie versuchte tausenderlei, steckte Nadeln fest, schlug um diese den Faden, und endlich kam auf diese Weise ein Gewebe zum Vorschein, dem sie mit der Nadel die letzte Vollendung gab. Die erste selbstgeklöppelte Spitze war entstanden. Christoph Uttmann trug sie an seinem Hochzeitstag am Halskragen. — Nach einer anderen Überlieferung soll Barbara Uttmann in der Kunst des Spitzenklöppelns von einer Magd unterrichtet worden sein, die aus Brabant entflohen war und in dem Hause des Herrn von Elterlein Zuflucht gefunden hatte. — Das Klöppeln muß sich rasch verbreitet haben, denn als in Annaberg eine Krankheit ausbrach, sollen allein 800 Klöpplerinnen in der Stadt gestorben sein.

Anmerkung: Barbara Uttmann (1514 — 1575) gebührt das Verdienst, in der Zeit des Rückgangs der Ausbeute in den Bergwerken das Klöppeln verbreitet, ein Verlagssystem eingeführt und für Absatz der Ware gesorgt zu haben, auch unter Nutzung der Leipziger Messe. Die Einführung des Klöppelns könnte um 1561 aus Brabant erfolgt sein. 1834 wurde Barbara Uttmann auf dem Marktplatz in Annaberg ein Denkmal errichtet.

### 323. Der bedrohte Mond am Auersberg

Die Eibenstöcker hatten einst dem Monde den Krieg erklärt, man weiß jedoch nicht mehr aus welcher Ursache. Sie zogen also auf den Auersberg, schrien und wollten den Vollmond mit einer langen Stange herunterholen. Es ist ihnen jedoch nicht gelungen, wie jedermann weiß.

### 324. Der Ursprung des Schlosses Bärenstein

Da, wo jetzt Schloß Bärenstein liegt, war vor grauen Jahren eine rauhe Wildnis, aus der sich ein Fels erhob. Auf diesem traf einer aus dem Geschlechte derer von Bärenstein mit einem seiner Söhne zwei wilde Bären an. Der Sohn kniete sich vor seinen Vater und suchte einen der Bären abzufangen, doch das mißlang. Der Bär zerbrach ihm den Spieß und stieß ihn den Felsen hinunter. Der Vater, weil er seinen Sohn für tot hielt, ergrimmte so, daß er den Bären heftig zusetzte, sie mit dem Spieß durchbohrte und in den Abgrund hinabstürzte. Dann eilte er zu seinem Sohn, den er wider Erwarten lebendig fand. Von dieser Geschichte haben Ort und Schloß ihren Namen Bärenstein erhalten.

### 325. Der Stein mit dem Kreuz in Bärenwalde

In Bärenwalde liegt am Berge, wo die Straße vorbeiführt, ein großer Stein, in welchem man ein kleines eingemeißeltes Kreuz sieht. An dieser Stelle kamen einst zwei Bettelknaben vorüber, als ein heftiges Gewitter niederging. Einer von ihnen spottete: „Dort oben fährt der liebe Gott mit dem Schubkarren herum!" Kaum hatte er diese Worte gesagt, so erschlug ihn ein niederfahrender Blitz. Der Knabe wurde an dieser Stelle begraben, und zur Erinnerung an diese Begebenheit meißelte man ein Kreuz in den dort liegenden Stein.

### 326. Der Bock von Bockau

Bockau war einst berühmt für den Anbau von Arzneikräutern. Seinen Ortsnamen erhielt es durch folgende Begebenheit: Einst verirrte sich ein Ziegenbock dorthin, wo heute Bockau liegt. Damals war diese Stelle noch wüst und öde. Der Besitzer, ein armer Gärtnerssohn, fand ihn schließlich hier inmitten der kostbarsten Arzneikräuter. Er merkte sich diesen Platz und wurde hernach durch Sammeln und den Verkauf jener Kräuter sehr wohlhabend. Auch andere entdeckten den Erwerbszweig und ließen sich da nieder. Ihren neuen Wohnort nannten sie Bockau zur Erinnerung an jenen Ziegenbock, dem sie ihren Broterwerb verdankten.

Anmerkung: Bockau, 1460 Bockaw, 1551 Bucka geschrieben, entstand als Waldhufendorf im 12. Jahrhundert. Auf den Wiesen und Hängen um den Ort wurden, wie seit 1494 nachweisbar, besonders Angelika, aber auch Liebstöckl, Enzian, Eberwurz, Arnika, Baldrian, Kamille und Melisse angebaut. Die daraus gewonnenen Arzneimittel und der aus Angelikawurzel hergestellte Kräuterlikör (im Volksmund Wurzelbucke) machten den Ort landesweit bekannt.

### 327. Das Blutopfer des Baumeisters der Kirche zu St. Jakob in Chemnitz

Die Kirche St. Jakob in Chemnitz steht mit ihrem Turm und ihrer einen Seite auf Pfählen, da sich der Baugrund als sehr morastig erwies. Als der Bau fertig war, stürzte sich der Baumeister von oben herab und besiegelte den Bau mit seinem Blute.

Auch wird erzählt, daß Kaiser Otto I., unter welchem die anfänglich viel kleinere Kirche erbaut wurde, den Grundstein legte und eine Münze mit dem Bildnisse St. Jakobs dazulegte. Auch schenkte er der Kirche ein Bildnis der heiligen Maria. Dieses soll viel Zeichen und Wunder getan haben, weshalb nicht weniger Zulauf von Wallfahrern dahin gewesen als nach Aachen oder St. Compostell in Spanien.

Chemnitz

### 328. Die Schwedenlöcher von Flöha

Erst 1632 wurden die Greuel des Dreißigjährigen Krieges auch im Flöhaer Gebiet spürbar, als die Schweden mordend, brennend und plündernd eindrangen. Im jetzigen Stadtteil Plaue lebte ein junger Schmied mit seiner Frau. Er stand am Amboß, als er draußen einen schrecklichen Schrei vernahm. Er stürzte hinaus und sah seine Frau entseelt am Boden liegen, während ein Schwedenkommando im angrenzenden Walde verschwand.

Die Schweden hatten ihr Lager an einer Stelle aufgeschlagen, die später nach ihnen die Schweddey genannt wurde. Nun verloren sie in jeder Nacht einen ihrer Posten auf rätselhafte Weise, so daß man glaubte, der Böse habe seine Hand im Spiele. Da meldete sich ein Einwohner von Flöha bei dem schwedischen Offizier. Für einige Silberlinge wollte er Auskunft geben, was es mit dem Verschwinden der Posten auf sich habe. Erfreut gab ihm der Schwede das Geld und erfuhr nun, daß der Schmied von Plaue sich nachts bei den nahen Höhlen, wo sich ein aufgelassenes Bergwerk befand, aufhalte, um den Posten aufzulauern und sie zu erdrosseln. Als der Schmied abends dort wieder erschien, sah er sich von Schweden umringt. Man überwältigte ihn und brachte den Gefangenen zum Offizier. Ohne Angst und Reue bestätigte der Schmied die Angaben des Verräters. Auf die Frage, was aus den getöteten Soldaten geworden sei, gab er an, sie in das unterirdische Wasser des aufgelassenen Bergwerkes geworfen zu haben. Der Offizier wollte sich selbst davon überzeugen und ließ sich und seine Bedeckung vom Schmied zu dem Ort führen. Immer tiefer ging es durch das alte Bergwerk in den

Berg hinein, bis man vor dem unterirdischen See stand. Die Aussage des Schmiedes hatte sich also bestätigt. Auf dem Rückweg ging es durch einen brüchigen Stolln, dessen Stempel faul waren. Da rammte der Schmied einen Stempel, so saß der Stolln zusammenbrach und ihn samt seinen Peinigern verschüttete. Der Schmied hatte den Tod seiner Frau mehrfach gerächt. Die Höhlen wurden daraufhin die Schwedenlöcher genannt.

### 329. Die sechs Brüder bei Geyer

Als kaiserliche Truppen von der Burg Scharfenstein die Umgegend plündernd durchzogen, war es beherzten Burschen aus Elterlein und Zwönitz gelungen, in der Nähe von Scharfenstein sechs Österreicher, die sich im Wald zum Schlafen gelegt hatten, gefangenzunehmen. Was nun mit den Gefangenen zu beginnen sei, darüber entstand bei den Siegern heftiger Streit. Die von Elterlein meinten, daß es das beste sei, sie sämtlich totzuschlagen. Die aus Zwönitz wollten davon nichts wissen, und so beschloß man, sie zur Armee zu bringen, und so machte man sich auf den Weg. Als sie in die Nähe von Geyer kamen, erhob sich der Streit von neuem, und weil die Elterleiner mit Gewalt drohten, trennten sich die verärgerten Zwönitzer von ihnen, die Gefangenen ihrem Schicksal überlassend.

Kaum waren die Zwönitzer im Wald verschwunden, da fielen die mordlustigen Elterleiner über die wehrlosen Opfer her und ermordeten in ihrer Wut fünf Österreicher auf die grausamste Weise, den sechsten aber warfen sie in ein tiefes Loch, in welchem ihn Vorübergehende noch am anderen Tage jammern hörten.

Zum Gedächtnis dieser Greueltat, die sich im Jahre 1632 ereignete, heißt jene Stelle auf den Wiesen bei Geyer „Sechs Brüder", ungeachtet, ob die unglücklichen Österreicher wirklich Brüder gewesen sind.

### 330. Die schlammige Frau von Bräunsdorf bei Freiberg

Im Dreißigjährigen Krieg suchten erst kaiserlich-kroatische Truppen, später die Schweden die Höfe von Bräunsdorf heim, plünderten und verwüsteten sie. Nur ein Gut blieb unversehrt. Es lag unweit der Furt nach Riechberg hinter dichtem Buschwerk verborgen. Doch die Tochter der Bauersleute hielt es nicht länger in der Einsamkeit. Sie verließ heimlich den Hof. Unterwegs wurde sie von einem Kornett aufgegriffen, der als Kurier unterwegs war. Der nahm sie auf sein Pferd und ritt mit ihr zu seiner Truppe.

Am Lagerfeuer gab ein Wort das andere, und die Bauerstochter erzählte vom Hof ihrer Eltern. Die Landsknechte merkten, daß da noch etwas zu holen war und bahnten sich den Weg zu dem abgelegenen Gehege. Die Mutter floh, als sie die Berittenen sich nahen sah. Der Vater wurde im ungleichen Kampf erschlagen. Bald stand der Hof in Flammen.

Doch auch die treulose Tochter ereilte ihr Geschick. Der Kornett wollte mit ihr Hochzeit machen, doch vergebens fuhr er mit seiner Braut von Dorf zu Dorf, von Pfarrer zu Pfarrer. Keiner wollte das seltsame Pärchen trauen. Endlich legte ein Marketender die Hände beider auf einer Trommel zusammen. Dann rollte der Wagen mit den so Vermählten dem Striegistale zu. Durch sumpfige Wiesen jagte der Kornett in seinem Übermut die Pferde, ungeachtet, daß die Räder der Kutsche tiefer und tiefer griffen. Als die Glocke der nächsten Dorfkirche Mitternacht schlug, versank der Wagen mit den Insassen in Schlamm und Morast, bis nichts mehr von ihm zu sehen war. Seitdem heißt die sumpfige Wiese auf dem rechten Ufer der Striegis „die schlammige Frau".

### 331. Der Soldatenmord in Bräunsdorf

Zur Zeit des Dreißigjährigen Krieges klopfte in einer Gewitternacht in Bräunsdorf ein Landsknecht an die Tür des Totengräbers und bat um ein Nachtlager. Mathes schüttete Stroh auf, und der Landsknecht ließ sich darauf nieder. Als aber Mathes sah, wie er einen Beutel unters Stroh schob, erwachte in ihm die Gier nach Edelsteinen und anderen Schätzen, und er wurde zum Mörder. Der Sterbende röchelte noch: „Das soll dir Gott lohnen mit meiner Pest!"

Die Enttäuschung war groß. Der Totengräber fand einen Groschen und zwei Würfel, die sieben Augen zeigten. Ein böses Zeichen? Er warf die Beute achtlos weg.

Der Fremde wurde hinter dem Gartenzaun begraben. Die Untat brachte Mathes indes kein Glück. Erst starb seine Frau, dann folgte sein einziges Kind. Im Dorf hatte die Pest Einzug gehalten und hielt reiche Ernte. Der Totengräber bekam viel Arbeit, bald beerdigte er die Toten zu dritt in einem Grabe. Als außer ihm nur noch ein hinfälliger Mann übriggeblieben war, gewann wieder die Gier nach Reichtum in ihm die Oberhand. Jetzt gehörte alles ihm, die Gehöfte, die Felder, Wälder und Wiesen. Doch wie er so voller Gier die Welt beschaute, holte sich die Pest auch ihn. Der schwarze Tod hat ihn nicht verschont.

Anmerkung: Der Amtmann Königsdörffer zu Freiberg teilt am 17.11.1637 dem Kurfürsten mit: „ . . . schon vor vier Jahren ist das Dörflein Breunsdorff durch den einfall des kaiserlichen Volcks vndt das darauf erfolgte sterben so ruiniert vndt zu grunde verderbet worden, das izo von niemendem mehr, als von einem einzigen armen, gebrechlichen Manne, so ein Gärtner, bewohnet wird . . . “ — Königsdörffer berichtet, daß 1632/33 in der Kirchfahrt Langhennerssdorf — Bräunsdorf gehörte mit dazu — 792 Personen an der Pest starben.

### 332. Der Trompeter in Crimmitschau

Am Hause Herrengasse Nr. 1 zu Crimmitschau, und zwar am Fenster des zweiten Stockwerks, hängt ein schwedisches Hufeisen, wie man dergleichen in hiesiger Gegend oft gefunden hat. Als nach Beendigung des Dreißigjährigen Krieges die Friedensbotschaft durch Deutschlands Gaue drang, sprengte ein schwedischer Trompeter in solchem Galopp durch die Straßen, daß sein Pferd ein Hufeisen verlor, welches in die Höhe geschleudert wurde bis in das zweite Stockwerk eines Hauses und dort am Fenster liegenblieb. An der Stelle hat man das Hufeisen befestigt.

### 333. Woher der Name Crottendorf kommt

Die heidnischen Slawen hatten in Crottendorf das Bildnis ihres Götzen Crodo aufgestellt. Dem Heidenpriester, der dort seines Amtes waltete, fiel einst der heilige Conradus in die Hände, der predigend das Erzgebirge durchzog. An der Kultstätte des Crodo sollte er in Gegenwart des Volkes geopfert werden. Aber als der Heidenpriester zum tödlichen Streich ausholte, zuckte es hell am Himmel auf, und von Donner und Blitz zerschmettert, lag das Götzenbild samt Priester am Boden.

Die Umstehenden sahen darin einen Fingerzeig des Himmels, fielen zitternd nieder und ließen sich bekehren. Der gerettete Conradus versammelte sie auf einem nahen Felsen, taufte sie und reichte ihnen das Liebesmahl. Von da an nannte man die Felsengruppe Liebenstein und das Dorf, wo das Bild des Crodo vergraben wurde, Crodosdorf.

Anmerkung: Eine so frühe Besiedlung dieses Gebietes ist nicht nachzuweisen. Nach frühesten Quellen soll der Ort im 12. Jahrhundert entstanden sein, zuerst 1539 erwähnt (Krotendorff). Die Herkunft des Ortsnamens ist umstritten. Möglich ist die Herleitung von der Existenz großer Kröten — mhd. Krotte = Kröte, Frosch (wie auch Eibenstocker Krotensee), aber es ist auch nicht auszuschließen, daß Siedler den Namen aus ihrer Heimat mitgebracht haben, worauf die Schildkröte im Ortssiegel hindeutet.

### 334. Die Entstehung von Dippoldiswalde

Es soll in der Mitte des 10. Jahrhunderts, als die Gegend, wo heute Dippoldiswalde liegt, noch von Wald bedeckt war, ein Eremit namens Dippoldus aus dem adligen Geschlecht derer von Clohem gehaust und ein so gottgefälliges Leben geführt haben, daß er vom Papst kanonisiert worden ist. Von ihm zeugt der Einsiedlerstein, ein Felsen in der Dippoldiswalder Heide, unweit der Heidemühle.

Nun ist zur selbigen Zeit Boleslaus der Gottlose, Herzog von Böhmen, der an seinem Bruder Herzog Wenzel dem Heiligen einen Brudermord verübt hatte, während einer Jagd in die Einsiedelei des heiligen Dippold gekommen, ist demselben begegnet und hat sich mit ihm in dessen Klause begeben. Dabei wurde er von Dippolds heiligem Lebenswandel derart gerührt, daß er sich von ihm taufen ließ, sich von seinem gottlosen Treiben abwandte und dem Einsiedler zu Ehren nicht weit von dessen Klause eine Kapelle errichten ließ, welche er Dippoldi Silva, Dippolds Wald, nannte und diesen als Priester einsetzte. Bald entstand um diese Kapelle eine Ansiedlung, begünstigt durch den Bergbau, der bereits zu Lebzeiten des Einsiedlers betrieben wurde. Diese Ansiedlung wurde ebenfalls Dippolds Wald genannt. Anfangs siedelte man im Tal der Roten Weißeritz. Der häufigen Überschwemmungen wegen verlegte man die Siedlung auf die Höhe, dort, wo die Stadt heute steht.

Dippold starb, nachdem er seiner Gemeinde acht Jahre vorgestanden hatte. Sein Grab blieb unbekannt. Seine Klause aber wurde noch von anderen Einsiedlern bewohnt, bis Bischof Johann VIII. von Meißen diese wegen angeblicher dort betriebener Mißbräuche hat zerstören lassen. Das Siegel der Stadt Dippoldiswalde zeigt das Brustbild des Einsiedlers mit kreuzweise über die Brust gezogenen Bändern im blauen Feld, über dem Haupt mit zwei kreuzweise über die Brust gelegten Eichbäumen. Neben dem Einsiedlerstein zeugt noch der nach ihm genannte Einsiedlerbrunnen, der in Stein gehauene Einsiedlersitz sowie die Ruine seiner Klause mit einem Stein von mehr als Mannesgröße, der als Tisch und Bett diente, von Dippolds Einsiedlerdasein. Der Keller zu der Klause ist im 18. Jahrhundert zugemauert worden, weil er Räubern als Unterschlupf diente.

Anmerkung: 1280 ist Dippoldiswalde erstmals als Stadt bezeugt. Vermutlich entstand sie um 1200 neben einer markgräflich-meißnischen Burg auf dem Gelände eines alten Waldhufendorfes. Bergbau wird 1266 erwähnt, scheint aber nicht den Erwartungen entsprochen zu haben. — Das älteste bekannte Wappen stammt von 1403 und zeigt nur die gekreuzten Bäume. 1588 wird dem Wappen ein barhäuptiger Mann beigefügt. Ein Sekretsiegel vom 12. Juni 1730 gibt diesem Mann gekreuzte Tragbänder, vermutlich durch ein Mißverständnis: Man hat die vorderen Enden des übereinandergeschlagenen Kragens der Schaube für Tragbänder gehalten. — Der Wappeninhalt wird häufig fälschlicherweise mit dem Inhalt der Sage in Verbindung gebracht. Aus heraldischer Sicht sind die gekreuzten Bäume redend für den zweiten Teil des Ortsnamens. Vermutlich sind sie in Anlehnung an die Hirschstangen des Wappens der Burggrafen von Dohna entstanden.

### 335. Der Ursprung des Namens Eibenstock

Man behauptet, es hätte ehedem an dem Ort, wo jetzt die Kirche von Eibenstock steht, eine Eibe gestanden, an deren Stamm sich die anfahrenden Bergleute versammelt hätten. Davon habe die Stadt ihren Namen erhalten. Auch das in der Kirche stehende Kruzifix, andere meinen der Pfeiler der Kanzel, sei aus einem Eibenstamm gemacht worden.

### 336. Die zwei Messer zu Eibenstock

Am Ostermontag des Jahres 1621 sind bei dem Schenkwirt Hans Meichsner zwei junge Burschen, G. Unger und Chr. Fröhlich, in Streit geraten und begannen sich zu schlagen. Dabei stieß Fröhlich dem Unger das Messer ins Herz. Dieser vermochte das Messer herauszuziehen und versuchte auf Fröhlich einzustechen. Doch Fröhlich flüchtete. Hernach ist über ihn auf dem Markt öffentlich Halsgericht gehalten worden. Damit diese schreckliche Tat den Nachkommen im Gedächtnis bleiben möge, sind zwei Messer in einen Stein gehauen und ist solcher an der Ecke der Brotbänke, wo früher der hölzerne Esel stand, aufgerichtet worden.

### 337. Ursprung und Name von Elterlein

Die Stadt Elterlein soll vor ihrer Zerstörung durch die Hussiten im Jahr 1429 Quedlinburg am Walde geheißen haben. Ihren jetzigen Namen erhielt sie davon, daß täglich ein Pater des Zisterzienserklosters zu Grünhain zum Altärlein der zerstörten Siedlung mußte, um für die Reisenden, die unbeschadet den gefährlichen Weg durch den dichten Wald zurückgelegt hatten, Dankmessen zu lesen. Bald erhoben sich um die Kapelle wieder einige Häuser. Sie hießen die Häuser am Altärlein. Allmählich vermehrten sie sich zu einem Städtchen, welches in seinem Ratssiegel einen Altar mit zwei Kerzen und einem Kelch führt. Mit der Zeit wurde die Stadt Altärlein genannt, woraus dann Elterlein wurde.

Anmerkung: Die Stadt wurde 1406 erstmals als Elterlein erwähnt. 1470 hieß sie Alterlein und 1555 Elterlin. Der Name konnte aussagen: Altardienst ohne eigene Pfarre. Zur bäuerlichen Siedlung gesellte sich frühzeitig der Silberbergbau. Als Tochter des Bergherrn Heinrich von Elterlein wurde hier Barbara Uttman geboren.

### 338. Ursprung des Namens der Stadt Frauenstein

Als in Deutschland noch das Faustrecht in Blüte stand, da unterhielten einige Raubritter gemeinschaftliche Burgen im sächsischen Hochland. Zu Frauenstein hatten sie ihre Frauen, zu Rechenberg hielten sie ihre Abrechnung und teilten ihren Raub, zu Purschenstein lagen ihre Reisigen und Burschen in Quartier und zu Pfaffrode unterhielten sie ihre Pfaffen. Wenn aber auf dem alten Stadtsiegel eine Frau, an einem Felsen stehend und einen Zweig mit drei Ästen und Blüten haltend, dargestellt ist, so bedeutet das, daß das Städtchen unter dem felsigen Schloßberge stand und von der Königin Libussa gegründet worden ist. Auf den neueren Siegeln sitzt diese Frau entweder mit entblößtem rechtem Bein zwischen zwei Felsen, was sagen will, daß Frauenstein zwischen dem Schloß- und dem Sandberg

erbaut ist, oder sie springt zwischen den Bergen hervor, indem das
rechte Bein noch in demselben steckt, was bedeutet, daß die Stadt ihre Einnahmen aus dem damals noch florierenden Bergbau bezogen
hat.

Anmerkung: Frauenstein entstand im Auftrag des Markgrafen von Meißen als Schutzburg der Fernhandelsstraße von Freiberg nach Böhmen. 1218 wurde mit der Erwäh-
nung des Priesters Henricus de Vrownstein der Ortsname erstmals genannt. Noch
heute ist die imposante Burgruine ein beliebtes Ausflugsziel.

### 339. Das Buttertöpfchen bei Frauenstein

Nahe dem Weißen Stein und etwa hundert Meter entfernt von der
Freiberg—Frauensteiner Chausee, ragt ein Felsenzahn aus freiem
Feld, genannt das Buttertöpfchen. Einst hatten Hussiten zum Anden-
ken an ihren schrecklichen Aufenthalt einen Kelch in eine Seiten-
wand des Felsens geritzt. Vermutlich angeregt durch die katholische
Geistlichkeit, nannte man den Kelch zum Spott das Buttertöpfchen.
— Es gibt aber noch eine andere Sage: Es trugen einst zwei Burschen Buttertöpfe von Burkersdorf nach Frauenstein. Unterwegs gerieten sie in einen hitzigen Streit und bewarfen sich mit den Töpfen.
Dabei wurde der eine so unglücklich getroffen, daß er tot hinstürzte.
Zur Erinnerung an diese Begebenheit nannte man den am Tatort stehenden Felsen das Buttertöpfchen. — Wahrscheinlich ist aber auch,
daß der verwitterte Felsen wegen seiner Ähnlichkeit mit einem But-
tertopf so genannt wurde.

### 340. Der große Brand zu Freiberg

Am 24. Juli des Jahres 1471 hat der Bäcker Werner Kühn, dessen
Haus gegenüber dem Oberkloster in der Burggasse stand, als das
Holz im Backofen nicht sogleich anbrennen wollte, geschimpft: „Ver-
fluchtes Feuer, so brenne doch in aller Teufels Namen!" Darauf ist
die Flamme zum Ofen herausgeschlagen und hat das Haus angezündet, worauf das Feuer so überhand genommen, daß kein Löschen
helfen konnte. Nach drei Stunden lag Freiberg in Trümmern und
Asche. Nur die Frauenkirche, die Meißner Gasse und die übrige
Hälfte der Sächsstadt blieben stehen.

Anmerkung: Mitgeteilt wird dieser Brand von A. Möller in „Theatrum Freibergense
— Chronicum", Freybergk 1653. Die Stadt bestand zu jener Zeit vorwiegend aus
Holzhäusern.

### 341. Die Domkanzel zu Freiberg

Für die berühmte Tulpenkanzel im Freiberger Dom hatten ein Meister und sein Geselle je ein Modell entworfen. Das Modell des Gesellen war besser gelungen als das des Meisters. Daraufhin erschlug der Meister aus Neid seinen Gesellen. Deshalb leidet es keinen Prediger auf dieser Kanzel.

Anmerkung: Von den beiden Kanzeln des Doms zu Freiberg gleicht die ältere, von Hans Witten zwischen 1508 und 1510 aus Porphyrtuff geschaffene, einer „kolossalen Tulipane", besser einem aloeartigen Gewächs. — Superintendent Nikolaus Hausmann erlitt am 3. November 1538 während seiner Antrittspredigt auf der Tulpenkanzel einen Schlaganfall, an dem er nach drei Tagen starb. — Möller erklärte 1653 die Tulpenkanzel als „hohen und fürstlichen Predigtstuhl", von dem nur an Sonn- und Festtagen gepredigt wurde, während die Bergmannskanzel für Wochentage galt. — Nach einer zweijährigen Rekonstruktion wurde am 29. Mai 1994 wieder von der Tulpenkanzel gepredigt.

### 342. Wodurch in Freiberg die Pest einzieht

Im Juni 1572, bald nach gehaltenem Fürstenschießen, wurde Freiberg von einer gewaltigen Pest heimgesucht. Ein Töpfer hatte beim Hospital eine Tongrube aufgerissen, in welche beim großen Sterben von 1564 alte Lumpen und Stroh aus den Pesthäusern geworfen worden waren. Da stieg ihm alsbald ein widriger giftiger Dampf entgegen, so daß er sich legen mußte und nicht allein die Seinigen, son-

dern auch viele in der Nachbarschaft ansteckte. Die Seuche verbreitete sich weiter und nahm dermaßen überhand, daß von da an bis Weihnachten 1 577 Personen starben.

Anmerkung: In Freiberg entwarf der Arzt und Bürgermeister Ulrich Rülein von Calw im Auftrag Herzog Heinrichs eine Pestordnung. Sie wurde am 19. August 1521 verkündet. Zu den 9 Punkten gehörte auch die Anlage eines Pestfriedhofs außerhalb der Stadt. Freiberger Pestjahre mit den geschätzten Sterbeziffern: 1463 (1 100), 1521 (2 000), 1552 ( 1 800), 1553 (700), 1564 (1 325), 1572 (1 577), 1581/82 (103), 1585 (800), 1598 (642), 1606 (762), 1611 (8 479), 1632 (3 000), 1633 (1 630).

### 343. Die Entstehung des Freiberger Bauerhasen

Markgraf Friedrich der Gebissene liebte das zu seiner Zeit mächtig emporblühende Freiberg vor allen anderen Städten seines Landes und pflegte dort häufig Hof zu halten. Zu dem Kreis, den er in der Stadt gern um sich versammelte, gehörte ein Kaplan, der die Freuden der Tafel nicht verschmähte und wegen seines munteren, aufgeklärten Wesens dem Markgrafen besonders wert war. Eines Fastnachtdienstags hatten die Herrschaften bis nahe Mitternacht getafelt, als der Markgraf seinem Koch befahl, als nächsten Gang Hasenbraten auf den Tisch zu bringen. Der Kaplan erhob in Hinblick auf die mit Mitternacht anhebende Fastenzeit jedoch Einspruch und erklärte es für Sünde, jetzt noch Fleisch zu sich zu nehmen. Während der Markgraf sich hierüber mit dem Kaplan in einen Wortstreit einließ,

versprach der Koch, welcher ein lustiger Patron war, es beiden Parteien recht zu machen. Er formte aus Teig einen Hasen, spickte ihn mit Mandeln und offerierte dieses Gebäck alsbald dem Markgrafen. Der Kaplan, den diese neue Speises reizte, erklärte dieselbe sofort für zulässig. Der Markgraf aber befahl, daß das neue Gebäck in Zukunft stets zur Fastenzeit auf scine Tafel zu kommen habe, und nannte es nach seinem Koch, der Bauer hieß, den Bauerhasen.

Anmerkung: Im Café Hartmann am Freiberger Obermarkt kann man noch heute die legendären Bauerhasen kaufen.

## 344. Ein Traum verkündet Freibergs Befreiung von den Schweden

In Elterlein lebte zur Zeit des Dreißigjährigen Krieges eine feine andächtige Jungfer von 24 Jahren, Margarethe genannt, Christoph Landrocks Tochter. Sie fürchtete sich sehr vor den Schweden und betete deshalb für die belagerte Stadt Freiberg. Am Neujahrstag 1643 hatte sie einen Traum, den sie freudig kundtat: Oh, nun bekommen die Schweden Freiberg nicht. Ich sah im Traume, daß zwar der Torstenson die Stadt an der Kette hatte und daran zog, aber es kam ein vornehmer Reiter mit einem bloßen Schwert geritten, der hieb die Kette mit einem Streich entzwei, daß der Torstenson den Halt verlor und mit der halben Kette hintenüberfiel, woüber seine Soldaten erschraken und ausrissen.— Nach sieben Wochen erfüllte sich der Traum. Die Schweden mußten abziehen.

Anmerkung: Nach dem Friedensvertrag 1635 zwischen Sachsen und Kaiser Ferdinand von Habsburg erwiesen sich die bisher verbündeten Schweden als neue Feinde. 1639 belagerte General Baner erfolglos die Bergstadt und vom 29. Dezember 1642 bis zum 17. Oktober 1643 der Feldherr Torstenson. Die Stadt wehrte sich erneut sehr tapfer, bis durch Oberst Piccolomini Entsatz kam.

## 345. Großhartmannsdorf wird durch die Zeitheide von der Pest verschont

Östlich von Großhartmannsdorf liegt die große Torfheide. Hier wuchs damals in großer Zahl die Zeitheide oder Zeitheed. Weiber aus Böhmen haben ganze Tragkörbe voll von dieser Pflanze weggetragen. Auch kam sie in der Brauerei des Ortes zur Verwendung. Der balsamische und durchdringende Duft machte sie berühmt in der Gegend und wohltätig für den Ort selbst. Denn in den Jahren, in welchen die Pest das Land verheerend durchzog und benachbarte Orte aussterben ließ, soll Großhartmannsdorf durch jene Pflanze verschont geblieben sein.

Anmerkung: Nach mittelalterlichem Glauben wurde die Pest mit Kräutern bekämpft. Als Zeitheide wurde Sumpfporst gepflückt und in Großhartmannsdorf für heilkräftig gehalten.

## 346. Gründung und Name der Stadt Geyer

Einst hatten Geier dem Hühnerhof des Rittergutes Tannenberg argen Schaden zugefügt. Da bestieg der Edelmann sein Jagdroß, um den Raubvögeln nachzuspüren. Das Gestrüpp der bewaldeten Höhe hinderte ihn am weiteren Vordringen. Er band daher sein Pferd an einem Baum fest und ging zu Fuß weiter. Schließlich fand er den Horst der Geier, zerstörte das Nest und erlegte auch die alten Vögel. Als er zu seinem Roß zurückkam, hatte dieses mit dem Huf die Erde weggescharrt und Zinnstein entblößt. Der Edelmann steckte einige Erzstücke zu sich und zeigte sie Kundigen. Auf deren Anraten schlug man an dieser Fundstelle ein. So wurde der Geyersberg fündig. Es geschah dies zu Anfang des 14. Jahrhunderts.

Es wird aber auch erzählt, im Nest der Geier seien Zinngraupen gewesen. Das habe die Bergleute angeregt, in der Nähe zu schürfen. So seien die Erzschätze entdeckt worden.

Andere behaupten, der Ort habe seinen Namen vom Teufel. Der soll auf einem Spaziergang beim Anblick der unwirtlichen Gegend ausgerufen haben: „Pfui Geier!"

Anmerkung: Geyer ist durch den Bergbau in der Mitte des 14. Jahrhunderts entstanden. Im Geyersberg wurde auf Zinn und im Greifenbachtal auf Silber und Kupfer gegraben. 1399 schrieb sich der Ort Geyr, 1407 Gyher und 1490 vff dem geyr.

## 347. Die Entstehung der Halsbrücke bei Freiberg

In der Nähe der Dörfer Rothenfurth und Halsbrücke bei Freiberg führt eine Brücke über die Mulde, welche man die Halsbrücke nennt. Diesem Namen liegt folgender Vorgang zugrunde: Der Prinzenräuber Kunz von Kaufungen war vom Kurfürsten begnadigt worden. Der Bote, der die Begnadigung von Altenberg nach Freiberg bringen sollte, wurde hier, weil die Brücke von den Fluten der sehr angeschwollenen Mulde weggerissen worden war, aufgehalten. Als er in Freiberg eintraf, hatte Kunz von Kaufungen bereits seinen Kopf hergeben müssen.

Anmerkung: Die angebliche Begnadigung Kunz von Kaufungens durch den Kurfürsten ist erfunden. Kunz wurde nach dem Gerichtsurteil hingerichtet. — Der Ort Halsbrücke hat seinen Namen nach einer Brücke am einstigen Vorwerk „zuo dem Halse" (1349), das am südlichen halsförmigen Rücken der großen Muldenschleife lag und heute von einem Industriekomplex, der Halsbrücker Hütte, eingenommen wird. Die Halsbrücker Brücke der Sage wird oberhalb der heutigen Rothenfurter Brücke zu suchen sein. Über sie führte die alte Straße von Meißen nach Freiberg.

## 348. Der Sturz von Schloß Lauterstein

Eine Stunde von der Stadt Zöblitz liegt auf einem hohen Berge diesseits des Schwarzwassers das Schloß Lauterstein. Dieses war einst ein Raubschloß. Einmal ist hier ein Reiter, der verfolgt ward, mit seinem Rosse vom Felsen herabgestürzt. Das Pferd blieb tot liegen; der Reiter ist zwar mit dem Leben davongekommen, aber von seinen Feinden gefangen worden.

## 349. Die Sage vom Burgberg bei Lichtenberg

Auf der böhmischen Seite hauste ein grausamer Raubritter, der es besonders auf Frauen abgesehen hatte. Um dem elenden Leben mit diesem Wüstling zu entkommen, ließ seine Ehefrau insgeheim im Gimmlitztal ein Schloß errichten, auf dem sie sich sicher glaubte, zumal es auf einer Insel des Ringelteiches stand. Doch der Ritter machte auf seinen Streifzügen ihren Zufluchtsort ausfindig und baute auf einem nahegelegenen Berg eine Burg. Von hier unternahm er seine Raubezüge und wurde zum Schrecken der Umgebung. Erschien er auf dem Burgberg, waren abends die Fenster hell erleuchtet. Dann ging der Schreckensruf „Licht auf dem Berge!" durchs Tal, weshalb der Ort den Namen Lichtenberg erhielt. — Mit dem friedlichen Leben der Rittersfrau war es vorbei. Eines Tages wurde sie von ihrem Gemahl auf der Zugbrücke überrascht und niedergestochen. Ihre Schutzburg wurde geschleift.

## 350. Der frühere Name von Lichtenstein

In den älteren Zeiten soll in der Gegend, wo jetzt Lichtenstein liegt, ein sehr finsterer und dicker Wald gestanden haben. Der Ort habe darob Finsterstein geheißen. Als der Wald durch Erbauung mehrerer Häuser immer lichter geworden, so daß man den Ort zu einer Stadt bestimmte, hätte er den Namen Lichtenstein bekommen.

Anmerkung: Der Name Finsterstein ist nicht nachweisbar. Lictinsteyn wurde der Ort 1261, Lichtinsteyn 1320 genannt. Die Burg entstand um 1288.

## 351. Vom Namen der Sadt Marienberg

Der Jungfrau Maria Mutter hieß Anna und ihr Vater Joachim. Als Herzog Heinrich der Fromme eine neue Bergstadt gründete, nannte er sie deshalb Marienberg, damit sie gleich Annaberg und Joachimsthal ebenso reich im Bergbau sein möge und die Tochter nicht minderen Ertrag brächte als die Eltern.

Anmerkung: Unmittelbar nach Auffindung reicher Erze im Dorf Wüstenschlettau gründete der Herzog am 27. April 1521 Marienberg. Die Anlage der Stadt entwarf der ehemalige Bürgermeister von Freiberg, Ulrich Rülein von Calw (1465 — 1523), der auch im Auftrage Georg des Bärtigen die Planung von Annaberg ausgeführt hatte.

## 352. Der Rittersprung bei Marienberg

Das Dörfchen Rittersberg bei Marienberg soll seinen Namen von einem Besitzer des Schlosses Lauterstein haben; und zwar als das Schloß belagert wurde, soll dessen Besitzer, welcher ein Räuber und Schwarzkünstler war, mit einem Pferde herab auf die Wiese gesprungen sein, wobei das Pferd in der Erde steckenblieb. Hierauf habe er sich auf den Berg, wo das Dörfchen liegt, gerettet, dort sei er alsdann gefangengenommen worden. Von diesem ritterlichen Sprung hat darauf erwähntes Dörfchen den Namen Rittersprung bekommen, woraus mit der Zeit Rittersberg geworden ist.

## 353. Die frühere Größe und Bedeutung der Stadt Meerane

Nach der Erzählung eines böhmischen Historikers des 12. Jahrhunderts und nach ihm des Pirnaischen Mönches im 16. Jahrhundert soll Meerane im Mittelalter ein sehr bedeutender Ort und sogar die nachmalige Residenz des böhmischen Königs Wladislaw und seiner Gemahlin Jutta oder Judith gewesen sein. Beide waren mit ihrer Schwiegertocher Elisabeth vor ihrem tyrannischen Sohn Sobieslaw im Jahr 1174 geflohen. Merkwürdig ist, daß sechs Häuser in der Stadt heute noch die Burghäuser heißen. Sie genossen auch die Befreiung von der Abgabe des sogenannten Dienerkornes.

## 354. Wie Meerane ehemals in üblem Rufe gestanden hat

Eine Schrift von 1788 erzählt: Da das Städtlein Meerane dreierlei Gerichte hatte, so kam es, daß zu Anfang des 18. Jahrhunderts dieser

Ort einen üblen Ruf hatte, weil sich dort fremdes liederliches Gesindel aufhielt, das bei Visitationen leicht aus einem Gerichte oder Amtssprengel ins andere entwischen konnte. Daher war es in dieser Gegend üblich, daß, wenn man einen beschimpfen wollte, ihn einen Meeraner nannte.

Einst reiste der dortige Pastor Siegesmund Stolze zur Leipziger Messe. Am Stadttor wurde er gefragt, woher er käme und wer er wäre. Als er antwortete: „Der Pastor von Meerane!" mußte er wieder umkehren, weil man von Meerane niemanden einlassen durfte. Der gute Mann kehrte mit der Kutsche wieder um und passierte unter einem anderen Namen ein anderes Tor. Bei seiner Heimkunft brachte er dies mit Tränen auf der Kanzel vor, ließ auch nicht eher nach, bis seine berüchtigte Gemeinde ein besseres Leben zu führen anfing.

### 355. Die St. Blasiuskirche zu Niederzwönitz

Diese kleine, nahe bei der Stadt Zwönitz gelegene Kirche, in welcher nur noch bei Begräbnissen und wenigen Festtagen gepredigt wird, hat ein Hufschmied aus Niederzwönitz zur Strafe für viehische Sodomiterei erbaut. Zum schmachvollen Gedächtnis des Gründers hingen früher inwendig über der Türe an einem Brett fünf vergoldete Hufeisen, fünf, weil er sein Verbrechen fünf Jahre soll betrieben haben. — So erzählte man sich früher.

### 356. Ursprung der Stadt Oederan

In früherer Zeit wurde die von Freiberg nach Chemnitz führende Straße, besonders in der Gegend, wo jetzt Oederan liegt, von den Rittern des Schellenberges und anderen Räubern vielfach beunruhigt. So reiste ein Handelsmann im Jahre 1210 von Uffenheim im Frankenlande, mit Namen Sebald Ranius, begleitet von seinem Diener, nach der Stadt Wollin in Pommern. Als beide von Chemnitz aus glücklich durch die unsicheren Waldungen bis in die Gegend des Wolfstales gelangt waren, wurden sie von den Räubern des Schellenberges überfallen. Nach heftigem Widerstande blieben sie auf dem Platze in ihrem Blut liegen, während der Wagen mit den Maultieren von den Räubern mitgenommen wurde.

Einige herbeikommende Mönche vom Orden der schwarzen Brüder, welche am Ausgang des Wolfstales, in der Gegend des jetzigen

Hospitals bei Oederan, eine Kapelle erbaut hatten und für die Klöster zu Flöha und Chemnitz Almosen sammelten, kamen bald darauf an die Stelle und fanden den Herrn tot, den halbtoten Diener jedoch nahmen sie mit und verpflegten ihn. Als derselbe nach einigen Monaten geheilt war, reiste er wieder nach Uffenheim zurück. Im folgenden Jahr kam die Witwe des erschlagenen Ranius mit dem Diener an den Unglücksort, denn sie trug das Verlangen, den Platz zu besuchen, wo ihr Eheherr gestorben und begraben war. Sie beschenkte die schwarzen Brüder reichlich, ließ in der Kapelle Seelenmessen lesen und verordnete, daß an dem Platze des Überfalls ein Denkmal errichtet werde. Treulich befolgten dies die Brüder und fertigten ein Denkmal, auf das sie „Edda Ranio" schrieben, was heißt: Edda dem Ranius, denn Edda war der Name der Witwe.

Das Denkmal stand an der Stelle, wo sich später der Gasthof Zu den drei Schwanen befand. Der Diener hatte neben das Denkmal ein Gasthaus gebaut, um die Pilger mit Speise und Trank zu erquicken. Auch die schwarzen Brüder verließen ihren Sitz und bauten sich bei dem Denkmal an, wo sie nun ihre Almosen einsammelten. Von der Inschrift des Denkmals aber wurde diese kleine Ansiedlung Eddaranio genannt, woraus sich mit der Zeit der Name Eddaran und später Oederan bildete. Die Ansiedlung vergrößerte sich, denn es entstand bald darauf eine Schmiede neben dem Gasthof und später auch ein Kloster, welches bald eine größere Menge von Ansiedlern herbeizog.

Anmerkung: Oederan entstand als Waldhufendorf an der alten böhmischen Fernhandelsstraße, die von Halle über Leisnig, Hainichen nach Sayda und weiter nach Prag führte. Die Reise eines Handelsmannes auf der die Salzstraße kreuzenden Straße aus dem Frankenland über Hof nach Bautzen ist durchaus möglich und wahrscheinlich, nicht aber diese Art der Bildung des Ortsnamens. Oederan, so die urkundliche Bezeichnung von 1286, wird altsorbisch als „Wegreißen des Waldes" gedeutet. Als Waldhufendorf ist es jedoch nicht von Sorben gegründet worden.

### 357. Hertha von der Planitz rettet die Kirche zu Oederan

Im sächsischen Bruderkrieg wurde die Kirche zu Oederan von Herzog Wilhelms wilden, meist böhmischen Kriegern völlig ausgeraubt. Vom völligen Feuerruin wurde sie nur dadurch gerettet, daß, als die Räuber mit den Pechkränzen schon nach dem Gotteshaus liefen, ein adliges Fräulein, Hertha von Planitz, in die Kirche eilte, das Marienbild vom Altar nahm und dieses dem Feldhauptmann Cuno von

Witzleben, der zu Pferde vor der Kirchtüre hielt, mit den Worten entgegenhielt: „Halt ein, du Gottloser! Diese Heilige wohnt in dieser Kirche und wird dich bei ihrem Sohn verklagen. Ich trage sie zurück in ihr Heiligtum und werde mich selbst mit ihr verbrennen lassen!" Der Feldhauptmann ließ zwar die Pechkränze wieder wegtragen, doch nun die Tür der Kirche erbrechen und diese ausrauben; jedoch befahl er, jenes heldenmütige Edelfräulein mit ihrem Marienbilde zu verschonen. Dies geschah 1447.

### 358. Der weiße Helm bei Oederan

An der Straße von Oederan nach Hainichen liegt links, wo der Weg nach Memmendorf abgeht, auf einer Anhöhe ein Wald, der den Namen Weißer Helm führt. Diesen Namen verdankt er folgendem traurigem Vorfall.

Die Hussitenkriege hatten auch Oederan und seinen Bewohnern Not und Leid gebracht. Als endlich die Friedensverhandlungen bevorstanden, zog Procop, der Heerführer der Hussiten, mit dreihundert Mann unbehellligt durch Oederan zum Verhandlungsort. Einer von seinen Leuten, Bodowin mit Namen, hatte sich verspätet und kam zwei Tage danach sorglos durch die Stadt gezogen. Unweit von Oederan wurde er von einer aufgebrachten Menge ergriffen, in die Stadt geschleppt und an der Hainichener Straße getötet. Sein Helm wurde an einem Pfahl befestigt und dieser auf einer Anhöhe aufgestellt, die daraufhin Weißer Helm genannt wurde.

### 359. Ursprung des Ortsnamens Reitzenhain

In früheren Zeiten war der ganze Verkehr den Straßenfuhrwerken überlassen. Die Fuhrleute nannten ein an der Straße gelegenes Wirtshaus „Han". Da nach ihren Berechnungen dort, wo jetzt Reitzenhain liegt, der — von Leipzig an gerechnet — dreizehnte Han war, so wurde dieses einzeln stehende Wirtshaus der dreizehnte Han, dann Dreizehnhan, Reizenhan und endlich Reitzenhain genannt. Man schätzte dabei den dreizehnten Han gleichweit von Leipzig und Prag entfernt.

Anmerkung: Reitzenhain, um 1400 gegründet und Reiczenstein in einer Urkunde genannt, war Grenzstation des Verkehrs von Marienberg und Wolkenstein nach Böhmen. Mit dem Aufblühen der Bergstadt Marienberg nahm auch der Grenzverkehr auf dieser alten Salzstraße nach Böhmen zu, deshalb entstand hier ein Zollgebäude. Die in der Sage geschilderte Namensgebung ist unwahrscheinlich.

## 360. Ursprung des Ortsnamens Remse

Das im 12. Jahrhundert gestiftete Nonnenkloster zu Remse beherbergte ein wundertätiges Marienbild, zu dem die Ablaßsuchenden von nah und fern wallfahrten, um ihre Sünden erlassen zu bekommen. Von dem Erker des roten Stockes aus erteilte der Probst den Segen und entließ die Gläubigen mit den Worten: „Peccata sunt vobis Remissas" (die Sünden sind Euch vergeben). Aus Remissa wurde der Name Remse.

Anmerkung: Nach Blaschke schrieb sich der Ort 1193 Remsse, 1551 Rembsa und 1764 Remmißen. Das Kloster hieß Molda. Seit 1938 ist Remse zu Oertelshain eingemeindet.

## 361. Der Mühlgrabenstolln bei Scharfenstein

Die Burg Scharfenstein steht auf einem Felsen, der die Zschopau zu einer Biegung zwingt. Vor alter Zeit wurde zum Betrieb einer Mühle durch den Felsen ein Graben gebrochen. Dieser Graben ist zwei Wilddieben zu verdanken, die dem Burgherrn von Scharfenstein in die Hände gefallen waren. Dieser hatte über sie als Strafe das sogenannte Hirschreiten verhängt. Diese Strafe bestand darin, daß der Wilddieb auf den Rücken eines Hirsches gebunden wurde, den man dann mit seiner Last in die Freiheit jagte. Den Delinquenten erwartete somit ein qualvolles Sterben.

Als die Verurteilten die ihnen zugedachte Strafe vernahmen, erbleichten sie. Sie baten vergeblich um den Tod durchs Schwert. Da kam dem einen der beiden ein rettender Gedanke. Da sie vor ihrer Soldatenzeit Bergleute waren, schlug er dem Herrn vor, von der Strafe abzusehen, wenn es ihnen gelänge, innerhalb von drei Tagen einen Stolln durch den Felsen zu treiben, der genug Wasser faßte, um eine Mühle zu betreiben. Dem Herrn von Scharfenstein gefiel der Vorschlag, und so machten sie sich sofort mit Schlegel und Eisen an die Arbeit. Tag und Nacht tönte ihr Hämmern und Pochen aus dem Felsen; die Hilfsmannschaften, die das gebrochene Gestein fort-

zuschaffen hatten, lösten einander ab. Die beiden Bergleute hielten durch, und am dritten Tag blitzte das Tageslicht von der anderen Seite her in den Felsgang. Das Werk war vollbracht.

Der Burgherr erstaunte nicht wenig, als ihm davon berichtet wurde. Er hielt, was er versprochen hatte. Die beiden Wildschützen hatten ihr Leben gerettet. Des Gebietes von Scharfenstein wurden sie allerdings verwiesen.

### 362. Der Ursprung der Ortsnamen Schellenberg, Lichtenwalde und Neuesorge

Auf dem Schellenberg stand in frühen Zeiten ein Schloß, welches einem Raubritter gehörte und mit den Schlössern Lichtenwalde und Neuesorge durch unterirdische Gänge in Verbindung stand. Die Bewohner setzten sich gegenseitig in Kenntnis, wenn auf der Landstraße Reisende zu erblicken waren. Kamen Reisende mit Handelsgütern von Freiberg her, so zogen die Räuber auf dem Schellenberg die Glocke — daher der Name Schellenberg. Sie gaben damit den Räubern auf der anderen Seite das Zeichen, sich zur Plünderung bereitzumachen. Wenn sich hingegen von Chemnitz her Handelsleute zeigten, zündeten jene ein Feuer an, um den Schellenbergern ein gleiches Zeichen zu geben. Der Wächter auf dem Schellenberg rief dann: „Licht im Walde!" Kamen aber die Reisenden an Schloß Neusorge vorüber, sprachen sie: „Es ist eine neue Sorge!"

Anmerkung: Eine historische Grundlage hat die Sage nicht. Die frühere Burg Schellenberg, auf steilem Felsen 516 m hoch zwischen den Flüssen Zschopau und Flöha gelegen, wurde Ende des 12. Jahrhunderts gebaut. Durch Blitzschläge 1528 und 1547 zerstört, errichtete Kurfürst August an Stelle der Ruine 1567 — 1572 die Augustusburg. Daß Schellenberg von Karl dem Großen errichtet sein soll, gehört in den Bereich der Sage. — In die Burg Lichtenwalde, 1289 als castrum inteudatum (verlehntes Gut) erwähnt, zog 1291 ein markgräflicher Castellanus ein. — Neue Sorge war 1300 eine Herrenburg und gehörte zum Waldhufendorf Zschöppischen. Besitzer waren die Schönbergs, ab 1610 der Kurfürst, ab 1648 General von Arnim.

### 363. Wie der Teufel Schellerhau verlor

Der Teufel fuhr einmal durch die Luft und hatte ganz Schellerhau im Sacke. Der Sack hatte jedoch ein Loch, so daß ein Haus nach dem anderen zur Erde herabfiel. Wie nun der Teufel merkte, daß der Sack so leicht geworden war, weil er fast ganz Schellerhau verloren hatte, da warf er ihn vor Ärger hin und rief: „Zum Schinder!" Da ist dort, wo der Sack ganz am Ende des Dorfes niedergefallen war, die Schinderei entstanden, wie man allgemein die Abdeckerei nannte; und in die Schinderei mußte jedes gefallene Stück Vieh abgeliefert werden.

### 364. Der Trompeterfelsen bei Seifersdorf

Ein sächsischer Trompeter wurde einst von Oelsa her von Feinden hart verfolgt und stand plötzlich auf einer Waldblöße vor dem Abgrund. Den Tod vor sich und hinter sich sehend, sprengte er über den Abhang in die Weißeritz. Sein Pferd zerschellte, er aber kam mit dem Leben davon. Da stieg er auf der gegenüberliegenden Höhe den

Felsen hinauf und blies dort ein „Nun danket alle Gott". Die erbosten Verfolger sandten ihm Schüsse nach, und eine Kugel streckte ihn nieder. Die Anhöhe wurde daraufhin der Trompeterfelsen genannt.

Ein anderer Trompeter verirrte sich in den Wäldern zwischen Olbernhau und Rübenau. Dabei kam er vom Wege ab und versank im Moor. Noch heute heißt dieser Waldteil der Trompeterflügel.

### 365. Der Kirchturm zu Siebenlehn

In Siebenlehn macht der Kirchturm den Einwohnern viel Schwierigkeiten. Das Städtchen liegt so hoch überm linken Muldenufer, daß sich die Gebäude am Himmel stoßen. Darum haben sie dort auch den Kirchturm sehr niedrig gebaut, aber er ist immer noch zu hoch geraten. Nun müssen die Siebenlehner bei eintretendem Vollmond allemal die Turmspitze abnehmen, weil der gute Mond sonst daran hängen bleiben würde.

### 366. Woher der Name Silberstraße kommt

Einst hat ein Edelmann aus dem Geschlechte derer von Uttenhoff, im Dorfe Arme Ruhe angesessen, die Erlaubnis erteilt bekommen, sich vom Kurfürsten eine Gnade auszubitten. Da hat er denn folgende Bitte gestellt: Weil durch Gottes Gnade das reiche Bergwerk zu Schneeberg offenbart worden sei und daher viele Fürsten, Grafen und Herren und andere Leute, wenn sie dorthin zögen, meist durch seine Besitzung durchmüßten, wodurch sein und seines Geschlechtes Namen immer bekannter werde, aber es wohl nicht anstehe, wenn gefragt werde, wer er sei, und die Antwort lautete: Es ist der von Uttenhoff auf der Armen Ruhe, weil das Erz und nunmehr auch das Silber nach Zwickau bei ihm durchgeführt werde, so bitte er untertänigst, man wolle seines Gutes und Dörfleins Namen, die Arme Ruhe, in der Landtafel löschen und dafür dasselbe die Silberstraße nennen lassen. — Als nun seine Bitte gewährt ward, ist das Dorf in Silberstraße und die Brücke über die Mulde in Silberstraßenbrücke umbenannt worden.

Anmerkung: Die heutige Silberstraße beginnt in Zwickau und verläuft durch Schneeberg, Aue, Schwarzenberg, Annaberg-Buchholz, Marienberg, Freiberg nach Dresden, um in der sächsischen Schatzkammer, dem Grünen Gewölbe, zu enden. — Das Dorf

Silberstraße, am Ende des 15. Jahrhunderts noch Arme Ruhe genannt, hieß bereits 1551 Silberstraes. Es liegt nahe Wilkau-Haßlau bei Zwickau und wurde 1934 nach Oberhaußlau eingemeindet.

## 367. Die Gründung von St. Michaelis

In einem Tal bei Brand-Erbisdorf entdeckten einst Mönche ein Quellwasser. Einem alten, im blutigen Kriegshandwerk ergrauten Ritter, welcher des rohen, wilden Lebens müde war, gefiel der abgelegene, von Grün umgebenen Ort. Er legte sein Schwert ab und beschloß, hier ein beschauliches Einsiedlerdasein zu führen. Viele Menschen aus der Umgebung besuchten bald darauf den stillen, frommen und zugleich erfahrenen Mann und fragten ihn in schwierigen Lebensfällen um Rat. Vorzugsweise galt er für einen guten Arzt. Insbesondere seine Kräutertees bewirkten erfolgreiche Heilkuren. Das klare Wasser seiner Quelle kam bald in den Ruf, wunderbare Heilkräfte zu besitzen.

Später wurde eine Kapelle an dem Ort erbaut, die der Abt des Klosters Zelle dem Erzengel Michael widmete. Das war der Anfang des Dorfes St. Michaelis.

Anmerkung: St. Michaelis entstand als Waldhufendorf um 1150 und gehörte zu den Eckardschen Dörfern. Die Michaeliskapelle, am ehemaligen Fürstenweg von Freiberg nach Augustusburg gelegen, gab dem Dorf seinen erstmals 1348 erwähnten Namen.

## 368. Der Friedensstein am Streitwald

Während Ritter Ernst, Herr und Graf zu Schönburg auf Hartenstein, und Bruno von Schönberg auf Stollberg mit dem Herzog Albrecht ins gelobte Land gezogen waren, hatte der damalige Abt des Klosters zu Grünhain, ein herrschsüchtiger und habsüchtiger Mann, durch seine Intrigen es dahin zu bringen gewußt, daß zwischen den Vögten, die von jenen mächtigen Rittern zur Verwaltung ihrer Besitzungen bestallt waren, ein Streit über einen schönen, trefflich mit Wild und Holz bestandenen Forst ausbrach, der zwischen ihren Grenzen und denen der Grünhainer Abtei lag. Jener Abt hoffte schließlich, den Forst in seine Hände zu bekommen. Ehe jedoch die Sache so weit kam, starb er, und sein Nachfolger, ein milder Priester, weit entfernt, den Streit zu schüren, vermittelte die Versöhnung der inzwischen aus Palästina zurückgekehrten Ritter. Sie kamen im freien Felde zusammen und verglichen sich miteinander; an jener Stelle aber ward ein Stein aufgestellt, dem der Volksglaube, weil er vom Grünhainer Abt geweiht war, Wunderkräfte zuschrieb; er sollte nämlich, stückweise zu Pulver gerieben, bei allerlei körperlichen Leiden die ersprießlichsten Dienste leisten. Jener strittige Wald aber heißt seit jener Zeit der Streitwald.

### 369. Der Rockenstein beim Schönheider Hammer

Dicht an der Straße von Eibenstock nach Schönheider Hammer erhebt sich in der Nähe des letztgenannten Ortes ein zerklüfteter hoher Granitfels, der Rockenstein genannt. Einst entfloh ein tugenhaftes Mädchen mit seinem Spinnrocken dem zudringlichen Gelüst eines rohen Jünglings und suchte auf diesem in Wald gehüllten Granitfelsen Sicherheit. Als sie aber hier von ihrem Verfolger entdeckt wurde, stürzte sie sich von dem Felsen hinab, nur der Spinnrocken blieb zurück. Der Fels heißt seitdem Rockenstein.

### 370. Der Ursprung des Dorfes Waschleithe bei Schwarzenberg

In dem Dörfchen Waschleithe hatten sich zu der frommen Klosterzeit in Grünhain Leute angesiedelt, die das Waschen und Scheuern im Kloster versahen. Man nannte diesen Ansiedlungsplatz die Waschleithe; so wußte jedermann, wo die Waschleute zu suchen waren. — Das Gerichtssiegel des Ortes führt ein Waschfaß, an welchem zwei Wäscherinnen mit Waschen beschäftigt sind.

Anmerkung: Fränkische Bauern gründeten vor 1200 das Waldhufendorf, das 1378 Ybenstock und 1380 Ewinstock hieß. An den Seifenbergbau erinnert das heutige Stadtwappen mit Seifengabel und Keilhaue. 1550 erhielt der Ort Stadtgerechtigkeit.

### 371. Die Entstehung von Werdau

Ein Bischof namens Egidius jagte einst, als die ganze Gegend von Werdau noch Wald gewesen, an diesem Orte. Er verirrte sich dabei, und als er sich, von der Jagdanstrengung ermattet, in der grausigen Einsamkeit niedersetzte, schlief er ein. Im Traume schreckten ihn wilde Tiere des Waldes; aber plötzlich fuhr er, von einem Geräusch geweckt, aus dem Schlafe auf und rief: „Wer da?" Es hatte sich nämlich ein verwundetes Reh vor ihm niedergeworfen und die Läufe auf des Bischofs Schoß gelegt. Der Gottesmann zog den Pfeil aus der

Wunde und befreite das Tier von seinen Qualen. Nach mühevoller Wanderung fand er glücklich den Weg zu den Seinen. Unterwegs aber hatte er beschlossen, die Bäume zu roden, eine Stadt anzulegen und an dem Orte, wo das Reh zu ihm gekommen, das Rathaus zu bauen; von dem Ausrufe des Bischofs aber: „Wer da?", hat hernach diese Stadt ihren Namen bekommen. Am Rathaus und im Siegel der Stadt ist ein Bischof mit dem Stabe zu sehen.

Anmerkung: An der alten Fernhandelsstraße von Leipzig nach Plauen, im Herr-schaftsgebiet von Schönfels, entstand gegen Ende des 12. Jahrhunderts ein Waldhu-fendorf, aus dem sich die 1304 als civitas (Stadt), 1320 als oppidum (Landstadt) ge-nannte, planmäßig angelegte und ummauerte Stadt entwickelte. Die alte Pfarrkirche St. Ägidii des alten Dorfes blieb außerhalb der Stadtmauer, verlor durch die Reforma-tion ihre Bedeutung und wurde abgebrochen. 1389 gelangte Werdau an die Markgraf-schaft Meißen.

### 372. Der Ursprung der Stadt Zwickau

Der Name der Stadt Zwickau wird von Cygnus bzw. Cygnae abgeleitet. So soll der erste Erbauer derselben ein Held namens Cygnus ge-wesen sein. Dieser galt den einen als Sohn des Herkules, dem in jener Gegend von alters her göttliche Verehrung gezollt wurde, an-deren als ein Krieger des Arminius, des Besiegers des Varus. Als Be-lohnung für seine Tapferkeit habe ihm Arminius jenen Landstrich überlassen.

Nach einer anderen Überlieferung wird der Name Zwickaus von der Fürstin Schwanhildis abgeleitet, die Karl dem Großen so mutig gegen die Sorben beigestanden hatte. Aus Dankbarkeit habe der Kai-ser die Gegend zwischen Mulde und Pleiße nach ihr Schwanenfeld genannt, auf lateinisch Cygnea.

Am alten Rathaus war ein Bild des Cygnus als auch der Fürstin angebracht. Darunter standen folgende Verse:

Der Cygnus ein sehr tapfrer Held
Und Herr im ganzen Schwanenfeld
Diese seine vornehmste Stadt
nach ihm Cygnea genennet hat.

Circiter annum Christi 700

Der letzte Zweig aus Cygni Geschlecht,
Jungfrau Schwanhildis die herrschet recht,
Und weil nach ihr kein Ende war,
Kam ihr Land ans Römisch-Reich gar.

Anno Christi 809

Nach anderer Überlieferung habe der Kaiser bei der Erbauung der Stadt drei Schwäne schwimmen gesehen und daher der Stadt den Namen Schwanenfeld, Cygnea, gegeben. Wieder andere behaupteten, Kaiser Heinrich I. habe beim Anblick der Siedlung ausgerufen: „Cygnea, Cygnea, du bist gar sehr verzwickt, du sollst fürder Zwicke heißen!" Schließlich soll Kaiser Heinrich III. den Bürgern der Stadt als Dank für ihren Beistand im Krieg einen Freiheits- und Gnadenbrief gegeben haben, in dem ihnen gestattet wurde, nach Art der Ritter Zwickelbärte zu tragen, so daß sich der Name Zwickau von diesen Bärten ableitet.

Anmerkung: Zwickau ging aus einer slawischen Siedlung hervor, die sich 1118 im Besitz der Gräfin Bertha von Groitzsch befand. An der Stelle, wo die alte Fernhandelsstraße, die von Altenburg über das noch unerschlossene Erzgebirge führte, die Mulde überschritt, wurde Zoll erhoben. Vor 1150 entstand hier eine Kaufmannssiedlung, die nach 1170 planmäßig ausgebaut wurde. 1220 erhielt sie das Stadtrecht.

Das früheste Stadtsiegel von Zwickau zeigt drei Türme. Um 1400 tritt das Bild mit den drei Schwänen auf, von dem irrtümlich der Stadtname auf Cygnea = Schwanenstadt zurückgeführt worden ist. Um 1560 wurden beide Wappenbilder vereinigt.

### 373. Warum in Zwickau kein Kürschner im Rat ist

Im Jahre 1403 brach in Zwickau ein Feuer aus, daß die ganze Stadt ausbrannte, so daß man auf dem Markte zu allen vier Toren hat hinaussehen können. Dieses Feuer hat bei einem Kürschner in der Scheergasse seinen Anfang genommen. Dem Rat sind damals die wichtigsten Urkunden verbrannt. Von dieser Zeit an wurde kein Kürschner mehr in den Rat aufgenommen.

### 374. Die Pest in den Dörfern um Zwickau

Als einst in der Zwickauer Pflege eine furchtbare Pest wütete, wurden viele Ortschaften entvölkert. In drei Dörfern blieb nur je ein Mann am Leben. Diese hießen Ortmann, Niclas und Jakob. Nach ihnen wurden später jene Dörfer, die zuvor andere Namen gehabt hatten, Ortmannsdorf, Mülsen St. Niclas und St. Jacob genannt.

### 375. Der Ursprung der Zschopau

Der Ritter Heinz von Wildeneck

Vernehmt von alten Zeiten her
'ne gruslig düstre Schauermär
aus Zschopaus sagenumwobenem Fleck
vom Ritter Heinz von Wildeneck.

Der Sorbe fand den Wohnsitz süß
und Menschenopfer bruzeln ließ,
da kam zum nicht gelinden Schreck
der Ritter Heinz von Wildeneck.

An tapfern Sachsenheeres Spitz
erobert er den Sorbensitz.
Auf Felsentales schönstem Fleck
baut er die Burg von Wildeneck.

Drauf streift er jagend durch den Wald,
die Meute bellt, das Hüfthorn schallt;
und machen feisten Hirsch zur Streck'
bracht Ritter Heinz von Wildeneck.

Und wie er jagte durch das Land,
hat ihn die Liebe übermannt.
In eine Sorbin war er weg,
der Ritter Heinz von Wildeneck.

Das schöne Sorbenkind entsproß
des Fichtelberges Marmorschloß.
„Bist meines Daseins höchster Zweck!"
so schwur der Heinz von Wildeneck.

Manch Sträußchen Carex vulpina
reicht der geliebten Zschopawa
— er war nun grad kein Modegeck —
der Ritter Heinz von Wildeneck.

„Mein Liebster", sprach sie schmerzerfüllt,
„der Vater ist fuchsteufelswild.
Der Alte will nicht ran an' Speck,
mein süßer Heinz von Wildeneck."

Doch dieser schlug mit Hohngelach
auf seiner Haube blechern Dach.
„Blitz Bomben, ich entführ dich keck,
noch diese Nacht auf Wildeneck!"

Er schwang sich auf sein Dänenroß,
in Eisen starrt der Knappentroß.
Doch des Verräters bößer Mund
tat mitternächtgen Anschlag kund.

Verzaubert sank das Marmorschloß,
und aus des Berges Schoß ergoß,
ganz aufgelöst vor Herzeleid,
sich Zschopawa, die treue Maid.

In stürmisch wilder Leidenschaft
entschäumt' sie tosend dunkler Haft,
grub ihre bittre Liebespein
tief in den Glimmerschiefer ein.

Drauf Ritter Heinrich talwärts schaut,
vernimmt der Wogen Klagelaut,
die, traurig hemmend ihren Lauf,
voll Sehnsucht schaun zur Burg hinauf.

Da krampft 's des Ritters blutend Herz,
und festgewurzelt, starr wie Erz,
als steinern Denkmal festgebannt,
da steht er noch und lugt ins Land.

Und wenn du wanderst froh im Maiengrün
durch Berg und Tal nach Zschopau hin,
grüß mir, die oft so gern ich sah,
Herrn Heinz und Jungfer Zschopawa!

Anmerkung: Diese moritatenhafte Ballade, von dem Chemnitzer Alfred Martin in Knittelversen verfaßt, hat keine nachweisbare überlieferte Sage als Quelle. Sie steht hier am Ende dieser Sagensammlung als ein Beispiel, wie sich die Volksliteratur Sagenmotiven zuwendet und diese auf ihre derb-humorige Weise verarbeitet. Der Text wurde freundlicherweise von der Stadtbibliothek Zschopau zur Verfügung gestellt. — Zschopau wurde 1286 erstmals erwähnt, 1292 als civitas, 1551 als Stadt. Im Rahmen der Besiedlung des Miriquidi, des vom Nordrand des Erzgebirgsvorlandes bis ins Egertal reichenden Urwaldes, entstand auf dem Felsen um den Vorläufer des heutigen dicken Heinrich die Burg Wildeck zum Schutz des Flußüberganges an der Handelsstraße von Chemnitz nach Böhmen. — Bewohnt war das Land damals nicht von Sorben, wenn auch der Verlauf des Flusses sorbischen Jägern und Honigsammlern bekannt gewesen sein mag. Der Name Zschopau ist sorbischen Ursprunges und bedeutet die Tosende, die Rauschende.

Burg Wildeck

# NACHWORT

Auch die Entstehung der Sagen des Erzgebirges reicht weit in die Vergangenheit unseres Volkes zurück. Bergleute, Handwerker, Bauern, Mägde und Knechte mögen für unerklärbare Erscheinungen, für etwas Rätselhaftes, Auffälliges, das sich in ihrem Leben, ihrer Familie, ihrer Gasse, ihrem Dorf ereignete, nach Erklärungen gesucht haben, wollten das Unerklärbare deuten. So haben die meisten der hier gesammelten Sagen ihren Ursprung im schweren, von Gefahren, Armut, Krankheit, Kriegs- und Hungersnöten gezeichneten Alltag der Erzgebirgler, wobei der Alltag selbst selten Bestandteil der Sage wurde. Das außergewöhnliche Ereignis wurde als Neuigkeit weitererzählt. Sicher waren diese Berichte zunächst knapp und schmucklos gehalten. Doch indem sie von Generation zu Generation weitergetragen wurden, bekamen sie auffallenderes Profil, wurden die Pointen verstärkt, wurde auch der Sachverhalt verändert, später allerdings auch die Sage mancherlei Tendenz dienstbar gemacht. Dieses Weitergeben des Sagenschatzes geschah mündlich, denn die meisten damaligen Bewohner waren des Lesens kaum kundig.

Indem die Sagen über Jahrhunderte nicht schriftlich fixiert waren, blieben sie schöpferischer Veränderung unterworfen. Vornehmlich als man damit begann, Sagen zu publizieren, und das begann in größerem Maße vorwiegend mit der zweiten Hälfte des vergangenen Jahrhunderts, geriet die Originalität der Sagen in Gefahr. Weitschweifige romantisierende, moralisierende und frömmelnde Zutaten drohten, das volkspoetische Urgestein zu überwuchern. Das stellt den heutigen Herausgeber von Sagen vor Probleme.

Eine gegenwärtige Edition von Sagen kann nach drei Prinzipien gestaltet werden. Entweder die Sagen werden philologisch exakt gemäß der gedruckten Vorlage übernommen, samt ihren störenden Zutaten und ihren zeitbedingten schwerverständlichen Ausdrucksweisen. Das andere Extrem ist ein neues, unserem Sprachempfinden gemäßes Nacherzählen der Sagen, was den Verzicht von historischer Sprachatmosphäre in Kauf nimmt. Wir haben uns für einen Mittelweg entschieden, den Versuch, die Urform nachzuempfinden bei maximaler Verständlichkeit und Lesbarkeit. Begründet ist dieses Verfahren damit, daß diese Ausgabe keine philologische Sammelarbeit sein soll, sondern ein die Vergangenheit verlebendigendes Sagen-Lesebuch für einen breiten Leserkreis. Die Literaturangaben bieten dem volkskundlich Interessierten die Möglicheit, auf die Quellen zurückzugehen.

Die ältesten schriftlichen Überlieferungen aus dem Sagenschatz des Erzgebirges finden sich bei dem sächsischen Geschichtsschreiber Petrus Albinus (1534 — 98). Auch die 12 Bücher des Georgius Agricola (1494 — 1551) „Über den Bergbau" sind nicht frei von sagenhaften Merkwürdigkeiten. Die frühen Chronisten des Erzgebirges, Andreas Möller (1598 — 1660) in Freiberg, Christian Lehmann (1611 — 88) in Scheibenberg und Christian Meltzer (auch Melzer, 1655 — 1733) in Schneeberg und Buchholz, machen keinen Unterschied zwischen sagenhafter Überlieferung und belegbarem historischem Ereignis. Das gilt auch für Sammlungen wie die „Curiosa Saxoniae", Iccanders (Johann Christian Crell) „Sächsisches Kernchronikon" und Johann Conrad Knauths (1658 — 1733) „Vorstellung des Stiftsklosters Altenzelle".

Eine erste reine Sammlung von deutschen Volkssagen gaben die Brüder Grimm 1816 heraus. Erzgebirge und Erzgebirgsvorland sind darin mit folgenden Sagen vertreten: Nr. 11 — Der Pielberg, Nr. 36 — Zwerge ausgetrieben, 37 — Das Wichtlein, — Nr. 175 — Des Rechenbergers Knecht, Nr. 231 — Zum Stehen verwünscht, Nr. 313 — Der schwarze Reiter und das Handpferd, Nr. 322 — Der Harrassprung. In Ludwig Bechsteins Thüringisch-sächsischer Sagensammlung finden wir u. a. die Sagen vom Geist Mützchen und von der Katzenmühle bei Buchholz.

Im Gefolge der grundlegenden Bemühungen der Brüder Grimm um die Bewahrung der Volksdichtung begannen nun Volkskundler, Bibliothekare, Lehrer und Historiker — wie Karl Simrock (1802 — 1876) im Rheinland und Gustav Schwab (1792 — 1850) in Schwaben — in vielen deutschen Landschaften die Sagen ihrer Heimat zu sammeln und gemäß ihrem Zeitempfinden interpretierend niederzuschreiben. Fürs Erzgebirge sind zuerst Ewald Victorin Dietrich und A. Textor zu nennen. 1822/24 veröffentlichten sie unter dem bezeichnenden Titel „Die romantischen Sagen des Erzgebirges. Dichtung und Wahrheit" 1822/24 ihre Sagensammlung.

Einen Schritt weiter ging Widar Ziehnert (1814 — 1839), der „Sachsens Volkssagen. Balladen, Romanzen und Legenden" in drei Bänden in Annaberg herausgab. 46 Sagen wurden „in gebundener Rede abgefaßt". Sie sind deshalb keine volkstümlichen Überlieferungen. 146 Sagen wurden nach seinem frühen Tode in Prosafassung herausgegeben. Im Vorwort beklagte er sich über die Schwere der Aufgabe, „den oft hartnäckigen und wenig ergiebigen Stoff durch das Colorit der Phantasie und die hier oft schwierig werdende Balladenform glücklich durchzuführen". Der Sebnitzer Volkskundler Alfred Meiche, der mit den Sammlungen „Sagenbuch der Sächsischen Schweiz", 1894, neu herausgegeben von Manfred Schober 1991, und „Sagenbuch des Königreichs Sachsen", 1903, wegweisende Sagensammlungen vorlegte, urteilt daher: „Ziehnert hat sich unverzeihlicher Abweichungen schuldig gemacht."

Nach den „Sagen, Legenden, Märchen und Erzählungen aus der Geschichte des sächsischen Volkes", 1839/41, von A. Segniz, stellte sich dann Johann Georg Theodor Gräße (1814 — 85) die Aufgabe, „sächsische Sagen in ursprünglicher Form wieder(zu)geben". Er nannte die Sage die „romantische Arabesque der Geschichtsschreibung", in der „ein ganzer Schatz frischer Volkspoesie verborgen liegt". Da er in seine aus 894 Einzelbeiträgen bestehende Sammlung auch merkwürdige Begebenheiten aufnahm, ging Alfred Meiche hart mit ihm ins Gericht und sprach von einer „Periode gelehrter Sagenfälschung".

Die erste grundlegende Sammlung von Erzgebirgssagen veröffentlicht zu haben ist das Verdienst Johann August Ernst Köhlers (1829 — 1903), des Gründers des Erzgebirgsvereins (1878). Sein „Sagenbuch des Erzgebirges", 1867 in Schneeberg und Schwarzenberg erschienen, ist mit seinen 832 Sagen noch heute als Quellensammlung von großer Bedeutung. Er gliederte die Sagen nach inhaltlichen Gesichtspunkten, ein Prinzip, daß Alfred Meiche (1870 — 1947) dann weiterentwickelte.

Köhler als auch Meiche übernahmen zahlreiche Sagen von Gräße. Meiche nutzte für sein „Sagenbuch des Königreichs Sachsen" 627 Sagen von Gräße, merzte somit nach eigenen Worten 267 Nummern aus. Von Köhler übernahm er weitere 76 bei Gräße nicht enthaltene. Mit Alfred Meiche erreichte die sächsische Sagenforschung eine neue Ebene.

Köhlers Werk blieb die bislang einzige umfassende Sammlung von Sagen des gesamten Erzgebirges. Nach 1875 brachte Oskar Gießler „Sächsische Volkssagen" heraus. Seine Sammlung umfaßt 67 Sagenkreise, 21 entstammen dem Erzgebirge. Er hatte „die schönsten und duftigsten Blüthen zu einem Kranze der Erinnerung für das Sachsenvolk gewunden". Immerhin beläuft sich seine Ausgabe auf 687 Seiten.

Innerhalb weniger Jahrzehnte erschienen Sagen als Volksbücher, wie „Aus Sachsens Sagenborn", 1918 herausgegeben vom Leipziger Lehrerverein. Sagen fanden zunehmend Eingang in die „Vaterländischen Lesebücher". Sagen sind auch enthalten in „Bunte Bilder aus dem Sachsenlande. Für Jugend und Volk". Herausgeber war der Sächsische Pestalozzi-Verein. Der 1. Band erschien 1895. Durch literarische Überarbeitungen ging oft ursprüngliche Substanz verloren.

Auch der Erzgebirgsverein mit seinen Zweigvereinen hat sich um Sammlung und Erhalt von Sagen verdient gemacht. Aus dem Schwarzwassergebiet sind H. Hallbauer und H. Henschel zu erwähnen. Als Herausgeber von Sagen wurden ebenfalls Fr. Sieber, S. Sieber und H. Siegert bekannt. Viele Ausgaben stellen nur Auswahlen dar, die territorial oder inhaltlich bestimmten Themenkreisen gewidmet waren. Als Beispiele territoral begrenzter Ausgaben seien auch genannt der von Karell 1930 edierte Band „Sagen des Bezirkes Komotau", der auch Sagen des sächsischen Erzgebirges enthält, sowie das 1938 erschienene „Sagenbuch des östlichen Erzgebirges" von A. Klengel.

Die erste „Sammlung bergmännischer Sagen" erschien 1883 von Friedrich Wrubel in Freiberg. Vollständigkeit anstrebend, hat Gerhardt Heilfurth (geb. am 11.7.1909 in Neustädtel) mit dem Werk „Bergbau und Bergmann in der deutschpracigen Sagenüberlieferung Mitteleuropas", Marburg 1967, den bedeutendsten Beitrag dieser Art geleistet. Die Ausgabe „Bergmannssagen aus dem sächsischen Erzgebirge" von Dietmar Werner erschien mit einem wertvollen Kommentar von Eberhard Neubert. Eine weitere Sammlung von europäischen Bergmannssagen legte Manfred Blechschmidt unter dem Titel „Die silberne Rose" vor. Von H. Trommer erschien 1956 „Wo das Erz in Fülle blinkt".

W. Nachtigall und D. Werner publizierten 1986 Sagen über Stände und Berufe. Der auf Sachsen bezogene Band trägt den Titel „Der böse Advokat". Der Leser wird an alte, teils ausgestorbene Handwerke errinnert.

Weitere thematische Sammlungen sind „Venetianersagen" und Glockensagen unter dem Titel „So ruf ich dich zu Gottes Ehr" von R. Schramm. Erstere ist die umfangreichste Aufarbeitung von Berichten früherer Schatzsucher, mit einer akribischen Einleitung von Helmut Wilsdorf.

In den letzten Jahrzehnten dominierten territoriale Sagenausgaben. Dabei wurden auch bisher unbekannte Sagen vorgestellt, die Ortschronisten und Heimatforscher aufspürten. Häufig haben sie mythologische Inhalte. Feldforschung hat im allgemeinen ergeben, daß 80jährige Bürger meist die erfahrenen Lesebuchsagen in Erinnerung haben. Aber fündig wird man noch in Bezug auf den Ursprung von Flurnamen, und Ungewöhnliches ereignet sich jederzeit.

Eine umfangreiche territoriale Sammlung hat Wolfgang Möhring unter dem Titel „Miriquidis Raunen" mit sächsischen und böhmischen Sagen des westlichen Hocherzgebirges zusammengestellt. Mit diesen drei Bänden gelang ihm die Zurückführung auf die Quellen. Ein vom Kulturbund der DDR 1981 begonnenes Vorhaben „Sächsische Volkssagen" konnte nach dem Erscheinen von vier Heften über die Regionen Chemnitz, Annaberg, Freiberg und das Vogtland nicht weitergeführt werden. 1983 erschien in zwei Bändchen „Die Wunderblume auf dem Schlettenberg" mit Sagen aus dem Kreis Marienberg. Aus Flöha kam um 1952 das Heft „Rund um die Augustusburg". Diese Publikationen enthalten auch bislang unbekannte Sagen.

Der Herausgeber vorliegender Sagensammlung hat im Auftrage der Landesstelle für erzgebirgische und vogtländische Volkskultur, Schneeberg, Untersuchungen darüber durchgeführt, welche erzgebirgische Sagen seit ihrer Erstveröffentlichung in Anthologien, Lesebüchern, Zeitschriften und Zeitungen am häufigsten vertreten sind. Eine Spitzenstellung nehmen dabei die Sagen von der Auffindung des Silbers bei Annaberg und Freiberg ein. Das ist kein Zufall, denn der Zufallsfund, den der hallische Salzfuhrmann im Hohlweg von Christiansdorf machte, und der Silberfund in den Wurzeln eines Baumes im Gebiet des späteren Annaberg lösten Blütezeiten des Erzbergbaus aus, von dem zumal die wettinischen Landesherren profitierten. An dritter Stelle folgt die Sage von der „langen Schicht"

Oswald Barthels mit der später hinzugedichteten Liebesgeschichte. Die vierte Stelle nimmt das sagenhafte Geschehen um den sächsischen Prinzenraub ein, ein abschreckendes Beispiel, wie „verabscheuungswürdig" das Aufbegehren gegen den Landesherrn war.

Es sind 117 Jahre vergangen, seit Johann Köhlers „Sagenbuch des Erzgebirges" erstmals erschienen ist. Daher ist es an der Zeit, auf diese Edition eine neue Sammlung folgen zu lassen. Dabei ist natürlich in erster Linie die Leistung von Alfred Meiche zu berücksichtigen. Aber auch nach seinem „Sagenbuch des Königreichs Sachsen" wurden weitere Erzgebirgssagen aufgefunden und festgehalten. Mit vorliegender Ausgabe konnte Vollständigkeit nicht erreicht werden, denn die erfaßten Erzgebirgssagen nähern sich der Zahl 1 500. Auch sollte dieses neue Sagenbuch des Erzgebirges ein spannend zu lesendes Buch werden, das die Liebe zur Heimat fördert und vertieft. So wurde oft auf bloße Mitteilungen, daß z. B. an einem bestimmten Ort ein Gespenst erscheint, ohne daß damit ein Geschehen verbunden ist, verzichtet. Mehrere Kurzsagen erscheinen auch unter einer gemeinsamen Überschrift.

Neben dem eigentlichen Erzgebirge wurde auch das Erzgebirgsvorland einbezogen. Die Grenze verläuft etwa bei Dippoldiswalde, Freiberg, Chemnitz, Burgstädt, Meerane. Das Nossener Gebiet wurde vorwiegend in Beziehung zum Bergbau berücksichtigt.

Für freundschaftliche Untersützung in Vorbereitung dieser Ausgabe möchte der Herausgeber dem Altis-Verlag danken, besonders Siegfried Rentzsch, der mit großem persönlichem Aufwand die Fertigstellung dieses Buches ermöglichte. Mein Dank gilt auch Frau M. Berger, Zschopau, und den Herren Stefan Höhnel, Glashütte, Harry Hunger, Reitzenhain, und Joachim Kunze, Oberwiesenthal, für wertvolle, sachkundige Hinweise.

Und noch ein Dank liegt mir am Herzen. Mit Herrn Günther Arnold, Olbernhau, entstandt im Frühjahr 1990 das Manuskript „Sagen zur sächsischen Geschichte". Leider verstarb der bekannte Museumsdirektor, Redakteur und Heimatforscher viel zu früh. Ich danke Frau Arnold für die Übergabe des Manuskriptes zur weiteren Verwendung. Ich möchte Günther Arnold (1932—1991) in Ehren gedenken.

Freiberg, im Herbst 1994 Werner Lauterbach

# WORTERKLÄRUNGEN

**Andreasnacht:** vom 29. zum 30. November

**Ausbeute:** finanzieller Gewinn aus der Unterhaltung eines Bergwerkes, wenn sowohl alle Zubußen zurückerstattet als auch die Kosten für die Arbeit der kommenden Zeit gedeckt sind

**Bergregal:** historisches Verfügungsrecht des Landesherrn auf Nutzung der Bodenschätze, z. B. Gold, Silber und Salz

**Binge oder Pinge:** Vertiefung an der Erdoberfläche, verursacht durch Zusammensturz oder Einbruch bergmännischer Anlagen unter Tage, besonders in Bereichen, wo durch den Erzabbau große Hohlräume entstanden waren

**Blaue Farbe:** Mineralfarbe aus Kobalt, pulverisieretem Quarz und Pottasche

**Braupfanne:** Bezeichnung in der Brauerei für die Kessel aus Kupfer oder Aluminium, in dem die Würze mit Zusatz von Hopfen gekocht wird

**Eigenlehner:** Bergmann, der auf eigenes Risiko die Arbeit in eigener Grube auf Gewinn oder Verlust betreibt

**Elle:** altes Längenmaß (nach der Länge eines Unterarmknochens) zwischen 55 bis 85 cm; im sächsischen Raum gleich 2 Fuß = 24 Zoll = 56,638 cm

**Fahrt:** Bezeichnung für im Bergwerk benutzte Leiter

**Feilenhauer:** Handwerker, der Feilen zur Holz- und Metallbearbeitung herstellte

**Fuhrmannslöser:** Löser sind Schnapphaken einer Fuhrmannstasche aus Zacken eines Hirschgeweihs

**Fundgrube:** Grubenfeld, das derjenige Bergmann erhielt, der als erster auf einer Lagerstätte fündig wurde und sie zur Bearbeitung beantragte; die Fläche war 60 Lachter lang und 7 Lachter breit, also 120 x 14 m, mit einer „ewigen Teufe" (unbegrenzten Tiefe)

**Geviert Feld:** Fundgrube, die 28 Lachter in der Länge und Breite aufweist; siehe Lachter

**Gewerke:** Zusammenschluß von Bergbau treibenden Männern, später Gewerkschaft, bergbauliche Genossenschaft, genannt

**Gezähe:** Werkzeug des Bergmanns — z. B. Schlägel und Eisen

**Gilbe:** gelblich verwitterte Gesteine und Erden

**Habit:** Kleidung der Bergleute

**Haspel:** Winde über einem Schacht, älteste Vorrichtung zur Förderung von Materialien

**Heiliger Oswald:** neben der heiligen Barbara einer der 14 Nothelfer des katholischen Glaubens

**Hufe:** altes deutsches Flächenmaß; zur Zeit der Besiedlung des Erzgebirges und seines Vorlandes galt die fränkische Hufe mit einer Größe von 43,2 Acker = 23 bis 24 Hektar

**Johannistag:** 24. Juni

**Kapsamenstrünklein:** als Kappblume wurde der blaue Sturmhut bezeichnet

**Kaue:** Überbau über dem Schacht, der die Bergleute vor Wind und Wetter beim Ein— und Ausfahren schützt

**Knappschaft:** zunftmäßiger Zusammenschluß der Bergleute seit dem 15. Jahrhundert; später Bezeichnung ihrer berufsbezogenen Krankenkasse

**Kobold:** ein Hausgeist, der dem Hausherrn Geld und Reichtum brachte

**Kraut Lunaria** siehe Lunaria

**Kunst:** bergmännischer Ausdruck für Maschine; so kennt man die Fahrkunst, Wasserkunst, Kunstgezeuge; verantwortlich war der Kunstmeister

**Kux:** Anteile eines Bergwerks wurden in 128 Kuxe geteilt; der Inhaber erhielt den 128. Teil vom Gewinn oder mußte den 128. Teil Zubuße einzahlen, wenn die Grube keinen Gewinn erbrachte; häufig erhielt die Kirche einen 129. Kux

**Lachter:** altes Längenmaß, ca. 2 m

**Lehn:** Grubenfeld von 7 Lachter mal 7 Lachter

**Letten:** toniger Mergel

**Lichtmeß:** 40 Tage nach Weihnachten

**Lot:** alte Gewichtseinheit; 16 Lot entsprechen 234 Gramm z 1 Mark

**Lunaria:** Mondviole, Mondveilchen genannt

**Martini:** 11. November, der Tag des heiligen Martin von Tours; Datum des Arbeitswechsels von Knechten und Mägden bei Bauern

**Miriquidi:** zur Zeit der Besiedlung des Erzgebirges Bezeichnung für den Wald vom sächsischen Flachland bis zum Kamm, später auch sächsisch-böhmischer Wald

**Mittfasten:** Mittwoch vor Sonntag Lätare

**Mundloch:** Eingang eines Stollns an der Erdoberfläche bzw. Austritt des abfließenden Stollnwassers

**Muten:** der Entdecker eines Erzvorkommens mußte durch schriftlichen Antrag beim Bergmeister Anspruch auf den Platz zur Schürfarbeit erheben

**Partierer:** ein unehrlicher Bergmann, der Erz auf die Seite schafft

**Pinge siehe Binge**

**Probierer:** Bergbeamter, der den Edelmetallgehalt im Erz feststellt, ein Gegenprobierer muß den Wert kontrollieren

**Quartal:** seit 1551 erfolgte in Freiberg die Einteilung des Jahres in vier Quatember (aus dem lateinischen quattuor tempora, Beginn der vier Jahresabschnitte): reminiscere bis zum 5. September vor Ostern, Trinitatis — bis zum 1. Sonntag nach Pfingsten, Crucis — bis 14. September, Luciä — bis 13. Dezember; sie galten als Tage der finanziellen Abrechnung

**Ritzen:** Bezeichnung für die landwirtschaftliche Tätigkeit, ein Feld im Herbst nur zur Hälfte zu ackern und den Rest im Frühjahr zu erledigen

**Röschen:** durch den Berg gebrochene Wassergräben, um den Künsten Wasser zuzuführen oder Grubenwässer abzuleiten

**Schaube:** Kleidungsstück im Mittelalter, ein knielanger Überrock, vorn offen, meist mit Pelz gefüttert

**Simonis und Judä:** 27. Oktober

**Speise:** ein Gemenge von Metallen und Halbmetallen

**Spektrum:** ein Gespenst in vielerlei Gestalt, oft Vorahnungen ankündigend

**Spiritus familiaris:** Familiengeist, der kommende Ereignisse ankündigt

**Stirrln:** Wasser aufrühren mit einem Stab

**Unschlittlichter:** auch Inselt genannt; Kerzen aus Talg

**Veitstag:** 15. Juni

**Walpurgisnacht:** vom 30. April zum 1. Mai

**Wechselbalg:** ein Kind, das angeblich von Nixen ausgetauscht wurde

**Wüstungen:** Orte, die durch Kriege zerstört, durch die Pest entvölkert oder aus anderen Gründen von ihren Bewohnern verlassen wurden

**Zwitter:** mit Zinnerz durchsetztes Granitgestein

## LITERATURVERZEICHNIS

Publikationen, die als Quelle für die Sagen benutzt wurden:

1. **Aberglaube im Erzgebirge vor 50 Jahren.** Ein interessanter Hutzenabend, Globenstein bei Rittersgrün 1891
2. **Agricola, G.:** De veteribus et nobis metallis (Alte und neue Bergwerke), 1546
3. **ders.:** De animatibus subterraneis, Wittenberg 1546
4. **Albinus, P.:** Meißnische Land- und Bergchronica, Dresden 1590
5. **Bechstein, L.:** Deutsches Sagenbuch, Merseburg und Leipzig 1930 (1. Aufl. 1852)
6. **Biedermann, Freiherr von:** Eine Sängerjugend, Dresden 1847
7. **Dietrich, E. V., und A. Textor (Weber):** Die romantischen Sagen des Erzgebirges. Wahrheit und Dichtung, 2 Bde., Annaberg 1822/24
8. **Eichhorn, A.:** Heimatbuch Glashütte, Dresden 1939
9. **Endler:** Geschichtliche Nachrichten über Lengefeld und Rauenstein
10. **Engelschall, J. Chr.:** Beschreibung der Exulanten- und Bergstadt Johanngeorgenstadt, Leipzig 1723
11. **Flader:** Westfälisches Ehrengedächtnis, Waldenburg 1719
12. **Frost, G. A.:** Illustrierte Chronik von Grünberg und Umgebung, Crimmitschau 1900
13. **Funk, C. A., und A. Sauer:** Zur Geschichte der Stadt Mittweida und ihrer Umgebung, Mittweida 1898
14. **Gießler, O.:** Sächsische Volkssagen, Stolpen o. J.
15. **Gräße, J. G. Th.:** Der Sagenschatz des Königreiches Sachsen, 1. und 2. Band, 2. Aufl., Dresden 1874
16. **Grohmann, M.:** Das Obererzgebirge und seine Hauptstadt Annaberg in Sage und Geschichte, Annaberg 1892
17. **Iccander (J. Chr. Crell):** Kurtzgefaßtes Sächsisches Kernchronicon, 3 Bde., Leipzig/Freyberg 1720/35
18. **Jahrbuch Erzgebirge,** 1982
19. **Karell:** Sagen des Bezirkes Komotau, Komotau 1930
20. **Klengel, A.:** Sagenbuch des östlichen Erzgebirges, Altenberg 1938
21. **Knauth, J. C.:** Geographisch historische Vorstellung des Stifftsklosters Altenzella usw., Dresden/Leipzig 1720
22. **Köhler, J. A. E.:** Sagenbuch des Erzgebirges, Schneeberg und Schwarzenberg 1886

23. **Kreutel, B. (Hrsg.):** Volksthümliche Sagen von der Oswalskirche zu Haide . . . , Geyer 1887

24. **Lehmann, Chr.:** Historischer Schauplatz derer natürlicher Merckwürdigkeiten in dem Meißnischen Obererzgebirge, Leipzig 1699, Nachdruck 1747

25. **ders.:** Collectanae autographa (handschriftliche Stoffsammlung)

26. **Leopold:** Chronik von Meerane

27. **Lungwitz, A.:** Geyer und das Obererzgebirge in Sage und Geschichte, Geyer o. J.

28. **Meiche, A.:** Sagenbuch des Königreichs Sachsen, Leipzig 1903

29. **ders.:** Sagenbuch der Sächsischen Schweiz, neu hrsg. von Manfred Schober, Berlin 1991

30. **Meltzer, Chr.:** Historia Schneebergensis renovata, Schneeberg 1716

31. **Mitteldeutsche Blätter für Volkskunde,** Heft 2 und 3, 1932

32. **Möller, A.:** Freybergische Annales, in: Theatrum Freibergensis Chronicum, Freiberg 1653

33. **Moschkau, A.:** Geschichte des Benediktiner Klosters St. Walpurgis im Zellwalde, 1874

34. **Müller, E. H.:** Historisch-topographisch-statistische Beschreibung der Bergstadt Brand, Freiberg 1858

35. **Poeschel, J.:** Über Mag. Chr. Lehmanns Kriegschronik . . . , Programmarbeit, Grimma 1889

36. **Reinhold:** Was erzählt man sich im mittleren Erzgebirge?, Schmiedeberg 1935

37. **Richter, A. D.:** Umständliche Chronika der Stadt Chemnitz, 1753/67

38. **Sächsische Volkssagen,** Band 3, hrsg. vom Kulturbund der DDR, Bezirksleitung Karl-Marx-Stadt, Bearbeitung Dr. Werner Lauterbach, 1986

39. **Schmidt, T.:** Chronica Cygnea oder Beschreibung der sehr alten churfürstlichen Stadt Zwickau, Zwickau 1656

40. **Schönburgische Geschichtsblätter**

41. **Segnitz; A.:** Sagen, Legenden, Märchen und Erzählungen aus der Geschichte des sächsischen Volkes, Meißen 1839/54

42. **Spieß, M.:** Aberglauben, Sitten und Gebräuche im sächsischen Obererzgebirge, Programmarbeit 1862

43. **Staberoh, G. D.:** Chronik der Stadt Oederan, 1847

44. **Sturmhöfel:** Geschichte der Sächsischen Lande, 1889

45. **Land um die Augustusburg,** (Flöha), o. J.

46. **Ullmann, Martha:** Manuskript, gekürzt veröffentlicht in: Die Wunderblume vom Schlettenberg

47. **Unsere Heimat,** April 1976

48. **Wrubel, Fr.:** Sammlung bergmännischer Sagen, Freiberg 1883

49. **Ziehnert, W.:** Sachsens Volkssagen, Balladen, Romanzen und Legenden. 3 Bde., 5. Aufl., Annaberg 1886

50. **Sagensammlung Günther Arnold**

51. **Sagensammlung des Herausgebers**

Weitere benutzte Literatur:

Blaschke, K.: Historisches Ortsverzeichnis von Sachsen, Leipzig 1957
Die Wunderblume vom Schlettenberg und andere Sagen aus dem Kreis Marienberg, Band 1 und 2, hrsg. von der Abt. Kultur und Volksbildung beim Rat des Kreises Marienberg, Bearbeitung Wolfgang Buschmann und Günther Arnold, Marienberg 1983
Grimm, J. und W.: Deutsches Wörterbuch, Leipzig 1854/1954
Köhler, J. A. E.: Volksbrauch, Aberglaube, Sagen u. a.
Moschkau, A.: Führer durch Nossen und Umgebung, o. J.
Wagenbreth, O., und E. Wächtler: Bergbau im Erzgebirge. Technische Denkmale, Leipzig 1990
Walz, D.: Burgentour. Sächsische Burgen an Mulde und Zschopau, Leipzig 1992
Wilisch, Chr. G.: Kirchen-Historie von Freyberg, o. O., o. J.

# Quellenverzeichnis

Die fett gedruckten Ziffern bezeichnen die Sagennummern, die dahinterstehenden Ziffern die Nummern des Literaturverzeichnisses.

1 22,28; 2 1, 15, 28; 3 28; 4 5, 15, 28; 5 15, 28, 42; 6 15, 28; 7 10, 15, 28; 8 15, 24, 28; 9 15, 21, 28; 10 22, 28; 11 22, 28; 12 15, 28 49; 13 22, 28; 14 15, 28; 15 20; 16 28; 17 15, 24, 28; 18 28; 19 15, 24, 28; 20 15, 24, 28, 41; 21 22, 28; 22 25, 28; 23 15, 24, 28; 24 15, 28 35; 25 15, 24, 28; 26 22, 28; 27 24, 28; 28 15; 29 25, 28; 30 15, 22, 28, 49; 31 15, 28 49; 32 15, 22, 28; 33 14, 22, 28; 34 22, 28, 51; 35 28, 35; 36 22, 28; 37 6, 15, 28; 38 25, 28; 39 11, 15, 28; 40 15, 28; 41 14, 28; 42 15, 24, 28; 43 19; 44 22, 24, 28; 45 51; 46 20; 47 22, 28; 48 15, 17, 28; 49 25, 28; 50 22, 28; 51 22, 28; 52 28; 53 22, 28; 54 28; 55 28; 56 19; 57 20; 58 25, 28; 59 3, 28; 60 1, 24, 25, 28, 42; 61 5, 15, 28, 49; 62 22, 28, 34; 63 28; 64 28; 65 15, 17, 28; 66 22, 28; 67 32; 68 15, 28, 49; 69 23; 70 22, 28; 71 15, 24, 28; 72 15, 28, 49; 73 22, 28; 74 15, 28 49; 75 15, 28, 49; 76 15, 28; 77 25, 28; 78 22, 28; 79 28, 49; 80 22, 28; 81 1; 82 28; 83 46; 84 51; 85 22, 28; 86 15, 28, 49; 87 29; 88 15, 28, 49; 89 11, 25, 89; 90 25, 28; 91 15, 24, 28; 92 15, 24, 28; 93 12; 94 22, 24, 28; 95 16, 28; 96 15, 17, 28; 97 28; 98 14, 22, 28; 99 15, 28, 49; 100 15, 28, 49; 101 15, 22, 24, 28, 42; 102 31, 51; 103 22, 28; 104 22, 28; 105 22, 28; 106 1, 24, 28; 107 15, 28, 30; 108 22, 28; 109 25, 28; 110 22, 28, 48; 111 15, 28; 112 15, 28, 49; 113 10, 15, 22, 28; 114 28; 115 22, 28; 116 22, 28; 117 1, 22, 28; 118 7, 15, 24, 41, 49; 119 15, 22, 28; 120 15, 24, 28; 121 15, 22, 50; 122 15, 22, 28; 123 22, 28; 124 47; 125 22, 28; 126 15, 24, 28; 127 22; 128 15, 24; 129 16, 22, 28; 130 15, 22, 28; 131 11, 22, 28; 132 24, 25, 28; 133 25, 28; 134 15, 24, 28, 49; 135 1, 22, 28, 42; 136 45; 137 15, 25, 28, 49; 138 22; 139 15, 28, 49; 140 22, 28, 30; 141 22; 142 22, 28; 143 51; 144 15, 28, 41, 49; 145 19; 146 31; 147 28; 148 15, 32; 149 15,

28, 32; **150** 15, 28, 32; **151** 15, 28, 32; **152** 15, 28; **153** 22, 24, 28; **154** 15, 28; **155** 15, 28, 29; **156** 6, 15, 28, 50; **157** 15, 28; **158** 15, 22, 24, 28; **159** 15, 22, 24, 28; **160** 22, 2 8, 32; **161** 7, 15, 22; **162** 15, 22, 28; **163** 2, 28; **164** 22, 28; **165** 25, 28; **166** 15, 28, 39; **167** 28; **168** 22, 28; **169** 1, 28; **170** 22, 24, 28; **171** 25, 28; **172** 22, 24, 28; **173** 38, 51; **174** 15, 21, 28; **175** 15, 28, 32; **176** 22; **177** 12, 22, 28; **178** 45; **179** 15, 28, 49; **180** 15, 22, 28; **181** 23; **182** 15, 28, 39; **183** 9; **184** 21, 38; **185** 15, 28, 49; **186** 15, 28 41, 49; **187** 45; **188** 22, 28, 30; **189** 28; **190** 22, 28; **191** 22, 28; **192** 40, 50; **193** 23; **194** 7, 15, 22, 28, 30; **195** 10, 22, 28; **196** 24, 28; **197** 11, 15, 24, 28, 41; **198** 15, 28, 49; **199** 22, 24, 28; **200** 7, 15, 28, 49; **201** 22, 28; **202** 22, 24, 28; **203** 15, 28, 42; **204** 15, 22, 28, 32, 49; **205** 22, 28; **206** 22, 28, 32; **207** 15, 28, 30, 49; **208** 23; **209** 15, 28, 49; **210** 22, 28; **211** 22, 28; **212** 22, 28; **213** 22, 28; **214** 22, 28; **215** 15, 28, 30; **216** 15, 28; **217** 22, 28; **218** 22, 28; **219** 22, 28; **220** 15, 28; **221** 15, 28; **222** 22, 28; **223** 24, 28; **224** 14, 15, 22, 24, 28; **225** 22, 28, 42; **226** 27, 28; **227** 38, 51; **228** 38, 51; **229** 22, 28; **230** 22, 28; **231** 22, 28; **232** 22, 28; **233** 22, 28; **234** 22, 28, 33; **235** 22, 28, 37; **236** 28, 49; **237** 22, 28; **238** 15, 28; **239** 28; **240** 15, 28; **241** 15, 28, 49; **242** 51; **243** 22, 29; **244** 20; **245** 8; **246** 15, 28, 49; **247** 22, 28, 43; **248** 18; **249** 45; **250** 15, 28; **251** 15, 28; **252** 15, 28; **253** 7, 15, 28, 40; **254** 22, 28; **255** 15, 28, 39; **256** 15, 28, 49; **257** 14, 22, 28; **258** 28, 50; **259** 22, 28; **260** 7, 15, 28; **261** 22, 28; **262** 15, 49; **263** 32; **264** 51; **265** 15, 22, 24, 28, 49; **266** 15, 28, 49; **267** 15, 28; **268** 28, 49; **269** 13, 28; **270** 15, 28, 32; **271** 16; **272** 22; **273** 28, 32; **274** 22, 28, 32; **275** 4, 15, 28; **276** 50; **277** 28; **278** 15, 28, 49; **279** 15, 28; **280** 15, 28, 49; **281** 15, 28; **282** 15, 28; **283** 22, 28, 49; **284** 28, 44; **285** 22, 28, 49; **286** 28; **287** 2, 4, 15, 28, 32; **288** 22, 28; **289** 4, 22, 28, 32; **290** 15, 28, 32, 49; **291** 15, 32; **292** 21, 2; **293** 22, 28, 30; **294** 28; **295** 15, 28, 30; **296** 10, 22, 28; **297** 22; **298** 15, 28, 49; **299** 15, 28, 41; **300** 22, 28; **301** 15, 28; **302** 22, 28; **303** 15, 22, 28, 49; **304** 7, 15, 22, 28; **305** 22, 24, 28; **306** 22, 28; **307** 36; **308** 15, 28; **309** 28; **310** 15, 28, 41; **311** 22, 2 8, 34; **312** 7, 15, 28, 49; **313** 15, 28; **314** 15, 28, 49; **315** 15; **316** 51; **317** 15, 28, 32; **318** 22, 28; **319** 15, 29; **320** 15, 21, 28; **321** 28, 49; **322** 22, 28; **323** 28; **324** 29; **325** 22, 28; **326** 15, 28, 49; **327** 22, 28, 38; **328** 38, 45; **329** 28, 37, 49; **330** 12; **331** 51; **332** 15, 28; **333** 28; **334** 15, 22, 28; **335** 22, 28; **336** 28; **337** 15, 22, 28; **338** 22, 28; **339** 22, 28; **340** 15, 28, 32; **341** 28; **342** 15, 22, 28, 32; **343** 15, 24, 28; **344** 27, 28; **345** 22, 28; **346** 28; **347** 28; **348** 15, 28; **349** 34; **350** 22, 28; **351** 22, 28; **352** 22, 28; **353** 22, 28; **354** 15, 22, 28; **355** 15, 28, 49; **356** 22, 28, 43; **357** 22, 28, 43; **358** 22, 28; **359** 51; **360** 22, 28; **361** 50; **362** 15, 22, 28, 43; **363** 15; **364** 22, 28; **365** 28; **366** 15, 28, 30; **367** 38; **368** 7, 15, 28; **369** 22, 28; **370** 22, 28; **371** 22, 28; **372** 15, 28, 39; **373** 22, 28, 39; **374** 22, 28; **375** 51.

# Register

## B. Flurnamen (Berg-, Fluß-, Wald-, auch Bergwerks-, Burgnamen und dergleichen)

## C. Historische Personen